De zwarte engel

ERICA
SPINDLER

De zwarte engel

MIRA BOOKS AMSTERDAM

MIRA

© 2001 Erica Spindler
Oorspronkelijke titel: All Fall Down
Originele uitgave: Mira Books, Canada

© Nederlandse uitgave: Mira Books, Amsterdam
Vertaling: Erica Feberwee
Eerder verschenen onder het imprint IBS
Omslagontwerp: Studio Jan de Boer BNO
© Illustratie: Hollandse Hoogte/Nonstock
Opmaak binnenwerk: Mat-Zet, Soest

Eerste druk september 2005

ISBN 90 8550 041 9
NUR 332

www.mirabooks.nl

1

◆

Charlotte, North Carolina
Januari, 2000

De kast was klein en benauwd, en het was er veel te warm. Op de smalle strook gedempt licht na die uit de slaapkamer viel, was het er bovendien aardedonker. In de kast wachtte de Dood. Geduldig. Roerloos.

Die avond zou het gebeuren. Nog even, en hij zou komen, en net als de anderen zou hij boeten. Boeten voor zijn ongestrafte misdaden. Boeten voor zijn misdaden tegen de zwakkeren. Tegen hen die de wereld de rug had toegekeerd. De Dood had alles zorgvuldig voorbereid en niets aan het toeval overgelaten. Zijn vrouw was niet thuis. Ze was met de kinderen uit logeren. Ver weg. Bij haar liefhebbende familie.

Ergens in het huis klonken geluiden – een bonk, gevolgd door een verwensing. Er sloeg een deur. Gespannen drukte de Dood zich dichter tegen de deur en gluurde door de kier naar het onopgemaakte bed, naar de vuile kleren die over de grond verspreid lagen.

Wankelend kwam hij de kamer binnen en liep naar het bed, overduidelijk dronken. Onmiddellijk vulde de kleine, donkere ruimte zich met de geur van drank en sigaretten. De hele avond had hij met zijn vrienden zitten drinken en grappen gemaakt over de voorzienigheid, over de gerechtigheid.

Hij verloor zijn evenwicht en sloeg tegen het tafeltje naast het bed. De lamp belandde met een dreun op de grond. Vervolgens viel hij voorover op het bed. Een arm en een been hingen over de rand.

De minuten tikten weg. De ademhaling van de dronkaard werd zwaar en diep. Het duurde niet lang of zijn gesnurk vulde de kamer. Na alle drank die hij had genuttigd, zou hij niet snel wakker worden. Pas als het al te laat was.

Het moment was aangebroken.

De Dood glipte uit de kast, liep naar het bed en keek met een blik vol afschuw op de man neer. Roken in bed was gevaarlijk. Het was roekeloos het lot op die manier te tarten. Maar goed, dit was dan ook een domme man. Een man die niet had geleerd van zijn fouten. Een man zonder wie de wereld beter af zou zijn.

Met de punt van een schoen schoof de Dood de prullenmand naar het bed, precies onder de hand van de dronkaard. De sigaret was van het merk dat hij altijd rookte; de lucifers kwamen uit de bar waar hij die avond was geweest. De lucifer brandde meteen, en met een zacht geknetter vatte de tabak vlam.

Met een tevreden glimlach liet de Dood de brandende sigaret in de volle prullenmand vallen.

2

Charlotte, North Carolina
Woensdag, 1 maart 2000

Melanie May, van het politiebureau Whistlestop, bleef in de deuropening van de motelkamer staan en keek naar het bed met daarop het slachtoffer, dat met haar enkels en polsen aan de vier hoeken was vastgebonden.

De jonge vrouw was naakt. Ze lag op haar rug, met haar ogen geopend en haar mond verzegeld met zilverkleurig afplakband. Bloed was van haar gezicht en haar lichaam op het bed gestroomd en had zich onder haar rug verzameld. Zo te zien, was de rigor mortis volledig, hetgeen betekende dat ze ten minste acht uur dood moest zijn.

Beverig deed Melanie een stap naar voren. Het telefoontje van commissaris Greers had haar die ochtend onder de douche verrast. Met een handdoek om zich heen geklemd, had ze hem tot twee keer toe moeten vragen de boodschap te herhalen. In de drie jaar dat ze inmiddels deel uitmaakte van de politie in Whistlestop was dit haar eerste moord. Sterker nog, voorzover ze had begrepen, was er in de hele geschiedenis van de kleine gemeenschap aan de buitenrand van Charlotte nog nooit een moord gepleegd!

De commissaris had haar opgedragen naar het Sweet Dreams Motel te komen – en wel zo snel mogelijk!

Eerst had ze iets moeten regelen voor Casey, haar zoontje van vier. Daarna had ze haastig haar uniform aangetrokken en haar lange, blonde haar in een strenge knot bij elkaar gebonden. Op het moment dat ze de laatste speld erin had gestoken, was de bel gegaan. Het was de buurvrouw geweest, die Casey naar de kleuterschool zou brengen.

Nauwelijks twintig minuten later stond ze vol afschuw naar haar eerste moordslachtoffer te staren en wenste ze wanhopig dat ze niet zou overgeven.

Ze verplaatste haar blik naar de andere aanwezigen in de kamer. Haar collega, Bobby Taggerty – die er met zijn broodmagere gestalte en vuurrode haardos uitzag als een wandelende lucifer – was bezig foto's te maken. Haar baas stond in een hoek van de kamer, verhit discussiërend met twee mannen die ze herkende als rechercheurs van de afdeling moordzaken van het bureau Charlotte/Mecklenburg, het CMPD. Voor de deur stonden, naast twee agenten van het bureau Whistlestop, nog twee geüniformeerde agenten van het CMPD. Naast het bed hurkte een man die ze niet kende, maar van wie ze aannam dat hij eveneens van het CMPD was. Waarschijnlijk van de technische recherche. Hij was bezig het lichaam te onderzoeken.

Wat had het CMPD hier te zoeken? Melanie fronste haar wenkbrauwen. Het bureau Whistlestop was maar klein en viel onder het rayon Charlotte/Mecklenburg, een afdeling van veertienhonderd agenten die de modernste voorzieningen tot hun beschikking hadden, waaronder een technisch laboratorium. Vandaar dat Whistlestop een overeenkomst van onderlinge assistentie had met het veel grotere bureau. Het protocol vereiste echter dat het aanvankelijke onderzoek werd verricht door het bureau Whistlestop, waarna dit een verzoek tot assistentie kon indienen bij het CMPD.

Dit was dus blijkbaar geen gewone moord!

Onmiddellijk nam Melanie zich voor zich de kaas niet van het brood te laten eten. Zelfs niet door een indrukwekkende politiemacht als die van het bureau Charlotte/Mecklenburg.

Vastberaden stapte ze de kamer binnen, niet bedacht op de gruwelijke stank waarmee ze werd geconfronteerd. Niet van ontbinding – daar was het nog te vroeg voor. Bij een gewelddadige dood was het echter geen zeldzaamheid dat de blaas en de darmen van het slachtoffer zich leegden.

Vlug sloeg ze haar hand voor haar neus en haar mond. Haar maag kwam in opstand. Met haar ogen dichtgeknepen, slikte ze krampachtig. Ze mocht niet overgeven! Niet waar de jongens van het CMPD bij waren. Ze vonden het bureau Whistlestop toch al een ballentent, bemand door politiemensen die hun ambities niet hadden kunnen waarmaken. Dus ze was niet van plan hen munitie te verschaffen – ook al was ze het met hun taxatie eens.

'Hé, jij daar! Stuk!'

Melanie deed haar ogen open.

De man naast het bed wenkte haar. 'Wat doen we? Gaan we kotsen, of aan het werk? Ik kan wel wat hulp gebruiken.'

Uit haar ooghoeken zag ze dat haar baas en de twee rechercheurs haar kant uit keken. 'De naam is May,' zei ze geërgerd. 'Agent May, en geen "stuk".'

'Ook best.' Hij gaf haar een paar rubber handschoenen. 'Trek aan.'

Ze deed wat hij zei en liet zich naast hem op haar knieën vallen. 'Mag ik ook weten hoe jij heet?'

'Parks.'

Vaag rook ze de geur van alcohol. Dat, gevoegd bij de manier waarop hij eruitzag, leidde haar tot de conclusie dat de moord hem had gestoord in een drinkgelag. 'CMPD?'

'FBI.' Hij bromde ongeduldig. 'Kunnen we nu beginnen? Dat grietje hier wordt er niet frisser op.'

Melanie deed geen moeite haar afschuw te verbergen, maar Parks wekte niet de indruk zich daar iets van aan te trekken. 'Wat wil je dat ik doe?' vroeg ze.

'Zie je dat daar? Onder haar kont?' Hij wees naar iets glimmends dat onder het lichaam uit stak. 'Ik til haar op, en dan pak jij het.'

Zwijgend knikte ze. Hoewel het slachtoffer niet zwaargebouwd was, zou het toch niet meevallen haar dode lichaam op te tillen, zelfs niet voor een gespierde vent als Parks. Grommend van inspanning, tilde hij het onderlichaam van het slachtoffer een eindje omhoog.

Snel pakte Melanie het glimmende voorwerp. Het was een verpakking van een condoom. Geopend en leeg.

Parks nam het ding van haar over en bekeek het met gefronste wenkbrauwen.

Terwijl Melanie hem gadesloeg, vroeg ze zich af wat hij hier deed. Waarom was deze moord aanleiding voor de aanwezigheid van twee politie-eenheden, plus de FBI?

Even later sloeg hij zijn bloeddoorlopen ogen naar haar op. 'Heb je enig idee wat hier is gebeurd, May? Doe eens een gok.'

'Te oordelen naar de blauwachtige kleur van haar huid en het ontbreken van zichtbare verwondingen, vermoed ik dat ze door verstikking om het leven is gebracht. Waarschijnlijk met een kussen.' Ze wees naar het kussen naast het hoofd van het slachtoffer. 'Meer zou ik op dit moment nog niet kunnen zeggen.'

'Kijk eens goed om je heen. Alles wat we moeten weten, kunnen we hier vinden.' Hij wees op de sexy lingerie die over een stoel hing en op de lege champagnefles op de grond. 'Zie je dat? Daaruit blijkt dat ze hier vrijwillig is gekomen. Uit op een avondje stoeien. Niemand heeft haar gedwongen.'

'En dat vastbinden was onderdeel van het stoeien?'

'Volgens mij wel. Haar lichaam vertoont geen zichtbare kneuzingen. Er zou erg veel kracht voor nodig zijn geweest om haar tegen haar zin op het bed vast te binden. Toch is er op haar polsen en enkels niets te zien wat wijst op een worsteling. Als ze zich had verzet, zou ze daar enorme blauwe plekken moeten hebben.'

Melanie besefte dat hij gelijk had.

'De dader moet ergens tussen eind twintig en begin dertig zijn. Een knappe vent om te zien. Financieel succesvol. Of hij weet in elk geval die indruk te wekken. Hij rijdt in een dure auto. Een buitenlands merk. Sportief model. Een BMW of een Jaguar.'

Ongelovig hield Melanie haar adem in. 'Dat kun je onmogelijk weten!'

'Nou en of! Kijk eens goed naar het slachtoffer. Dit was niet zomaar een lekker grietje. Het was echt een stuk. Jong, beeldschoon, rijk. Van zeer goede familie, en –'

'Wacht eens even,' zo viel Melanie hem in de rede. 'Hoe heet ze eigenlijk?'

'Joli Andersen. De jongste dochter van Cleve Andersen.'

'De hufter,' mompelde Melanie. Nu begreep ze het. De Andersens waren een van Charlottes oudste en invloedrijkste families. Ze verdienden hun geld met bankieren en politiek en zaten in het bestuur van een groot aantal maatschappelijke en liefdadige instellingen. Melanie twijfelde er niet aan of Cleve Andersen had een rechtstreekse lijn met zowel de burgemeester als de gouverneur.

'Dus vandaar dat de FBI er is en het CMPD,' zei ze. 'Omdat ze een Andersen is.'

'Precies. In een geval als dit wordt er snel actie ondernomen. De schoonmaakster vindt het lichaam, zet het op een gillen en rent naar de motelmanager. Die controleert de papieren van het grietje, en dan wordt het pas echt interessant. Hij raakt in paniek, belt het CMPD en vertelt de coördinator daar niet alleen wat er is gebeurd, maar ook wie het slachtoffer is. Vervolgens word ik uit mijn bed getrommeld.'

Melanie liet zijn woorden tot zich doordringen. 'Dus de familie weet het al?'

'Nou en of! Al voordat jij of je baas het wisten, stuk!' Hij richtte zijn aandacht weer op zijn analyse van het gebeuren. 'De hele gang van zaken ondersteunt mijn theorie alleen maar. Dit meisje was het erg goed gewend. Er is geen denken aan dat ze zou zijn gaan rotzooien met de eerste de beste pompbediende.'

'Zou het niet kunnen zijn dat ze drugs heeft gebruikt? Of dat ze in verzet was tegen haar ouders?'

'We hebben geen spoor van drugs gevonden. En wat dat verzet tegen haar ouders betreft... Kijk eens naar haar kleren en naar haar auto die hier voor de deur staat. Duurder vind je ze nauwelijks. Nee, er is niets wat daarop wijst.'

Melanie fronste haar wenkbrauwen. Wat ze over de jongste dochter van de Andersens had gelezen, klopte met wat Parks had gezegd. 'Waarom ging ze dan naar een motelkamer met een vent die ze niet kende?'

'Wie zegt dat ze hem niet kende?'

Melanie keek naar het gezicht van Joli Andersen, ooit beeldschoon, inmiddels verstard in de dood. Naar haar wijd geopende, doodsbange ogen. Ze stelde zich de laatste ogenblikken van het meisje voor. 'En toen heeft hij haar vermoord.'

'Ja, maar dat was niet de bedoeling. Volgens mij is ze gaan protesteren toen ze het spelletje niet leuk meer vond. Of misschien kon hij hem niet overeind krijgen en heeft ze hem uitgelachen. De vent met wie we te maken hebben, is een klassiek geval van onvermogen. Haar kritiek moet hem buiten zinnen hebben gebracht. Dus plakte hij haar mond dicht om te zorgen dat ze zich koest hield. Maar toen begon ze zich pas goed te verzetten en raakte hij nog meer uit zijn doen. Ze gedroeg zich niet zoals ze werd geacht zich te gedragen, of zoals hij zich had voorgesteld dat ze zich zou gedragen. Dus drukte hij een kussen op haar gezicht om te zorgen dat ze haar mond hield en zich gedroeg.'

'Als hij niet van plan was haar te vermoorden, waarom had hij dan afplakband bij zich?'

'O, maar ik zeg niet dat hij dit spelletje niet al eerder heeft gespeeld. Sterker nog, ik weet zeker dat hij dat al ettelijke keren heeft gedaan, onder andere met hoeren. Het is als het ware een toneelstuk dat hij heeft bedacht en waaraan hij voortdurend blijft schaven. Het mooie meisje, het touw, haar overgave, het plakband. En vanavond kwam daar de moord bij. Wanneer we rondvraag doen bij de hoeren in deze buurt, vinden we er ongetwijfeld een die onze man kent.'

Melanie keek hem aan, deels ongelovig, deels vervuld van ontzag. Hoewel zijn analyse buitengewoon logisch klonk, zou hij volgens haar helderziend moeten zijn om dat allemaal te weten. 'Denk je niet dat het gevaarlijk is wat je doet? Het is eigenlijk niet meer dan gokken.'

'Wat denk je dat politiewerk is? Onderbouwd gokken, je gevoel volgen. Verder moet je een beetje geluk hebben. Bovendien ben ik een verdraaid goede gokker.' Hij keek over zijn schouder en hield het plastic pakje omhoog. 'Heeft er soms iemand een gebruikt condoom gevonden?'

Dat bleek niet zo te zijn. Een van de jongens van het CMPD kwam aanlopen, nam het pakje over en bestudeerde met half dichtgeknepen ogen de kleine lettertjes op de voorkant. 'Lamsdarm.' Hij schudde zijn hoofd. 'Je zou toch denken dat iedereen onderhand wel weet dat alleen rubber honderd procent veilig is.'

Parks fronste zijn wenkbrauwen. 'Ik betwijfel of er sprake is geweest van seks. Althans, niet van het soort waarvoor hij een condoom nodig zou hebben gehad.'

'O nee? Het pakje is open, en het condoom is weg.' De man van het CMPD deed de lege verpakking als bewijsmateriaal in een zakje en verzegelde dat. 'Hij zal het wel hebben meegenomen. Of doorgespoeld.'

Parks schudde zijn hoofd. 'Zij had de condooms bij zich. Niet hij.'

De rechercheur trok zijn wenkbrauwen op. 'Hoe weet je dat?'

'Het laatste waarover hij zich druk maakte, was veilig vrijen. Kijk maar eens hoe het er hier uitziet. Hij heeft geen enkele moeite gedaan de boel op te ruimen. Ik kan van hier af de vingerafdrukken op die champagnefles zien.'

'Nou en?'

'Dat lijkt me logisch,' vervolgde Parks, 'Waarom zou een ongeorganiseerd type als dit een gebruikt condoom doorspoelen, maar wel zijn vingerafdrukken achterlaten? Volgens mij barst het hier van de sporen.'

Terwijl Parks zijn theorie herhaalde tegenover de rechercheur, zocht Melanie het gebied rond het bed af. Ze had een vermoeden. Als Joli het condoom had meegebracht en als de moordenaar het niet had gebruikt, dan moest het nog ergens op of in de buurt van het bed zijn.

Haar vermoeden bleek te kloppen. 'Is dit wat jullie zoeken?' Ze hield het nog niet afgerolde condoom omhoog. Toen de twee mannen haar aankeken, grijnsde ze. 'Het zat tussen het matras en het bed. Een goeie tip voor een volgende keer.'

Parks glimlachte.

De rechercheur griste het geërgerd uit haar hand. 'Dus hij heeft haar niet eens geneukt. De zieke klootzak.'

'O, jawel.' Parks richtte zich op en trok zijn handschoenen uit. 'Hij heeft het alleen niet met zijn jongeheer gedaan. Controleer haar lichaamsholten. Ik weet zeker dat je iets vindt. Een borstel. Een kam. Autosleutels. Met een beetje geluk de zijne.'

Melanies mond werd droog, terwijl de gruwelijke betekenis van zijn woorden tot haar doordrong. De laatste minuten had ze zich op haar werk kunnen concentreren, in plaats van op het misdrijf. Ze had kunnen vergeten dat het slachtoffer, over wie ze zo ongeëmotioneerd praatten, nog maar enkele uren daarvoor een levend, ademend menselijk wezen was geweest, iemand met verwachtingen, angsten, dromen, net als zij.

Nu kon ze niet langer doen alsof.

Met haar hand tegen haar mond gedrukt, rende ze de kamer uit. Verder dan de eerste auto, een witte Ford Explorer, kwam ze niet. Met haar hand op de motorkap klapte ze dubbel en begon over te geven.

Parks kwam achter haar aan en gaf haar een prop toiletpapier. 'Alles in orde?'

'Kon niet beter.' Ze pakte het papier aan en veegde haar mond af. 'Bedankt.' Nog nooit had ze zich zo vernederd gevoeld.

'Je eerste dooie?'

Ze knikte, zonder hem aan te kijken.

'Tja, met een beetje geluk was ze een paar straten verderop koud gemaakt. Buiten Whistlestop. Dan was al deze ellende je bespaard gebleven.'

Ontzet keek hem aan. 'Ben je altijd zo afschuwelijk?'

'Ja, ik geloof het wel.' Even speelde er een vluchtige glimlach om zijn mond. 'Het is niet iets om je voor te schamen. Sommige mensen deugen gewoon niet voor dit werk.'

'Mensen zoals ik, bedoel je? Het type agent dat thuishoort op het bureau Whistlestop?'

'Dat heb ik niet gezegd.'

'Nee, maar dat bedoelde je wel.' Woedend richtte ze zich op. Haar misselijkheid was vergeten. 'Je kent me niet eens. Dus je weet helemaal niet waar ik wel en niet voor deug.'

'Je hebt gelijk. En dat moesten we maar zo houden.' Zonder nog een woord te zeggen, stapte hij in de Explorer en reed weg.

3

Tegen drie uur die middag functioneerde Melanie nog slechts op haar zenuwen en een flinke dosis cafeïne. Nadat ze had overgegeven, had ze een cola uit de automaat van het motel gehaald om haar mond te spoelen en was ze weer aan het werk gegaan. Bobby en zij hadden geholpen bewijsmateriaal te verzamelen en in zakjes te doen, en nadat de lijkschouwer zijn werk had gedaan, was het lichaam afgevoerd naar het lijkenhuis. Vervolgens hadden Bobby en zij zich gemeld op het bureau Whistlestop om officieel aan hun dag te beginnen.

Melanie schonk zichzelf nog een kop koffie in, zonder acht te slaan op haar maag die opspeelde, of op de zeurende pijn in haar hoofd. Daar had ze allemaal geen tijd voor. Er was een moord gepleegd; de FBI was ingeschakeld, het CMPD en natuurlijk het kleine groepje agenten van Whistlestop zelf. Charlottes machtigste inwoner was bij de zaak betrokken. Het slachtoffer was jong, mooi en rijk geweest. Haar dood gruwelijk en op een zieke manier opwindend.

Kortom, voorpaginanieuws!

'May!' bulderde commissaris Greer vanuit zijn deuropening. 'Taggerty! Hier komen!'

Melanie keek naar Bobby, die met zijn ogen rolde. De baas was blijkbaar in alle staten. En bij commissaris Gary Greer zorgde dat voor een indrukwekkend schouwspel. Met zijn bijna twee meter lange, gespierde gestalte en zijn donkere huid in de kleur van dure, bittere chocolade dwong hij zowel respect als angst af. Ondanks zijn overweldigende, fysieke aanwezigheid – of misschien juist daardoor – verloor hij echter zelden zijn zelfbeheersing.

Sterker nog, Melanie had hem pas één keer eerder echt kwaad gezien: toen hij erachter was gekomen dat een van zijn agenten tijdens zijn nachtdienst een stel hoeren ongemoeid had gelaten in ruil voor een vluggertje.

Melanie greep haar notitieblok en sprong overeind. Bobby volgde haar naar het kantoor van de commissaris, die hun zei te gaan zitten.

'Ik had net mijn collega Lyons aan de telefoon. De rotzak. Hij suggereerde beleefd dat wij ons uit dit onderzoek zouden terugtrekken. Dat we de zaak zouden overdragen aan het CMPD, in het belang van alle betrokkenen.'

'Wát?' Melanie sprong overeind. 'Daar hebt u toch zeker niet mee ingestemd –'

'Nee, natuurlijk niet! Ik heb hem gezegd dat hij mijn pikzwarte kont kon kussen!' Hij begon te lachen. 'Nou, daar had die ouwe Jack niet van terug.'

Melanie glimlachte. Haar baas had zelf als rechercheur bij het CMPD gewerkt, op de afdeling moordzaken, en had daar zijn sporen meer dan verdiend. Vier jaar geleden was hij tijdens zijn dienst neergeschoten. Het incident was hem bijna noodlottig geworden. Na zijn herstel had zijn vrouw hem voor de keus gesteld: zijn baan of zijn huwelijk. Lyons was destijds pas zesenveertig geweest en nog te jong om al met pensioen te gaan. Omdat hij voor zijn huwelijk had gekozen, had hij een positie als commissaris in Whistlestop geaccepteerd. Hoewel hij dat nooit liet blijken, had Melanie het gevoel dat hij, net als zij, nog altijd verlangde naar het 'echte werk'.

'Ze krijgen ons niet weg,' vervolgde hij. 'Deze moord is in onze gemeente gepleegd. Of ze het nou leuk vinden of niet, ze zitten aan ons vast.'

Er kwam een verbeten trek om zijn mond. 'Dit is een grote zaak. Alle ogen zullen op ons gericht zijn, en er zal van alle kanten grote druk worden uitgeoefend om de zaak zo snel mogelijk op te lossen. Hou je hoofd koel en doe je werk. Laat je niet opfokken door druk van buitenaf. Het valt niet te ontkennen dat ze bij het CMPD meer ervaring hebben, meer mankracht, betere faciliteiten en meer financiële middelen. Dat betekent dat we hun hulp accepteren. Maar verder gaan we niet. Zijn er nog vragen?'

'Ja,' antwoordde Melanie. 'Die vent van de FBI, Parks. Wat valt er over hem te vertellen?'

'Ik had wel gedacht dat je dat zou vragen.' Haar baas glimlachte, voor het eerst die middag. 'Nogal een hufter, hè?'

Bobby lachte. 'Nogal? Ik heb zelden zo'n hufter gezien.'

'Bovendien drinkt hij,' voegde Melanie eraan toe.

De baas fronste zijn wenkbrauwen. 'Had hij gedronken?'

'Gedronken?' herhaalde ze. 'Dat lijkt me nog voorzichtig uitgedrukt. Hij zag eruit alsof hij niets anders doet dan zuipen – en zo rook hij ook.'

Het gezicht van haar baas verstrakte. 'Connor Parks zat tot een jaar geleden in Quantico, op de afdeling gedragsstudies van de FBI, waar profielen van misdadigers worden opgesteld. Hij was erg goed. Ik ken de bijzonderheden niet, maar het schijnt dat hij het bureau in verlegenheid heeft gebracht. Dus is hij op zijn vingers getikt en gedegradeerd.'

Quantico, gedragsstudies, geen wonder, dacht Melanie. Ze had ruim een jaar eerder een profileringscursus van de FBI gevolgd. Ze was gefascineerd geweest door de aangeboden informatie. Volgens de uitleg van de FBI-agent liet iedere moordenaar, zonder het te beseffen, als het ware zijn handtekening achter op de plek van het misdrijf. Het was de taak van de politie die handtekening te herkennen, zich in zowel het roofdier als de prooi te verplaatsen en het hoe, waarom en – het allerbelangrijkste – het wie van het gebeuren te achterhalen. Dat was precies wat Parks die ochtend had gedaan.

'Wat doet hij dan hier in Charlotte?' vroeg Bobby.

'Charlotte is zijn degradatie.' De baas keek van Melanie naar Bobby en weer terug. 'Vergis je niet. Hij is erg goed, of hij nou drinkt of niet. Maak van zijn kennis gebruik.'

'Met zo'n onaangenaam karakter mag hij ook wel goed zijn,' mompelde Melanie. Ze keek haar baas aan. 'Wat is onze volgende stap?'

'Ik wil dat jullie de vriendenkring van het slachtoffer, haar familie en haar medestudenten ondervragen. We moeten weten met wie ze omging, wat voor uitgaansgelegenheden ze bezocht, dat soort dingen. Maar neem eerst contact op met het CMPD om te controleren of zij daar al niet mee bezig zijn. Zo ja, dan sluit je je daarbij aan. We moeten een verenigd front lijken. Andersen gaat door het lint als hij de indruk krijgt van niet, en dan heb ik, voor ik het weet, de burgemeester op mijn dak.'

'Verder nog iets?' vroeg Bobby.

'Ja!' bulderde de commissaris. 'Aan het werk!'

Ze haastten zich het kantoor uit. Het eerste wat Melanie deed, was Mia bellen, haar tweelingzus. 'Mia, met Mel.'

'Melanie! Lieve hemel, ik zat net naar de televisie te kijken. Dat arme kind!' Ze dempte haar stem. 'Was het heel erg?'

'Verschrikkelijk,' antwoordde Melanie grimmig. 'Daarom bel ik ook. Ik moet je om een gunst vragen.'

'Zeg het maar.'

'Het is hier een gekkenhuis, en ik verwacht niet dat ik op tijd weg kan om Casey van de kleuterschool te halen. Zou jij dat willen doen?' Melanie keek naar de foto van haar zoontje die op haar bureau stond, en er verscheen een glimlach om haar mond. 'Anders zou ik het wel aan Stan vragen, maar ik heb nu geen tijd voor een preek dat ik mijn baan op moet zeggen, en hoe slecht het is voor Casey dat zijn moeder bij de politie zit.'

'Ach, laat die man toch kletsen. Bovendien, ik doe het graag. Als ik toch in de buurt ben, zal ik dan meteen je uniformen van de stomerij halen?'

'Wat zou ik zonder jou moeten beginnen?'

Uit haar ooghoeken zag ze dat Bobby al bij de deur op haar stond te wachten. 'Als je Casey gaat halen, doe alsjeblieft niet weer alsof je mij bent. Daar worden die juffen echt helemaal gek van.'

'Ach, die kunnen ook nergens tegen.' Mia grinnikte. 'Tenslotte moet je ervan profiteren als je een eeneiige tweeling bent. Casey vindt het altijd kostelijk.'

Melanie schudde haar hoofd. Om precies te zijn, waren Mia en zij als eeneiige tweeling ook nog eens deel van een drieling. Wanneer Melanie dat vertelde, dacht iedereen altijd dat ze een grapje maakte, maar het was echt waar. Mia en zij hadden nog een zusje, Ashley, met wie ze samen een drieling vormden. De drie zussen leken sprekend op elkaar. Met hun blonde haar en blauwe ogen boden ze een spectaculaire aanblik. Zelfs in hun vriendenkring heerste er nog weleens verwarring wie wie was.

'Weet je nog hoe we vroeger onze leraren voor de gek hielden?' vroeg Mia geamuseerd.

'Ja, natuurlijk weet ik dat nog. Het initiatief ging altijd van jou uit, en vervolgens kreeg ik op m'n kop.'

Op dat moment schraapte Bobby veelbetekenend zijn keel en tikte op zijn horloge.

Melanie knikte. 'Gerechtigheid is een zeldzaam goed. Sorry, Mia, maar ik moet ervandoor om een moord op te lossen.'

'Doe je best, Sherlock!'

De wens van haar zus klonk nog na in Melanies hoofd, terwijl ze zich achter haar collega aan haastte.

4

Het kantoor van de officier van justitie van Mecklenburg zetelde in het oude gerechtsgebouw van de *county*, in een voorname wijk van Charlotte. Het bouwwerk dateerde nog van voor de komst van de hoge kantoortorens, die inmiddels aan weerskanten van het gerechtsgebouw aan Government Plaza waren verschenen.

Konijnenhokken, noemde Veronica Ford, hulpofficier van justitie, dergelijke torens. Monumenten van de depersonalisatie van de moderne tijd.

Het oude gerechtsgebouw bezat – in tegenstelling tot zijn moderne buren – een uitstraling van vergane grandeur die het in haar ogen een passende behuizing maakte voor een instituut waar de molens van de gerechtigheid langzaam maar nauwkeurig maalden. Voor een instituut waar de gerechtigheid uiteindelijk zegevierde, ook al werd deze soms bezoedeld door een verre van volmaakt en ouderwets rechtssysteem.

Net zoals het gebouw paste in haar beeld van Charlotte – stad van zowel het oude als het nieuwe zuiden, van bloeiende bomen en wolkenkrabbers, van zuidelijke elegantie en hectische bedrijvigheid. Een stad waarin ze zich bij haar aankomst, inmiddels negen maanden geleden, meteen thuis had gevoeld.

Hoewel ze toch al laat was voor haar bespreking, nam ze de fraaie, gedraaide trap naar de tweede verdieping in plaats van de lift, waarbij ze haar hand over de rijk versierde, smeedijzeren leuning liet gaan. Veronica hield van de wet en van haar aandeel in het handhaven daarvan. Ze genoot van het idee dat de wereld dankzij haar een iets betere plek was om te leven. Dat geloofde ze oprecht – misschien omdat ze naïef was, misschien omdat ze zichzelf voor de gek hield. Maar wat zou het voor zin hebben om voor de officier van justitie te werken, als ze dat niet geloofde? In het bedrijfsleven kon ze als jurist aanzienlijk meer verdienen, met beduidend minder stress.

'Hallo, Jen!' riep ze naar de receptioniste.

De jonge vrouw, die in verwachting was van haar eerste kind, zag er stralend en gelukkig uit. 'Hallo.'

'Zijn er nog boodschappen voor me?'

'Ja, een heel stel.' Ze wees op een stapeltje roze briefjes. 'Maar er zit niets dringends bij.'

Veronica kwam naar de receptiebalie toe, zette haar Starbucks-koffiemok neer en gaf de receptioniste een zakje van dezelfde koffie- en broodjeszaak. 'Ik heb iets meegebracht voor de baby,' zei ze grijnzend.

'Een bosbessen-notenmuffin? O, daar is de baby dol op.' Met een juichkreet dook de receptioniste in de zak. 'Je bent een schat, Veronica.'

Die lachte en keek haastig de boodschappen door. Er zat inderdaad niets bij wat niet kon wachten. 'Hoeveel te laat ben ik? Is Rick er al?'

Rick Zanders had de leiding van het team Persoonlijke Geweldsdelicten. De juristen in het team, onder wie Veronica, behandelden alle geweldsdelicten die tegen een persoon waren begaan – met uitzondering van moord en misdaden tegen kinderen. Onder deze delicten vielen verkrachting, aanranding, seksuele intimidatie, ontvoering en andere vormen van geweld. Het team kwam elke woensdagmiddag bij elkaar om de stand van de lopende zaken te bespreken, om zich te laten informeren over nieuwe zaken en om strategieën te bespreken en waar nodig assistentie te verlenen.

'Hij is er net een paar minuten, maar hij moest nog wat telefoontjes plegen voor de bespreking.' Ze keek op haar horloge. 'Volgens mij heb je nog zeker tien minuten. Blijkbaar kent Rick de familie Andersen persoonlijk.' Jen dempte haar stem. 'Heb je dat gehoord? Van die moord?'

'Ja.' Veronica fronste haar wenkbrauwen. 'Hoe staat het ervoor? Weten we hier al meer dan er in de media is verschenen? Is er al een verdachte?'

'Niet dat ik weet, maar ik ben ervan overtuigd dat Rick meer weet.' Ze huiverde. 'Het is afschuwelijk! Zo'n aardig meisje. En beeldschoon.'

Veronica dacht aan de aantrekkelijke blondine die ze die ochtend op het televisienieuws had gezien. Omdat ze nog niet zo lang in Charlotte woonde, had ze nog niemand van de Andersens persoonlijk ontmoet, maar ze had wel van de familie gehoord.

'Op de televisie zeiden ze dat ze was gewurgd,' vervolgde Jen fluisterend.

'Door verstikking om het leven gebracht,' verbeterde Veronica haar.

'Denk je dat ze die vent pakken?' De receptioniste legde beschermend een hand op haar gezwollen buik. 'Ik vind het een afschuwelijk idee dat zo'n vent vrij in de stad rondloopt. Als zo'n meisje als Joli Andersen vermoord kan worden, kan het ons allemaal overkomen.'

Veronica besefte dat Jen niet alleen stond in haar angst. Zeker op een dag als deze. Ongetwijfeld waren diezelfde woorden, of woorden van gelijke strekking, de afgelopen uren in elk huis in Charlotte gevallen. Een dergelijke moord, met een slachtoffer als Joli Andersen, deed iedereen beseffen hoe gevaarlijk het leven was en hoe grillig het lot kon zijn.

'Ik kan je één ding verzekeren, Jen. Dit wordt de meest intensieve klopjacht die er ooit in Charlotte is gehouden.' Veronica stopte de boodschappenbriefjes in haar zak en pakte haar koffiebeker en haar attachékoffer. 'Wanneer ze hem eenmaal te pakken hebben, zullen we zorgen dat hij zijn trekken thuis krijgt.'

De receptioniste glimlachte opgelucht. 'De gerechtigheid wint altijd.'

Na een instemmend knikje liep Veronica naar de kamer waar de bespreking werd gehouden. De overige leden van het team – met uitzondering van Rick – waren er al. En zoals ze wel had verwacht, was de moord op Joli Andersen op ieders lippen. Ze groette, legde haar spullen op een lege plaats aan de tafel en liep naar een groepje collega's. Ze begonnen allemaal tegelijk tegen haar te praten.

'Het is toch niet te geloven?'

'Het schijnt dat Rick nog een tijdje met Joli uit is gegaan. Het is vast een harde klap voor hem.'

'Weet je dat zeker? Hij is een stuk ouder en –'

'Het schijnt dat de FBI is ingeschakeld.'

'Ja, een van hun topmensen uit Quantico. Het gerucht gaat dat –'

'Er schijnt bizarre seks aan te pas te zijn gekomen.'

Veronica haakte in op dat laatste. 'Waar heb je dat gehoord? Het was niet op het nieuws.'

De jurist in kwestie keek haar aan. 'Ik heb een vriend op Moordzaken. Hij gaf geen bijzonderheden, maar liet wel doorschemeren dat het nogal... onaangenaam was.'

Op dat moment kwam Rick de kamer binnen. Zijn gezicht zag asgrauw.

Onmiddellijk staakten alle gesprekken, en de gezamenlijke hulpofficieren namen hun plaats in.

Rick schraapte zijn keel. 'Voordat iemand het vraagt... ik weet niet veel meer dan jullie. De moord is gepleegd in Whistlestop. In een motel. Het slachtoffer is door verstikking om het leven gebracht. Er zijn nog geen verdachten, maar de FBI is bezig een profielschets van de moordenaar op te stellen. Blijkbaar is er biologisch bewijsmateriaal aangetroffen op de plaats van het misdrijf. Uit consideratie met de familie Andersen heeft de politie ermee ingestemd de meest scabreuze aspecten van het misdrijf buiten de pers te houden.' Hij streek met een hand over zijn voorhoofd.

Veronica zag dat hij beefde. Gezien de manier waarop hij eruitzag, vermoedde ze dat het gerucht over hem en de aanzienlijk jongere Joli waar was. Ze vroeg zich af of hun relatie in het verleden hem ook tot een verdachte zou kunnen bestempelen. Waarschijnlijk wel. In een onderzoek als dit zou de onderste steen boven worden gehaald.

'Ter zake,' zei Rick. 'Wat hebben we vandaag? Zijn er nog nieuwe zaken?'

Laurie Carter nam het woord. 'Ik heb een vrij duidelijk geval van bedreiging mét en gebruik ván een potentieel dodelijk wapen. Het begon met twee buurvrouwen die ruzie kregen over een geleend kopje suiker. De ruzie liep uit de hand, en de ene buurvrouw sloeg de andere met een braadpan op haar hoofd.'

Er klonk gelach op rond de tafel. 'Kan een braadpan als een dodelijk wapen worden beschouwd?' vroeg Ned House, een van de aanklagers.

'Nou en of!' antwoordde een van zijn vrouwelijke collega's. 'Heb je er wel eens een in handen gehad? Ze zijn loodzwaar, die krengen.'

'Hoe dan ook, het had niet veel gescheeld of het slachtoffer had het niet kunnen navertellen,' zei Laurie droogjes. 'Hersenschudding, hechtingen, gebroken neus, dat werk.'

Verbijsterd schudde Rick zijn hoofd. 'Je maakt zeker een grapje?'

'Helemaal niet. En het wordt nog leuker. Het blijkt dat buurvrouw twee iets meer dan alleen maar suiker van haar buurvrouw heeft geleend. Het schijnt dat zij en de echtgenoot van Mrs. Braadpan samen de koffer in doken als ze dachten dat niemand het in de gaten had.'

'Ik zou maar niet te hoog inzetten,' zei Veronica. 'De schuldvraag is duidelijk, maar de jury zal ongetwijfeld sympathie hebben voor de bedrogen echtgenote.'

'Tenzij de jury voornamelijk uit mannen bestaat,' opperde Ned.

Langzaam schudde Veronica haar hoofd. 'Dat maakt niet uit. Dit land is gesticht door puriteinen. Of de jury nu mannelijk of vrouwelijk is, het puriteinse gevoel dat de sloerie haar verdiende loon heeft gekregen, zal overheersen.'

Rick was het met haar eens. 'Poging tot doodslag kun je vergeten. Laag inzetten.'

Ze vervolgden met de bespreking van twee andere geweldsdelicten en een poging tot verkrachting. Telkens keken haar collega's naar Veronica om haar mening te horen. Hoewel ze pas negen maanden op het kantoor van de officier van justitie in Charlotte werkte, had ze daarvoor drie jaar dezelfde functie bekleed in Charleston. Ze had een reputatie opgebouwd van een voorzichtige aanklager, die zich echter volledig vastbeet in een zaak als ze ervan overtuigd was dat ze kon winnen.

Veronica haatte elke vorm van geweld, en ze haatte het laffe uitschot dat door de stad zwierf en zich vergreep aan de zwakkeren. Aan vrouwen, kinderen, bejaarden. Daarom had ze haar leven eraan gewijd dat tuig te laten boeten. Die toewijding had zich vertaald in een veroordelingspercentage van zevenennegentig procent.

'Veronica, hoe staat het met de zaak Alvarez, die *date-rape?*' vroeg Rick.

De andere aanklagers keken haar vol verwachting aan. Toen de zaak was aangemeld, had Rick geadviseerd er niet aan te beginnen. Het zou heel moeilijk zijn een dergelijke zaak te winnen, had hij gezegd. Een proces wegens *date-rape* was altijd dubieus. En dat gold in deze zaak extra sterk. Het meisje in kwestie had bepaald geen brandschone reputatie, en de jongen behoorde tot de absolute top van zijn school, was aanvoerder van het football-team en kwam uit een vooraanstaande familie.

Desondanks had Veronica voor de zaak gevochten. Ze had de blauwe plekken van Angie Alvarez gezien. Ze had haar verhaal gehoord en de oprechte angst in haar ogen gelezen. 'We leven hier in Amerika,' had ze tegen Rick gezegd. 'Een jongen stond niet boven de wet, alleen omdat hij aardig football speelde of omdat zijn pappie geld had. In Amerika betekende "nee" hetzelfde voor iedereen.' Dus had ze Rick – en zichzelf – gezworen dat ze een succes van de zaak zou maken. En het was haar gelukt.

Veronica glimlachte bij de herinnering hoe de jongen haar tijdens haar eerste ondervraging met een zelfingenomen grijns had aangekeken. De arrogante kwal. Maar ze had hem te pakken.

'Ik heb nóg een meisje kunnen vinden,' zei ze.

Met een ruk richtte Rick zich op. 'En is ze bereid om te getuigen?'

'Absoluut.'

'Waarom heeft ze niet eerder haar mond opengedaan?'

'Uit angst. Haar moeder zei dat ze toch nooit in het gelijk zou worden gesteld. Integendeel, dat haar reputatie geruïneerd zou zijn en dat geen enkele fatsoenlijke jongen nog iets van haar zou willen weten. Haar moeder heeft haar gesmeekt het te vergeten.'

'Waarom is ze van mening veranderd?'

'Omdat ze het niet kon vergeten.' Veronica legde haar handen in haar schoot, zodat de anderen niet zouden zien dat ze krampachtig haar vingers ineen vlocht. Ze wilde niet dat ze zouden weten hoe diep deze zaak haar had geraakt. 'Bovendien is alles minder eng als je het niet alleen hoeft te doen. En onze beklaagde is aardig druk geweest.'

'Dus er zijn nog meer meisjes?' Met een uitdrukking van afschuw op haar gezicht schudde Laurie haar hoofd.

'Daar ziet het wel naar uit. Dat ben ik nog aan het uitzoeken.'

'Opsluiten dat stuk ellende,' zei Laurie.

'Reken maar.' Veronica glimlachte vastberaden.

5

Het was die avond al bijna zeven uur toen Melanie naar huis kon om Casey op te pikken bij haar zus. Het was een opwindende, uitputtende dag geweest. In de laatste twaalf uur had ze meer geleerd dan tijdens al haar lessen op de academie.

Het onderzoek naar aanleiding van een moord was een langdurig proces, had ze gemerkt. Het vereiste geduld, logisch denken, intuïtie en vasthoudendheid. Kwaliteiten die hooguit konden worden aangescherpt maar niet aangeleerd. De omgang met de familie en de vriendenkring van het slachtoffer vereiste niet alleen een gevoelige, diplomatieke benadering, maar je moest er ook een brede rug voor hebben en een snelle geest.

Degenen die Joli het meest na hadden gestaan, hadden het portret geschilderd van een gelukkige, evenwichtige, jonge vrouw. Een vrouw die hield van mannen en die dol was op feestjes. Naar aanleiding van de gevoerde gesprekken had Melanie een lijst samengesteld van de clubs waar Joli regelmatig naartoe was gegaan en van de mannen met wie ze het afgelopen jaar uit was geweest. Beide lijsten waren omvangrijk.

Iedereen die Melanie had gesproken, had in een shock verkeerd of was diep bedroefd geweest. Het verdriet waarmee de agenten uit Whistlestop die dag waren geconfronteerd, was het moeilijkste van alles geweest. Het raakte hen misschien zelfs nog dieper dan het misdrijf zelf. Melanie had het onmogelijk gevonden afstand te bewaren. Terwijl ze in de ogen had gekeken van de ondervraagden, was ze zich scherp bewust geweest van het verlies dat deze hadden geleden. Na een tijdje had ze zichzelf erop betrapt dat ze hun blikken begon te ontwijken.

Even later parkeerde ze voor het reusachtige huis van haar zusje, opgetrokken in plantagestijl. Net als Melanies ex-man had haar zusje gekozen voor het zuidoosten van Charlotte. Het was een buitengewoon voorname wijk, met een aaneenrijging van exclusieve, omheinde woongemeenschappen. Melanie had de buurt altijd té chic gevonden en bijna verstikkend in zijn ostentatieve rijkdom.

Ze stapte uit de auto. Casey speelde op de veranda aan de voorkant van het huis. Mia zat op de schommelbank naar hem te kijken. Glimlachend bleef Melanie even staan om de aanblik in zich op te nemen. Mia's blonde haar en haar dunne katoenen jurk bewogen in de wind; de schommelbank wiegde zachtjes heen en weer, en ze hoorde Caseys opgewekte stemmetje. Heerlijk. Zo huiselijk en warm.

Melanie hield haar hoofd schuin. Wanneer ze naar haar tweelingzus keek, zag ze meestal gewoon Mia, haar zusje. Maar soms, zoals nu, was het alsof ze naar zichzelf keek. Althans, een andere versie van zichzelf, uit een vorig leven, voor haar scheiding.

Op dat moment kreeg Casey haar in de gaten. 'Mam!' riep hij, en hij rende de treden van de veranda af.

Lachend spreidde Melanie haar armen en ving hem op. Met haar ogen dicht knuffelde ze hem hartstochtelijk, en even verdwenen alle gruwelijke indrukken van die dag naar de achtergrond. 'Heb je het fijn gehad?' Ze hield hem een eindje van zich af en keek in zijn ogen, net zo stralend blauw als de hare en die van haar zusjes.

Hij knikte opgewonden. 'Tante Mia heeft een ijsje voor me gekocht. En we zijn naar het park geweest, en ze heeft me geduwd op de schommel. En ik ben van de grote glijbaan af geweest!'

'De grote glijbaan?' Melanie zette grote ogen op en toonde zich gepast onder de indruk. Dat wilde hij al weken, maar elke keer was hem halverwege de trap de moed in de schoenen gezonken en had hij rechtsomkeert gemaakt.

'Ik was wel bang, maar tante Mia is met me mee naar boven

gelopen. En ze is achter me aan naar beneden gegaan.'

Melanie gaf hem een kus. 'Je bent mijn grote, dappere jongen! Je mag best trots zijn op jezelf.'

Breed grijnzend, knikte hij. 'Maar je moet wel voorzichtig zijn. Anders val je. Net als tante Mia. Ze heeft haar oog pijn gedaan.'

Bezorgd keek Melanie naar haar zus, die vanaf de rand van de veranda naar haar stond te kijken. Een kreet van schrik ontsnapte haar. Mia's rechteroog was bijna zwart en erg opgezet, net als de hele rechterkant van haar gezicht. 'Ben je van de glijbaan gevallen?'

'Nee, natuurlijk niet.' Ze glimlachte naar Casey. 'Domme mama, hè? Ik ben gestruikeld. Over een schoen.'

'Over een van die stomme, grote laarzen van oom Boyd,' verkondigde Casey.

'Het is niets voor jou om zo onhandig te zijn,' zei Melanie tegen haar zusje.

Daar ging Mia niet op in. 'Heb je tijd voor een glas wijn? Boyd heeft vanavond een bespreking, dus ik heb de tijd aan mezelf.'

Net als eerder die dag aan de telefoon hoorde Melanie een klank in de stem van haar zusje die haar zorgen baarde. 'Na een dag als vandaag maak ik daar tijd voor,' zei ze echter luchtig.

Nadat ze haar zoon over zijn bos weerbarstige, goudblonde krullen had gestreken, duwde ze hem in de richting van de veranda. Vervolgens zocht ze zijn speelgoed bij elkaar. Eenmaal binnen zette ze de televisie voor hem aan en liep ze door naar de keuken, waar Mia bezig was een fles witte wijn open te maken.

Melanie liet zich op een van de rieten krukken aan de ontbijtbar vallen. 'Wil je erover praten?' vroeg ze.

'Waarover?' Mia schonk een glas gekoelde wijn in, schoof het naar Melanie en schonk er ook een voor zichzelf in.

'Ik weet het niet. Volgens mij zit je iets dwars. Ik hoor het in je stem.'

Even keek Mia haar aan. Toen draaide ze zich om naar een keukenla en haalde een pakje sigaretten te voorschijn.

Melanie zag dat haar handen beefden terwijl ze een sigaret opstak. Hoewel ze het een afschuwelijke gewoonte vond van haar zusje, zei ze niets, omdat Mia er alleen aan toegaf als ze problemen had. 'Het moet wel heel erg zijn,' zei ze. 'Ik heb je in geen maanden met een sigaret gezien.'

Mia nam nog een trek en keek Melanie aan. 'Boyd heeft een verhouding.'

'O, Mia!' Melanie reikte over de bar en legde haar hand op die van haar zusje. 'Weet je het zeker?'

'Vrij zeker.' Een beverige zucht ontsnapte haar. 'Hij is 's avonds erg vaak weg. Soms tot heel laat. Dan heeft hij altijd wel het een of andere plausibel excuus. Een vergadering met de directie van het ziekenhuis. Of met de raad van bestuur. Of een bijeenkomst van een van zijn medische genootschappen.' Ze zuchtte vol afschuw. 'Het is altijd wel iets.'

'En jij denkt dat hij liegt?'

'Ik weet het zeker. Als hij thuiskomt... dan... dan ziet hij er zo anders uit... en hij ruikt ook anders.' Beschaamd boog ze haar hoofd. 'Naar goedkoop parfum en naar... seks.'

Melanie liet haar handen in haar schoot vallen. Woede bekroop haar. Ze was destijds tegen het huwelijk geweest en had geprobeerd het haar zusje uit haar hoofd te praten. Ondanks Boyd Donaldsons knappe gezicht en zijn reputatie als arts, had Melanie altijd het gevoel gehad dat er iets niet klopte met hem. Ze had hem nooit vertrouwd, en de huwelijkse voorwaarden waartoe hij Mia had gedwongen, hadden daar bepaald geen goed aan gedaan.

'Ben je zijn gangen nagegaan?' vroeg ze. 'Heb je iemand in de arm genomen om hem te volgen, of heb je het ziekenhuis gebeld om te controleren of hij daar was?'

'Nee.' Mia deed de kraan open en hield het restant van de sigaret eronder. 'Dat durfde ik niet. Het lijkt wel, alsof ik het ergens... misschien niet zeker wil weten.'

Want wanneer ze werd geconfronteerd met bewijzen, zou ze in actie moeten komen, peinsde Melanie. En dat was nu eenmaal niet de sterkste kant van haar zusje.

'O, Mia, dat begrijp ik best. Echt waar. Maar je kunt je hoofd niet in het zand blijven steken. Als hij je bedriegt, dan moet je het zeker weten. Al was het alleen maar voor je gezondheid –'

'Hou alsjeblieft op. Zonder een preek voel ik me al afschuwelijk genoeg.' Mia streek met een hand over haar gezicht. 'Het is mijn leven en mijn huwelijk, en op de een of andere manier zal ik me er wel doorheen weten te slaan.'

'Met andere woorden, ik moet me er niet mee bemoeien,' zei Melanie stijfjes en gekwetst. 'Prima, maar verwacht van mij dan ook niet dat ik je klankbord ben. Ik kan niet met mijn armen over elkaar blijven zitten en niets doen. Dat is niet mijn stijl.'

'Maar wel de mijne.'

'Dat heb ik niet gezegd.'

De twee vrouwen keken elkaar aan. Uiteindelijk sloeg Mia als eerste haar ogen neer. 'Eerlijk gezegd, heb ik je advies al ter harte genomen. Wat zou Melanie doen, heb ik tegen mezelf gezegd? Dus ik heb hem ter verantwoording geroepen. Weet je wat het resultaat was?'

Melanie slikte krampachtig. 'Nee?'

'Hij raakte helemaal door het dolle heen.' Mia wees op haar blauwe oog. 'Ziehier het gevolg.'

Ongelovig staarde Melanie haar zusje aan. 'Bedoel je... dat hij je heeft geslagen?'

'Dat is precies wat ik bedoel.'

'Die hufter!' Melanie sprong van haar kruk. 'Die ellendige, afschuwelijke... Ik vermoord hem! Ik...' Ze slikte de woorden in. In een poging haar woede onder controle te krijgen, sloot ze haar ogen, haalde diep adem en telde tot tien. Als kind was ze een driftkop geweest, iets wat haar regelmatig in problemen had gebracht. Het was zelfs zo ver gegaan, dat ze in een tuchtschool zou zijn beland als een begrijpende sociaal werker daar geen stokje voor had gestoken.

Inmiddels had ze geleerd zich te beheersen en na te denken voordat ze in actie kwam, om de gevolgen van haar daden te overwegen. Maar zodra het om haar zussen ging, vooral om Mia, reageerde ze nog altijd als een leeuwin die haar welpen moest beschermen.

'Wat ben je van plan?' wist ze uit te brengen.

Mia zuchtte. Het klonk te jong, te hulpeloos voor een vrouw van tweeëndertig. 'Wat kan ik doen?'

'Wat kun je doen?' herhaalde Melanie ongelovig. 'De politie

bellen. Een aanklacht indienen. Bij hem weggaan!'

'Als jij het zegt, klinkt het zo gemakkelijk.'

'Dat is het ook. Je hoeft het alleen maar te doen.'

'Net zoals jij bij Stan bent weggegaan?'

'Ja.' Melanie liep om de bar heen naar haar zusje. Ze pakte haar handen en keek haar recht in haar ogen. 'Bij Stan weggaan was het moeilijkste wat ik ooit heb gedaan, maar ik had geen keus.'

Mia begon te huilen. 'Ik ben niet zoals jij, Melanie. Niet zo sterk en zo dapper. Dat ben ik nooit geweest.'

'Maar dat kun je wel zijn! Ik zal je helpen.'

Verslagen schudde Mia haar hoofd. 'Nee, dat kun je niet. Ik ben niets waard, een huilebalk, een slappeling, een –'

'Hou op! Het is alsof ik papa hoor praten. Of Boyd. Maar het is niet waar.' Ze zocht de blik van haar zusje. 'Dacht je dat ik niet bang was toen ik bij Stan wegging? Doodsbang! Ik had nog nooit voor mezelf hoeven zorgen, laat staan ook nog eens voor een kind. Ik wist helemaal niet of ik dat wel kon. Bovendien was ik als de dood dat hij zou proberen me Casey af te nemen.'

Melanie huiverde bij de herinnering. Haar ex-man was een vooraanstaand advocaat, lid van een van de meest vooraanstaande maatschappen in Charlotte. Het zou hem geen enkele moeite hebben gekost haar de voogdij af te nemen. En dat gold nog steeds. Tot dusverre had hij zich echter beperkt tot het gebruiken van zijn contacten om te zorgen dat ze niet op de politieacademie van Charlotte/Mecklenburg was aangenomen.

Toch was ze bij hem weggegaan. Voor zichzelf en voor Casey. Ze was niet de vrouw die Stan nodig had, die hij zocht, hoewel ze geruime tijd haar best had gedaan die vrouw te worden. Een vrouw die een man nodig had om op te leunen, een vrouw die tevreden was met een man die alle beslissingen nam, terwijl zij voor het huishouden en de kinderen zorgde. Het was een grote mislukking geworden, waarbij ze was veranderd in een vrouw die ze niet meer kende en die ze ook niet aardig vond.

Hun huwelijk was een slagveld geworden. En een slagveld was geen plek om een kind groot te brengen.

'Je kunt het,' zei ze opnieuw heftig. 'Ik weet dat je het kunt, Mia.'

Opnieuw schudde Mia haar hoofd, met een verslagen uitdrukking op haar gezicht. 'Was ik maar zo als jij, maar dat ben ik niet.'

Melanie nam haar zusje in haar armen. 'Het komt allemaal goed. We komen hier doorheen. Ik help je erdoorheen. Dat beloof ik.'

6

Toen Melanie en Casey anderhalf uur later thuiskwamen, na een snelle stop bij McDonald's, zat Ashley daar te wachten. Melanie was niet verrast haar zusje te zien. Als vertegenwoordigster van een medicijnenfirma, met als rayon North en South Carolina, kwam ze regelmatig langs.

'Kijk eens wie er is, Casey.' Melanie zette de auto stil op het tuinpad. 'Tante Ashley.'

Het Happy Meal van McDonald's was vergeten. Zodra Melanie Caseys veiligheidsriem had losgemaakt, stormde het kind de auto uit. 'Tante Ashley!'

Glimlachend keek Melanie toe, terwijl haar zoon zich in de armen van haar zusje stortte. Haar zusjes waren altijd de belangrijkste mensen in haar leven geweest, en ze vond het heerlijk als ze zag hoe hecht de band tussen hen en Casey was. Ze pakte haar tas en het Happy Meal. 'Hallo, zus! Veel verkocht deze reis?'

Nadat Ashley haar neefje had opgetild, keerde ze zich glimlachend naar Melanie. 'Ach, je weet hoe het gaat in de farmaceutische industrie... De pillen zijn niet aan te slepen.'

Melanie lachte. Haar zus was een vat vol tegenstrijdigheden. Hoewel ze uiterst succesvol was in haar werk, geloofde ze zelf in natuurlijke geneeswijzen. Wanneer er iemand in de familie ziek was, kwam ze met kruiden, wortels en theeën aanzetten in plaats van met een van de wonderpillen die ze verkocht om in haar levensonderhoud te voorzien.

Gezamenlijk beklommen ze de treden naar de veranda. 'Waarom ben je niet naar binnen gegaan? Het stikt hier van de muggen.'

'Het was een veel te mooie avond om binnen te gaan zitten,' antwoordde Ashley, terwijl ze Casey wat hoger op haar heup tilde.

Melanie deed de deur open en knipte het licht in de hal aan. Vervolgens liepen ze naar de keuken. Het huis was niet groot, meer een soort cottage, met twee slaapkamers, een woonkamer en een keuken. Hoewel het bijna in de grote slaapkamer van het huis van haar ex zou passen, was Melanie er helemaal weg van. Wat het tekort kwam aan afmetingen, compenseerde het in charme, vond ze. Het stond in een van de oudere wijken van Whistlestop, had hardhouten vloeren, hoge plafonds in alle vertrekken en rondom ramen. Het heerlijkste van alles was echter dat ze het zelf had betaald. Zonder hulp van haar ex of van iemand anders.

'Heb je al gegeten?' vroeg ze haar zusje, terwijl ze Casey installeerde aan de ontbijtbar. 'Ik wilde een salade gaan maken. Er is genoeg voor ons allebei.'

'Nee, dank je.' Ashley trok het jasje van haar broekpak uit en hing het over de rugleuning van een stoel. 'Ik heb laat geluncht met een dokter.'

Melanie keek haar zusje aan en fronste haar wenkbrauwen toen ze zag hoe mager Ashley was. Behalve dat haar zusje iets langer was dan zij, was ze ook gezegend met wat meer vrouwelijke rondingen. Maar nu leek het wel alsof haar lange broek om haar heen slobberde. 'Ben je ziek geweest?' vroeg ze.

'Nee. Hoezo?'

'Je lijkt zo mager.'

Vragend trok Ashley een wenkbrauw op. 'Magerder dan anders?'

'Ja. Té mager.'

'"Te mager" bestaat niet.' Ze liep naar de koelkast. 'Heb je bier koud staan?'

'Ik denk het wel. Pak maar.' Melanie haalde de cheeseburger van haar zoon te voorschijn en legde die met zijn zakje frietjes op zijn bord.

'Ik wil sinaasappelsap, mam.'

35

'Je krijgt eerst melk. Als je dan nog dorst hebt, mag je sinaasappelsap.'

Casey protesteerde maar even – hij wist dat het een verloren strijd was – en viel aan op zijn burger.

Na hem een glas melk te hebben ingeschonken, pakte Melanie de ingrediënten voor de salade uit de koelkast. 'Heb je het gehoord? De moord op Joli Andersen?'

'Ja, op de radio.' Ashley schonk haar bier in, nam een slok en zuchtte genietend. 'Er gaat niets boven een ijskoud biertje aan het eind van een lange, zware dag.'

Met een brede grijns keek Melanie haar aan. 'Je lijkt wel een televisiereclame.'

'Ja, misschien ben ik mijn roeping misgelopen.' Ze nam nog een slok. 'Vertel eens over vandaag.'

Melanie sneed een krop ijsbergsla in tweeën en begon die in stukjes te snijden boven de slakom. 'Wat wil je weten?'

'Gewoon, de gebruikelijke dingen. Was het gruwelijk? Heb je die lui van het CMPD eens wat laten zien? Of heb je over je schoenen gekotst?' Het laatste zei ze lachend, maar bij het zien van de uitdrukking op Melanies gezicht, sloeg ze haar hand voor haar mond. 'O, Mel. Ik plaagde je maar. Je hebt toch niet echt –'

'Jawel. Ik heb mezelf totaal vernederd door voor het oog van de verzamelde politiemacht mijn maag om te keren.'

'O, zus, wat ellendig voor je.'

'Het geeft niet. Ik...' Ze moest haar keel schrapen, want het was alsof die plotseling werd dichtgesnoerd. 'Het was het ergste wat ik ooit heb gezien, Ash. Maar voor alle anderen was het... niet veel bijzonders. Routine, neem ik aan.'

Ze begon een komkommer te schillen, niet langer omdat ze trek had, maar om iets te doen te hebben. 'Ze praatten zo onverschillig over wat er met dat arme kind was gebeurd. Zo zonder enig... mededogen. Tot op dat moment had ik mezelf aardig in de hand weten te houden en me geconcentreerd op mijn werk, maar –'

Ashley gaf haar een haastige knuffel. 'Ook al heb je de hele boel ondergespuugd, ik weet zeker dat je je geweldig hebt geweerd. Mijn zus, de superagent.'

Glimlachend schudde Melanie haar hoofd. Meer dan wie ook had Ashley haar besluit gesteund om bij de politie te gaan. 'Maar het was wel fascinerend, Ash. Er was een vent van de FBI, van de afdeling gedragsstudies in Quantico. De manier waarop hij te werk ging, was werkelijk verb –'

'Mam, wat is de FBI?'

Melanie draaide zich om naar haar zoon en besefte dat hij niet alleen alles had gehoord, maar dat hij er bovendien door gefascineerd was. 'Dat is een soort afdeling van de politie, lieverd. Een heel grote, heel belangrijke afdeling.'

'Dat dacht ik al.' Hij stopte een frietje in zijn mond. 'Heb je het over die mevrouw?'

'Welke mevrouw?' vroeg Melanie met gefronste wenkbrauwen.

'Die mevrouw die vermoord is?'

'Hoe weet jij dat?'

'Ik hoorde tante Mia erover praten met mijn juf.'

Een zucht van afschuw ontsnapte Ashley, en Melanie keek naar het bord van haar zoon – het was leeg op de plakjes augurk na die hij van zijn burger had gepeuterd. 'Ben je klaar, lieverd?'

Hij knikte. Toen gaapte hij. 'Mag ik nu televisie gaan kijken?'

Vervuld van schuldgevoel omdat ze hem zo laat had opgehouden, leunde ze over de bar en veegde zijn mond schoon met een servet. 'Nee, schatje, je moet naar bed. Je bent al een halfuur langer op dan anders.'

'Hè, mam...' zeurde hij. 'Ik ben nog helemaal niet moe.'

'Nee, dat geloof ik best, maar je moet toch naar bed.' Ze hielp hem van de hoge kruk. 'Zeg maar welterusten tegen tante Ashley.'

Casey deed wat ze vroeg, maar niet voordat hij zijn moeder de belofte had weten te ontfutselen dat ze hem drie verhaaltjes zou voorlezen.

'Ik ben zo terug,' zei Melanie verontschuldigend tegen haar zus.

'Maak je geen zorgen,' zei Ashley glimlachend. 'Ik wacht wel.'

Toen Melanie een kwartier later terugkwam in de keuken, stond Ashley aan het aanrecht uit het raam te staren. Met een bijna ondraaglijk verdrietige uitdrukking op haar gezicht.

Bezorgd deed Melanie een stap in haar richting. 'Is alles goed met je, Ash?'

Terwijl haar zusje zich omdraaide, klaarde de uitdrukking op haar gezicht op. 'Ja hoor. Slaapt onze kleine tijger al?'

'Nog niet. Hij is veel te opgewonden.' Ze fronste haar wenkbrauwen. 'Wat stom van me om zo over mijn werk te praten waar hij bij was. Hij heeft alles gehoord. Ik moet in het vervolg echt voorzichtiger zijn. Hij is tenslotte geen baby meer.'

'Zo te horen, mogen onze zus en zijn juf ook wel wat voorzichtiger zijn.' Ashley viste een stukje komkommer uit de slakom. 'Vertel me eens wat meer over die vent van de FBI.'

'O ja. Nou, de manier waarop hij te werk ging, was gewoon fascinerend. Dat was alles. Hij bekeek de plek van het misdrijf, analyseerde de situatie en maakte een reconstructie van wat er was gebeurd. Ik vond het echt verbijsterend.'

Grijnzend keek Ashley haar aan. 'Vaarwel hondenpoepcontrole, welkom moordonderzoek!'

Melanie dacht aan alle telefoontjes van burgers die woedend waren omdat de hond van hun buurman in hun tuin poepte, of hun bloemen vertrapte, of hun kat in een boom joeg. Ze dacht aan alle bekeuringen die ze had uitgeschreven en hoe ze ernaar had verlangd echt politiewerk te doen. Eindelijk kreeg ze haar kans. Maar tegen welke prijs? Ze keek naar haar zusje. 'Ik voel me gewoon afschuwelijk, omdat ik zo dankbaar ben voor deze moord. Begrijp je wat ik bedoel?'

'Doe niet zo gek.' Ashley pakte een stukje wortel. 'Jij hebt haar toch niet vermoord?'

'Nee, maar...' Zuchtend reikte ze naar een paprika. 'Er is één ding dat ik nu al weet: tegen de tijd dat deze zaak is opgelost, zal het niet meevallen om terug te vallen in de routine van vroeger.'

Ashley vertrok haar gezicht. 'Je zou niet vastzitten in die ballentent van Whistlestop zonder die hufter met wie je getrouwd bent geweest. Iemand zou die rotzak eens een lesje moeten leren.'

'Ashley!' Melanie keek over haar schouder naar de woonkamer en de slaapkamers daarachter. 'Om te beginnen moet je op je woorden letten. Stel je voor dat Casey het hoort. Bovendien is Stan nog altijd Caseys vader.'

'Dat is dan ook de enige reden waarom we hem in leven laten.'

'Erg grappig.' Nadat Melanie geraspte kaas op haar salade had gestrooid, hield ze haar zusje de zak voor.

Ashley nam een handje kaas. 'Ik kan er niets aan doen, Mel. Ik vind het een rotstreek van hem dat je niet naar de academie van het CMPD kon. Zolang ik me kan heugen, was dat je droom. En die heeft hij je afgenomen.'

'Ach, Whistlestop is iets anders dan het CMPD, maar ik zit in elk geval wel bij de politie.' Ze pakte dressing uit de koelkast. Er verscheen een glimlach om haar mond. 'En dat is iets wat Stan niet kan uitstaan. Hij vind het verschrikkelijk dat de ex-vrouw van de grote Stan May in een politie-uniform rondloopt. Ik geniet altijd als ik in uniform ben en een van de vrouwen van zijn collega's tegenkom. Je zou ze eens moeten zien kijken!'

In werkelijkheid had ze bijna net zo'n hekel aan haar uniform als Stan. Niet omdat het te mannelijk was en verre van flatteus, maar omdat het haar kenmerkte als een onbeduidende agent, in een onbeduidende plaats. Bij de politie van Whistlestop, anders dan in Charlotte/Mecklenburg, werd er niet 'in burger' gewerkt. Haar baas wilde dat zijn mensen onmiddellijk herkenbaar waren voor de gemeenschap.

Met een peinzende blik in haar ogen druppelde ze dressing over de salade. 'En wie weet wat de toekomst nog brengt? Als ik het goed doe hier in Whistlestop, denk ik niet dat Stan het CMPD uiteindelijk voor me kan blijven blokkeren. Daarom is het ook zo belangrijk voor me om niet alleen aan deze moord te werken, maar die ook op te lossen.'

'Zo te horen, heb je het al helemaal op een rijtje.' Ashleys glimlach verdween. 'Maar zo ben je altijd al geweest.'

Bij het horen van de trilling in de stem van haar zusje, fronste Melanie haar wenkbrauwen. 'Dat geldt voor jou net zo, Ash. Je hebt ook altijd je hart gevolgd en gedaan wat je wilde. Alleen Mia...' Ze dacht aan haar andere zusje en zuchtte. 'Je hebt Mia al een tijdje niet gesproken, hè?'

'Nee, al minstens een week niet meer. Niet sinds de laatste keer dat we samen koffie hebben gedronken.' Plotseling fronste Ashley haar wenkbrauwen. 'Hoezo? Wat is er aan de hand?'

De salade die er even daarvoor nog zo heerlijk uit had gezien, had plotseling zijn aantrekkingskracht verloren. Melanie legde haar vork neer. 'Boyd heeft haar geslagen.' In het kort vertelde ze Ashley over haar gesprek met Mia.

Er verscheen een blos van woede op Ashleys wangen. 'Die ellendeling! Wat heeft ze gedaan?'

'Wat denk je?'

'Niets, zeker? Omdat ze bang is.'

'Precies.' Met een diepe zucht stond Melanie op, en ze liep naar het raam. Daar staarde ze de donkere avond in, voordat ze zich weer omdraaide naar haar zusje. 'Wat gaan we eraan doen?'

'Wat kúnnen we doen?' Ashley haalde haar schouders op. 'Het is háár huwelijk, Mel.'

'Ja, maar hij slaat haar! Dat kunnen we toch niet laten gebeuren.'

'Zij is degene die het laat gebeuren. Niet wij.'

'Hoe kun je dat nu zeggen?' Ongelovig schudde Melanie haar hoofd. 'Je weet hoe gevaarlijk dit voor haar kan zijn. Trouwens, met een verleden als het onze, zou het voor ons alledrie gevaarlijk zijn. We zijn alledrie geneigd ons in een slachtofferrol te laten drukken; we lopen alledrie het risico te worden meegezogen in een relatie van escalerend misbruik.'

'Spreek namens jezelf.' Ashley viste nog een stuk komkommer uit Melanies salade. 'Onze vader was een monster, maar hij is dood, en ik ben eroverheen.'

'Vandaar dat je met een grote boog om alle mannen heen loopt.'

Ashley kneep haar ogen tot spleetjes. 'We hebben het hier niet over mij en mijn relaties met het andere geslacht.'

'Nee, we hebben het over ons zusje. We moeten haar helpen, maar daar ben jij blijkbaar niet in geïnteresseerd.'

Even zat Ashley volkomen roerloos. Toen ze ten slotte opstond, zag Melanie dat ze beefde. 'Ik hou net zoveel van Mia als jij, Melanie. Dus waag het niet zoiets te zeggen.'

'Ik wilde ook niet beweren –'

'Jawel, dat wilde je wel.' Ashley keek haar recht aan. 'Wil je de waarheid weten? Je hebt haar te afhankelijk gemaakt. Door haar voortdurend met je zorgen te omringen. Dat deed je al toen we klein waren. Wat verwacht ze nu weer van je? Dat je een eind aan haar huwelijk maakt? Dat je haar man arresteert? Dat je hem voor haar doodschiet?'

'Erg grappig, Ash.'

'Het is niet grappig bedoeld. Je moet haar de kans geven volwassen te worden.'

Melanie verstijfde en spande zich tot het uiterste in om kalm te blijven. 'Dus jij vindt dat ik gewoon een stap terug moet doen en haar het slachtoffer moet laten worden. Erg liefdevol, Ash. Erg zusterlijk.'

'Ja, dat is precies wat ik vind. Tot ze iets doet om zichzelf te helpen. Natuurlijk moet je er voor haar zijn, maar je moet ophouden te proberen haar te redden.'

'Jíj kan dat misschien, maar ik niet.'

Ashley ademde scherp in. 'Hou op met dat schijnheilige gedoe. De enige reden waarom je zo beschermend bent tegen Mia, is dat je je schuldig voelt.'

'Schuldig?' Ongelovig trok Melanie haar wenkbrauwen op. 'Waar zou ik me schuldig over moeten voelen?'

'Domme vraag, Mel. Je voelt je schuldig omdat Mia het altijd moest ontgelden bij papa.'

'Dat is onzin. Waarom zou ik –'

'Omdat hij haar er altijd uitpikte voor zijn getreiter, terwijl jullie als twee druppels water op elkaar leken.'

Het was alsof Melanie een klap in haar gezicht had gekregen. Met trillende knieën liep ze naar de deur van de woonkamer. Ze luisterde of ze Casey hoorde en deed de deur toen zo goed als dicht. 'Dat was niet mijn schuld,' zei ze ten slotte moeizaam. 'Er is geen enkele reden waarom ik me daar schuldig over zou moeten voelen.'

'Natuurlijk niet, maar toch is het zo. Je probeert tegenover haar nog altijd goed te maken dat jij de dans altijd ontsprong.'

'Je begrijpt het niet. Je hebt het nooit begrepen.'

Er kwam een verbeten trek om Ashleys mond. 'Omdat ik niet bij jullie tweelingclubje hoorde. Waar of niet? Ashley was nu eenmaal anders.'

'Dat is niet waar. Mia en ik hebben jou nooit buitengesloten.'

'Ach, schei toch uit! Ik was het derde zusje, het derde wiel aan de wagen. En dat ben ik nog steeds.'

Melanie zuchtte gefrustreerd. 'Ik vind het afschuwelijk als je zo doet.'

Langzaam deed Ashley een stap in haar richting. 'Is het ooit bij je opgekomen dat ik de dingen zo helder zie, juist omdat ik anders ben? Jou, Mia, pap... alles?'

'Mia heeft me nodig. Ze is veel gevoeliger dan wij tweeën. Veel kwetsbaarder. Daarom pikte papa haar er altijd uit. Omdat hij wist dat ze niets terugdeed. En daarom moest ik hem tegenhouden.'

Op het moment dat Ashley haar mond opendeed om te antwoorden, ging de telefoon.

Snel nam Melanie op. 'O, hallo, Stan.'

Ashley vertrok haar gezicht en greep haar tas. 'Ik moest maar eens gaan.'

'Stan, kun je even wachten?' Melanie legde haar hand op het spreekgedeelte. 'Blijf alsjeblieft.'

Vastberaden schudde Ashley haar hoofd. Heel even lag er een bijna verloren uitdrukking op haar gezicht. 'Ik bel je wel.'

Melanie stak een hand uit, vol spijt over hun ruzie. 'Zullen we vrijdag koffie gaan drinken?'

'Ik zal het proberen, maar ik beloof niets.'

'Ik hou van je.'

Ashley glimlachte. 'Ik ook van jou.' Ze liep naar de deur. Daar bleef ze nog even staan. 'Zeg maar tegen die rotzak dat hij de hartelijke groeten van me krijgt en dat ik hem alles wat slecht is toewens,' zei ze kwaadaardig.

Even keek Melanie haar na. Toen nam ze haar hand van de telefoon. 'Stan, zeg het eens?'

'Wie van je zussen was dat? De huilebalk of het kreng?'

Melanie ging er niet op in. 'Ashley. Ik moest je de groeten doen.'

'Ja, dat zal wel. En me alles toewensen wat slecht is, zeker?'

Met moeite verbeet Melanie een lach. 'Waarom bel je, Stan?'

'Over die toestand van vandaag. Die moord. Ben jij daarbij betrokken?'

'Betrokken?' Met opzet hield ze zich van de domme.

'Ja, bij het onderzoek, natuurlijk,' zei hij geërgerd.

'Het misdrijf is gepleegd in Whistlestop. Dus ik ben betrokken bij het onderzoek.' Ze glimlachte, zich bewust van zijn woede. 'Maar je zult ongetwijfeld begrijpen dat ik niet in bijzonderheden kan treden.'

Hij slaakte een verwensing. 'De bijzonderheden kunnen me gestolen worden. Ik wil gewoon niet dat mijn vrouw iets te maken heeft met –'

'Ex-vrouw,' verbeterde ze hem. 'Je bent Shelley toch niet vergeten?'

'Schei uit met die onzin, Melanie. Natuurlijk ben ik Shelley niet vergeten.'

'En omdat ik je ex ben,' vervolgde ze, 'heb je absoluut niets te zeggen over mijn leven. Wat ik doe is mijn zaak, en niet de jouwe. Begrepen?'

'Behalve als dat schadelijk zou kunnen zijn voor mijn zoon.'

'Onze zoon maakt het prima. Hij is gelukkig; hij is gezond, en er wordt van hem gehouden. Mijn betrokkenheid bij een moordonderzoek is niet schadelijker voor hem dan jouw juridische steekspel.'

'Daarin verschillen we van mening.'

Ze lachte vreugdeloos. 'We verschillen in alles van mening, Stan. Als dat alles is... Het is al laat, ik heb honger en ben moe.'

'Nee, dat is nog niet alles. We moeten het eens over de toekomst hebben, Melanie. Of liever gezegd, Caseys toekomst.' Na even te hebben gezwegen, vervolgde hij: 'Volgend jaar gaat hij naar school.'

Ze keek op haar horloge en vervolgens – verlangend – naar haar salade. 'Daar ben ik me van bewust, Stan.'

'Dan ben je je dus ook bewust van het feit dat ik in het district met de beste scholen woon?'

Het duurde even voordat de betekenis van zijn woorden tot haar doordrong. Toen laaide er ineens een wilde angst in haar op. Uit alle macht probeerde ze die te verdringen. Nee, dat kon niet waar zijn. Ze trok overhaaste conclusies. Tenslotte waren ze inmiddels al drie jaar gescheiden, en in al die tijd had Stan de indruk gewekt heel tevreden te zijn met de regeling dat hij om het andere weekend als vader mocht optreden.

'Hoezo, het district met de beste scholen?' vroeg ze. 'Volgens welke maatstaven? De scholen hier in de buurt staan ook hoog aangeschreven. Ze zijn misschien niet zo chic, maar –'

'Kom nou toch, Melanie,' zei hij zacht en geduldig, alsof hij het tegen een eigenzinnig kind had. 'Denk je ook niet dat het tijd wordt om onze persoonlijke verlangens opzij te zetten en ons af te vragen wat het beste is voor Casey?'

'Je bedoelt zeker, wíe het beste voor hem is?'

'Misschien.'

Ze kneep haar ogen dicht en telde tot tien. De nachtmerrie die haar het eerste jaar na haar scheiding had achtervolgd – dat Stan zou proberen haar Casey af te nemen – was werkelijkheid geworden.

'Ik weet wie er het beste voor hem is. Dat ben ik. Ik ben zijn moeder.'

'En ik ben zijn vader. Bovendien kan ik hem een evenwichtig thuis bieden met twee ouders, in een van de mooiste wijken van Charlotte. Met een omheining, zodat zijn veiligheid is gewaarborgd.'

'En laten we niet vergeten een zwembad, tennislessen en lunchen op de club,' zei ze sarcastisch. 'Nu je toch bezig bent, mag je ook een jaarlijkse reis naar Europa niet vergeten.'

'Dat soort dingen is belangrijk.'

'Maar niet belangrijker dan liefde, Stan. Niet belangrijker dan rust en continuïteit. Casey is sinds zijn geboorte bij mij geweest. Als dat nu ineens zou veranderen, zou hem dat erg in verwarring brengen. Bovendien, al zijn vriendjes van –'

'Ach, kinderen wennen zo snel.'

Hij zei het zo nonchalant, zo onverschillig. Terwijl ze het hadden over Caseys leven, Caseys gevoelens. Dat hij daar zo gemakkelijk over dacht, deed haar bloed koken. 'Wat ben je toch een ellendeling,' fluisterde ze met trillende stem. 'De enige om wie jij geeft, ben je zelf.'

'Dat vind jij.'

'Dit laat ik niet gebeuren.'

'Je kunt me niet tegenhouden.'

'Mam?'

Geschrokken keek ze achterom. Casey stond in de deuropening, met grote, angstige ogen. Blijkbaar was hij wakker geworden van de telefoon – als hij al had geslapen. Ze dwong zichzelf
kalm te worden en glimlachte geruststellend naar hem. 'Ik kom
zo bij je, lieverd. Kruip maar weer in bed. Dan kom ik je zo lekker
onderstoppen. Goed?'

Even aarzelde Casey, toen deed hij wat ze vroeg.

Melanie richtte haar aandacht weer op haar ex. 'Dit is niet het
moment voor een dergelijk gesprek. Ik bel je terug.'

'Denk maar niet dat je dit kunt ontlopen, Melanie. Ik ben van
plan de rechter uitspraak te laten doen over de voogdij over onze
zoon – en ik ben van plan die zaak te winnen!'

7

Het was verstikkend benauwd in de conferentiezaal in het kantoor van de officier van justitie, misschien ook doordat de autoriteiten rond de lange, ovalen tafel elkaar dreigden te verstikken door hun krachtige persoonlijkheden.

Melanies blik ging van de een naar de ander. Ed Pinkston, de burgemeester van Charlotte, commissaris Lyons van het CMPD, haar baas en de officier van justitie. Connor Parks was er ook, samen met een collega van de FBI. Althans, dat veronderstelde ze. De burgemeester van Whistlestop ontbrak. Iets wat Melanie merkwaardig vond. Of misschien zelfs onheilspellend. Opnieuw keek ze naar het strakke gezicht van haar baas.

Die ochtend waren ze bij elkaar geroepen omdat de dochter van Charlottes meest prominente inwoner inmiddels een week dood was en haar vader een antwoord op zijn vragen eiste. Net als de pers, trouwens.

Die antwoorden waren er echter niet. Ze waren nog geen stap dichter bij een oplossing dan op de dag van de moord. Dat betekende dat er die ochtend waarschijnlijk koppen zouden rollen – waaronder misschien die van Melanie. Zelfs de gezichten van het CMPD stonden angstig.

De burgemeester van Charlotte stond op om de vergadering tot de orde te roepen. Voordat hij dat kon doen, ging de deur open en kwam Cleve Andersen binnen, in gezelschap van een man die

Melanie niet kende. Er viel een ongemakkelijke stilte.

'Het spijt me dat ik zo laat ben.' Voortvarend liep Andersen naar het hoofd van de tafel, waar hij naast burgemeester Pinkston ging zitten.

Deze schraapte zijn keel. 'Cleve, we hadden niet verwacht –'

'Het leek me beter als ik erbij zou zijn,' zo onderbrak deze hem. 'De besluiten die hier vandaag worden genomen, gaan tenslotte mij en mijn familie aan.' Hij glimlachte routineus. 'Zoals je weet, ben ik niet graag afhankelijk van anderen.' Vervolgens wees hij op de man die samen met hem was binnengekomen. 'Dit is Bob Braxton, mijn advocaat. Goed...' Hij richtte zijn blik op de overige aanwezigen. 'Zullen we beginnen?'

Burgemeester Pinkston keek hulpeloos om zich heen, als een vis op het droge. Het was duidelijk dat de politicus niet de moed had om zich tegen Andersen te verzetten.

Blijkbaar had Connor Parks die moed wel. 'Neem me niet kwalijk,' begon hij met een blik op de zakenman. Hij stond op. 'Met alle respect, Mr. Andersen, maar u hoort hier niet.'

Het werd doodstil in het vertrek. Alle ogen richtten zich op Andersen. Deze stond wat stijfjes op, met een ijzige uitdrukking op zijn gebeeldhouwde gelaat. 'Jongeman, mijn dochter is het onderwerp van deze bijeenkomst.'

'Dat is precies de reden waarom u hier niet zou moeten zijn. We hebben geen tijd om op onze tenen te lopen en rekening te houden met uw gevoelens. Ga naar huis, Mr. Andersen. Ga naar uw treurende familie. Die heeft u meer nodig dan wij hier.'

Er verscheen een blos van ergernis op Cleve Andersens bleke gezicht.

Melanie hield haar adem in. Parks had onder woorden gebracht wat alle aanwezigen dachten. Maar hoewel ze hem bewonderde om zijn moed, vroeg ze zich af of hij wel goed bij zijn hoofd was. Want hij had zijn mening niet bepaald voorzichtig geformuleerd, laat staan dat hij deze had verpakt in eerbiedige bewoordingen.

'Ik ken u niet,' zei Andersen. 'Wie bent u?'

'Agent Connor Parks, FBI.'

'Heel goed, agent Parks. Dan zal ik u iets vertellen. Ik heb het niet zo ver geschopt door langs de zijlijn te blijven zitten en af te wachten wat anderen deden. Ik ben iemand die de leiding neemt. Iemand die zorgt dat dingen gebeuren.'

'Nogmaals, met alle respect, we zijn hier niet in het zakenleven. Het is onze taak de wet te handhaven. Dat is iets waar u niets van weet. Ik ben bang dat u deze keer toch langs de zijlijn zult moeten plaatsnemen en dat u ons de kans moet geven ons werk te doen.'

'Cleve,' begon de burgemeester vriendelijk, terwijl hij zijn hand op diens schouder legde. 'Parks heeft gelijk. Wat hier vandaag moet worden besproken, is niet voor de oren van een vader bestemd. Het is echt beter als je naar huis gaat.'

Andersen wankelde even. Het masker van zelfvertrouwen en vastberadenheid viel af, zodat er een glimp zichtbaar werd van de man daarachter. Een man die verschrikkelijk leed en zich emotioneel ternauwernood staande wist te houden. Hij keek Ed Pinkston aan. 'Ik heb al het ergste te dragen gekregen wat een vader kan overkomen,' zei hij zacht, met een lichte trilling in zijn stem. 'Ik heb te horen gekregen dat mijn dochter dood is. Dat ze is vermoord.'

Hij liet zijn ogen langs de tafel gaan en richtte zijn blik ten slotte op Connor Parks. 'Ik wil dat haar moordenaar wordt gepakt. Ik wil gerechtigheid. En die zal ik krijgen. Ongeacht de prijs. Is dat duidelijk?' Zonder op een antwoord te wachten, keerde hij zich naar zijn advocaat. 'Bob, ik vertrouw erop dat jij deze zaak verder afhandelt.'

Samen met de andere aanwezigen keek Melanie toe terwijl hij met grote passen naar de deur liep. Ze voelde intens met hem mee. Ze begreep zijn beweegredenen om te komen. Afwachten en het initiatief aan anderen overlaten moest een hel zijn voor een man als Andersen.

Toen de deur achter hem dichtviel, bleef het even ongemakkelijk stil. Ten slotte schraapte de burgemeester zijn keel om de bijeenkomst nogmaals tot de orde te roepen. Na een berisping aan het adres van Parks voor de toon waarop deze de vader van het slachtoffer had toegesproken, gaf hij het woord aan de twee commissarissen van politie. Tot op dat moment hadden ze elke stap van het onderzoek met elkaar gedeeld – wie was ondervraagd, wat er uit die gesprekken was gekomen – en ze verzekerden de politici dat de onderste steen boven zou komen.

'Ik ben niet geïnteresseerd in stenen,' beet Pinkston hen toe. 'Ik ben geïnteresseerd in een verdachte. Wat ik van u wil horen, is dat u die zieke idioot te pakken zult krijgen en hoe u dat denkt te gaan doen.'

Commissaris Lyons van het CMPD keerde zich naar Pete Harrison, zijn hoofd recherche. 'Harrison?'

Deze knikte. 'We hebben een verdachte. Het schijnt dat Joli op de avond dat ze werd vermoord in een disco is geweest met vrienden. Er was daar een vent die probeerde haar te versieren. Hij drong zich aan haar op, maar ze wilde niets van hem weten. Ze maakte hem uit voor mislukkeling en zei dat hij maar een meisje van zijn eigen soort moest zoeken. Daarop reageerde hij woedend. Hij zei dat ze er spijt van zou krijgen en stormde de zaak uit. We hebben een getuige – een van de vaste bezoekers van de disco – die beweert dezelfde vent later die avond op het parkeerterrein te hebben gezien. Rond het tijdstip dat Joli wegging. Jammer genoeg wist niemand wie hij was. Hij was nooit eerder in die disco geweest en heeft contant betaald. Sindsdien heeft niemand hem meer gezien.'

Andersens advocaat reageerde ongelovig. 'Met andere woorden: u kunt hem niet vinden?'

'We hebben hem nog niet gevonden,' verbeterde Harrison hem, 'maar dat komt wel. Daar kunt u op rekenen. We hebben zijn beschrijving verspreid onder alle barkeepers in heel Mecklenburg. Dus hij komt wel boven water.'

'En zodra dat gebeurt, slaan we toe,' voegde Roger Stemmons, Harrisons collega, eraan toe.

'Ik wil niemand zijn illusies ontnemen, maar ik vind niet dat we al onze hoop op die ene vent moeten vestigen,' zei Connor Parks. 'Zo te horen, hebben we hier te maken met een klassiek geval van onvermogen, net als bij onze onbekende dader, maar voor het overige klopt zijn beschrijving absoluut niet met de profielschets.'

Voor de tweede keer die ochtend richtte alle aandacht zich op

Connor Parks. 'Wat voor profielschets?' vroeg de burgemeester.

'Vaag gezeur.' Stemmons gooide zijn potlood op de tafel.

'Een profielschets is een psychologisch portret van een moordenaar,' lichtte Connor toe. 'Een dergelijk portret komt tot stand door de bijzonderheden van een bepaald misdrijf te vergelijken met wat we in het algemeen weten over crimineel gedrag. Het resultaat is doorgaans heel nauwkeurig.'

Connor keek Stemmons aan. Zijn gezicht stond neutraal. 'Er is niets vaags aan. Onze conclusies zijn gebaseerd op gegevens die zijn verzameld van daadwerkelijke misdrijven en van honderden uren ondervraging van bekende seriemoordenaars en verkrachters.'

Stemmons trok een lelijk gezicht.

De burgemeester ging wat gemakkelijker in zijn stoel zitten. 'Vertel ons eens iets over deze onbekende dader, agent Parks. Met wat voor man hebben we hier te maken?'

'Met een blanke man,' begon Connor. 'Ergens tussen de vijfentwintig en de vijfendertig. Knap, in goede conditie. Hij doet aan sport, zeer waarschijnlijk op een sportschool. Hij heeft een goede baan. Dokter, advocaat, accountant,' vervolgde hij. 'Hij is financieel succesvol, of weet in elk geval die indruk te wekken. Met dure kleren, een dure auto. Ik gok op een BMW. Een van de kleinere modellen, misschien uit de 300-serie. Niet nieuw. Een paar jaar oud.'

Het was dezelfde theorie die hij tegenover Melanie had ontvouwd op de plaats van het misdrijf. Joli Andersen was zowel mooi als rijk geweest, en aangezien de indruk bestond dat ze uit vrije wil met de onbekende dader was meegegaan, moest hij aan bepaalde vereisten hebben voldaan.

'Dat klopt,' zei Melanie. 'Uit gesprekken met mensen uit haar vriendenkring is gebleken dat Joli weliswaar een verschrikkelijke flirt was, maar dat ze tegelijkertijd buitengewoon kieskeurig was met wie ze uitging. Ze stelde hoge eisen. Hij moest knap zijn, en hij moest er warmpjes bij zitten.'

'Precies,' mompelde Connor. 'Zijn buren zouden hem omschrijven als aardig, rustig, misschien zelfs verlegen,' vervolgde hij. 'Hij woont of werkt vlak bij de plaats van het misdrijf. Daarom heeft hij het Sweet Dreams Motel gekozen.'

'Hoe dichtbij?' vroeg commissaris Lyons.

'Binnen een straal van vijf tot tien kilometer is mijn gok.'

Er ontstond een geïnteresseerd geroezemoes om de tafel, maar Connor negeerde dat. 'Uit de hoer-madonna-aspecten van zijn ritueel en uit het feit dat hij het slachtoffer niet op natuurlijke wijze heeft gepenetreerd, blijkt dat hij een gespannen, maar obsessieve relatie heeft – of heeft gehad – met zijn moeder. Verder heeft hij een reeks van verbroken relaties met vrouwen achter de rug. Als hij al getrouwd is, dan is het huwelijk niet gelukkig.'

'Is hij al eerder met de politie in aanraking geweest?' vroeg Bobby Taggerty.

'Dat is een goede vraag. Als dat al het geval is, dan is het niets ernstigs. Hij is in elk geval nooit eerder veroordeeld. Hij gaat regelmatig naar prostituees, dus het zou kunnen zijn dat hij een keer is aangehouden wegens het aanspreken van een prostituee.' Connor zweeg even. 'De moord op Joli Andersen is zijn eerste, maar zeker niet zijn laatste als hij de kans krijgt.'

Er volgde opnieuw geroezemoes. 'Weet je dat zeker, Parks?' vroeg Harrison.

'Absoluut zeker. Hij heeft deze fantasie van bondage en overgave al heel lang. Bij Joli liep het uit de hand, want anders dan de prostituees met wie hij heeft geëxperimenteerd, gedroeg ze zich niet zoals hij dat wilde. In een poging haar het zwijgen op te leggen, heeft hij haar vermoord. En dat bleek hem zo'n overweldigende, seksuele kick te geven, dat hij dat opnieuw zal willen.'

'We zouden de ziekenhuizen kunnen controleren,' mompelde Harrison. 'Dokters- en advocatenpraktijken. Dat soort instellingen. Om een lijst samen te stellen van mannen die aan de beschrijving voldoen.'

'En dan doe we hetzelfde met de sportscholen, zodat we de lijsten naast elkaar kunnen leggen. Om te zien waar ze elkaar overlappen,' opperde Stemmons.

Connor knikte instemmend. 'Ik stel voor ook de prostituees in het gebied te ondervragen. Zoals ik al zei, onze onbekende dader heeft al enige tijd geëxperimenteerd met zijn fantasie. Ik weet zeker dat er een meisje moet zijn dat zijn ritueel herkent.'

De man die met Connor was meegekomen, stond op en stelde zich voor als Steve Rice, Special Agent in Charge, SAC, van het FBI-kantoor in Charlotte. 'We zouden ook de begraafplaats waar Joli ligt in de gaten moeten houden,' zei hij. 'En videocamera's moeten installeren. Dit soort moordenaars gaat regelmatig terug naar het graf van hun slachtoffer om hun fantasie opnieuw te beleven. Daar krijgen ze een enorme kick van.'

'Mijn hemel.' Braxton keek alsof hij zich net zo ziek voelde als het klonk.

'Als de bewaking niets oplevert, moeten we proberen hem uit zijn tent te lokken door te zorgen dat de Charlotte Observer een groot verhaal over Joli plaatst,' vervolgde Rice. 'Met een paar goede foto's. Om hem opgewonden te krijgen. En blijf het graf in de gaten houden. Want echt, het werkt.'

Er werden nog verscheidene andere mogelijkheden besproken, tot burgemeester Pinkston uiteindelijk weer het woord nam. 'Ik moet zeggen dat ik optimistisch gestemd ben na wat ik zojuist heb gehoord,' begon hij, opnieuw de ervaren politicus.

Terwijl hij aan het woord was, dwaalden Melanies gedachten af naar haar eigen problemen. Probleem, verbeterde ze zichzelf. Ze had er maar één. Het voornemen van Stan om de voogdij over Casey naar zich toe te trekken.

Melanie masseerde de spieren in haar nek. Ze had een paar dagen gewacht voordat ze Stan had teruggebeld. Die tijd had ze gebruikt om zichzelf weer onder controle te krijgen en haar zaak voor te bereiden. Hoewel ze van plan was geweest rustig met hem te praten en hem desnoods te smeken van zijn voornemen af te zien, had ze haar geduld verloren en was ze uitzinnig tegen hem tekeergegaan.

Wat mankeerde haar toch? Waarom liet ze zich elke keer door hem tot het uiterste drijven? Toen ze nog getrouwd waren, was het niet anders geweest. Zij vuur, hij ijs. Zij had gepassioneerd ruzie gemaakt, hij koel en geleid door logische overwegingen. Tijdens hun veelvuldige meningsverschillen was hij steeds koeler en rationeler geworden, naarmate zij gepassioneerder van leer was getrokken. Het was een nooit eindigende, escalerende cyclus. Ten slotte had ze beseft dat hij zijn vermogen zich los te maken van zijn emoties, gebruikte als een manier om haar te manipuleren – en om zijn superioriteit te bewijzen.

Helaas had het gewerkt. Na een ruzie had ze zich altijd een feeks gevoeld, een uitzinnig tierende krankzinnige. Ze had zichzelf beloofd dat ze dat nooit meer zou laten gebeuren, en vervolgens was ze onmiddellijk weer in de val getrapt.

'Dan zijn er nog een paar administratieve bijzonderheden die we moeten bespreken. Om te beginnen het feit dat het onderzoek in deze zaak wordt uitgevoerd door twee politie-eenheden.'

Met een ruk keek Melanie op, plotseling gealarmeerd.

'We hebben sterk het gevoel dat we afbreuk doen aan de doelmatigheid van het onderzoek door het als het ware in tweeën te delen. Vanaf dit moment berust de leiding van het onderzoek dan ook officieel bij het CMPD. Daarin zal dit, natuurlijk, worden bijgestaan door de FBI, maar de hoofdverantwoordelijkheid berust bij het CMPD.'

'Wat een onzin!' Het was eruit voor ze er erg in had. Ze schoot overeind, met een vurige blos op haar wangen. 'Neemt u me mijn uitbarsting niet kwalijk, burgemeester, maar de moord is gepleegd in Whistlestop. We zijn bereid om alles te doen wat nodig is om ervoor te zorgen dat de moordenaar van Joli Andersen voor de rechter komt.'

'Daar ben ik van overtuigd, agent May. En uw commissaris heeft ook al een indrukwekkend pleidooi afgestoken ten gunste van de toekenning van dit onderzoek aan het WPD. We vinden echter dat in deze zaak ervaring het zwaarst moet wegen.'

'Maar –'

'Ons besluit staat vast, agent May.' Pinkston probeerde sympathiek te kijken, maar kwam niet verder dan een geïrriteerde blik. 'We hebben echter wel een belangrijke opdracht voor het WPD. Mr. Braxton zal het een en ander toelichten. Bob, aan jou het woord.'

De advocaat stond op. 'Mr. Andersen heeft besloten een beloning uit te loven voor informatie die leidt tot de aanhouding van de moordenaar van zijn dochter. Commissaris Greer en zijn mensen uit Whistlestop zullen de speciale telefoonlijnen hiervoor bemannen.'

'Wát?' riepen Melanie en Bobby in koor. Melanie hoorde de jongens van het CMPD grinniken, en het bloed schoot naar haar gezicht. Juist toen ze op het punt stond een venijnige opmerking te maken, gaf Bobby haar onder de tafel een schop.

Steve Rice stond op. 'Met alle respect en sympathie voor Mr. Andersen en zijn familie moet ik u waarschuwen dat dergelijke beloningen zelden resultaat hebben en alleen maar leiden tot een zware werkdruk voor ons en voor de bewuste politiebureaus. Morgenmiddag om deze tijd zullen we zo druk zijn met het natrekken van valse tips, dat we geen tijd meer hebben om de echte te onderzoeken. Vandaar dat ik er bij u op aandring de familie Andersen te vragen op haar besluit terug te komen.'

'Maar is het ook niet denkbaar dat een beloning een aarzelende getuige ertoe zal brengen zich te melden?' vroeg de advocaat. 'Honderdduizend dollar lijkt me een machtige drijfveer.'

Melanie kreunde. Rond de tafel barstte een heksenketel los. Een dergelijke beloning zou niet alleen iedere op geld beluste fantast in het hele land wakker schudden, maar bovendien een hele horde krankzinnigen naar de telefoon doen grijpen. Het idee was rampzalig. Het feit dat Bobby en zij de telefoonlijnen moesten bemannen, ronduit vernederend.

De rest van de bespreking drong nauwelijks tot haar door. Het enige lichtpunt was de instemming van Andersens advocaat om te proberen de zakenman zo ver te krijgen, dat hij zijn beloning drastisch verlaagde.

Zodra de vergadering was geschorst, klampte Melanie in de gang haar baas aan. 'Waarom hebt u ons dat niet verteld?' Haar stem trilde van woede.

'Omdat ik het zelf ook net had gehoord.' Melanie hoorde de woede in zijn stem. 'Ze hebben me een paar minuten voor de bespreking voor het blok gezet.'

'Die ellendeling van een burgemeester,' mompelde Bobby.

De commissaris zuchtte. 'Je moet hem maar niet te hard vallen. Hij is zelf ook onder druk gezet.'

'Ik wil wedden dat Andersen hierachter zit.' Bobby stak zijn handen in zijn broekzakken. 'Wie heeft hij voor zijn karretje gespannen? De gouverneur zeker?'

Greer ontkende het niet. 'Het is weer het oude liedje,' zei Melanie bitter. 'Zij doen het grote werk, en wij liggen eruit.'

'Nee,' verbeterde Bobby haar. Zijn anders zo kalme gezicht zag wit van woede. 'Wij zitten aan de telefoon om de tips te noteren van iedere op geld beluste idioot in het hele land.'

'Ik begrijp dat jullie teleurgesteld zijn. Dat ben ik ook.' Greer keek van de een naar de ander. 'Maar ik heb er nog wel een paar troostprijzen uit weten te slepen. Om te beginnen, blijven we bij de zaak betrokken, zij het niet actief. We worden van alles wat er wordt ondernomen – zoekacties, ondervragingen, noem maar op – op de hoogte gebracht. Ten tweede heb ik geregeld dat we bij die telefoonlijnen assistentie krijgen van het CMPD.'

Bobby klaarde zienderogen op, maar Melanie bleef teleurgesteld. Dit was haar grote kans geweest om bij het WPD weg te komen. En die kans was nu verkeken.

8

Op dinsdag was er een vast spreekuur van een van de leden van het team Persoonlijke Geweldsdelicten, met wie de politie kon overleggen over de kansen om een bepaalde zaak met succes voor de rechter te brengen.

Anders dan veel van haar collega's genoot Veronica Ford van die ontmoetingen met de politie, omdat deze haar het gevoel gaven dat ze rechtstreeks een vinger aan de pols van het systeem had.

Op sommige dagen gebeurde er weinig, maar op andere – zoals deze dag – ging het er hectisch aan toe. Verkrachting, aanranding, beroving leken plotseling een favoriete tijdsbesteding te zijn geworden in Mecklenburg County. Veronica kwam tot de conclusie dat het iets te maken moest hebben met de volle maan, of met het begin van een economische recessie. Van beide was bekend dat ze een vernietigende invloed konden hebben op de rechtsorde.

Ze kreeg een telefoontje van Jen. 'Veronica, er is hier een agent die je wil spreken. Melanie May.'

'Melanie May,' herhaalde ze. Die naam kende ze, en ze was dan ook verrast door het toeval. Vooral omdat ze met Rick had geruild, zodat die aanwezig kon zijn bij een bijeenkomst over de zaak Andersen. Het grote nieuws van die bijeenkomst was de beloning van honderdduizend dollar waarvan Cleve Andersen zich niet had laten afbrengen. Het hele kantoor gonsde ervan.

'Ze werkt bij het bureau Whistlestop.'

'Dat weet ik. Stuur haar maar door.'

Even later verscheen Melanie May in de deuropening.

Veronica gebaarde haar glimlachend binnen te komen. 'Agent May, gaat u zitten.'

Melanie beantwoordde Veronica's glimlach en liet zich in een van de twee stoelen voor het bureau vallen. 'U komt me zo bekend voor,' zei ze. 'Is het mogelijk dat ik u ergens van ken?'

Veronica gebaarde naar de rij Starbucks-koffiemokken op de ladekast rechts van haar. 'We zijn allebei verslaafd aan koffie.'

'Natuurlijk! Dat is het. De koffiezaak.' Melanie May lachte. 'Ik drink altijd cappuccino, en u?'

'Koffie verkeerd.' Veronica ging wat meer naar achteren in haar stoel zitten. 'Ik moet u eerlijk bekennen dat ik al wist wie u was, toen de receptioniste u aankondigde. Van de koffiezaak en van de naam op uw uniform.'

'U hebt scherpe ogen.'

'Die moet je wel hebben als je voor justitie werkt. Bovendien heb ik een uitstekend geheugen. Iets wat in dit werk ook erg goed van pas komt.'

De politieagente gebaarde naar de mokken. 'Het klinkt misschien wel nieuwsgierig, maar wat moet u met zes van die dingen?'

Geamuseerd schudde Veronica haar hoofd. 'Ach, dat is heel onschuldig begonnen. Ik had op een ochtend mijn mok vergeten, dus toen heb ik er een gekocht. Een reservebeker is nooit weg, dacht ik. Want ik vind het afschuwelijk om koffie te drinken uit zo'n kartonnen bekertje.'

'En toen vergat u hem nog een keer?'

'Precies. Voor ik het wist, begon ik ze te verzamelen.' Ze schudde opnieuw glimlachend haar hoofd. 'Natuurlijk noem ik het zelf geen obsessief-compulsief gedrag. Ik hou me voor dat ik het milieu een dienst bewijs door geen kartonnen bekertjes te gebruiken. Dat spaart tenslotte bomen. Volgens mij kunnen we onszelf alles wijsmaken.'

'Een advocaat met een geweten.' Melanie grijnsde. 'Dat is een zeldzaamheid.'

Veronica lachte opnieuw. 'O, hemel, Dat klinkt alsof u slechte ervaringen hebt met advocaten.'

'Niet met aanklagers. Mijn ex-man is advocaat. In het bedrijfs-leven.'

Veronica boog zich naar haar toe. 'Duurbetaalde kindermeisjes en hielenlikkers.' Ze trok een gezicht. 'Niets voor mij. Ik heb liever elke dag een stuk tuig dat ik achter de tralies kan doen verdwijnen.'

Melanie lachte. 'Nou, dan is dit uw kans. Ik heb een eersteklas stuk tuig voor u.'

'Vertel.'

'De naam is Thomas Weiss.' Melanie gaf Veronica haar rapport. 'Hij heeft zijn vriendin, met wie hij samenwoont, het ziekenhuis in geslagen. En niet voor het eerst, maar deze keer was het zo erg, dat ze bereid is hem aan te klagen.'

Vluchtig keek Veronica het rapport door. Ze noteerde de naam van het slachtoffer, haar adres en werkgever en deed vervolgens hetzelfde met de beklaagde. Toen sloeg ze haar ogen op naar Melanie. 'Hier staat dat hij eigenaar is van een restaurant.'

'Ja, de Blue Bayou. In Dilworth.'

'O, daar ben ik wel eens geweest. Leuke tent. Prima keuken. Cajun.'

'Ja, dat is hem.'

'En zij werkt er achter de bar.' Veronica tuitte haar lippen. 'Dus hij heeft dit al eerder gedaan?'

'Ja.'

'Maar ze heeft nog nooit een aanklacht ingediend?'

'Jawel, maar die heeft ze weer ingetrokken. Dat zal ze deze keer niet doen.'

'Hoe weet u dat?'

'Omdat hij heeft gedreigd haar te vermoorden. Ze is nu echt bang geworden.'

Veronica slaakte een spijtige zucht en gooide het dossier weer op haar bureau. 'Het spijt me, maar dat wordt niets.'

'Hoezo, dat wordt niets?' herhaalde Melanie verbijsterd. 'Waarom niet?'

'Met wat we hier hebben, kunnen we niet winnen. En ik ben

pas bereid een zaak aan het rollen te brengen, als ik er vertrouwen in heb. Het enige wat we hebben, is de vriendin. En die is bovendien nog doodsbang ook. Doodsbange vriendinnen die in het verleden regelmatig een aanklacht hebben ingetrokken, zijn nu eenmaal geen goede getuigen.'

Met een gretige uitdrukking op haar gezicht boog Melanie zich naar voren. 'Deze keer zet ze door. Dat weet ik zeker. Deze keer –'

Veronica stak een hand op. 'Als het slachtoffer niet helemaal duidelijk is in haar verklaring, of als ze ook maar de geringste aarzeling vertoont, kan ze het bij de jury wel vergeten. Deze vent ziet er op papier brandschoon uit. Hij is eigenaar van een succesvol restaurant. Kortom, het toonbeeld van een geslaagde zakenman.'

'En dat betekent dat hij ongestraft zijn vriendin in elkaar kan slaan?'

'Ja, dat betekent het,' antwoordde Veronica, haar recht aankijkend.

Melanie snoof gefrustreerd, pakte het rapport en stond op. 'Dat deugt niet.'

'Dat hoeft u mij niet te vertellen.' Veronica kwam ook overeind. 'Ik zou dit stuk ellende dolgraag achter slot en grendel willen zetten. Echt waar. Zodra u meer hebt, praten we verder. We moeten een ondersteunende getuige hebben. Een buurvrouw... kinderen... Misschien een andere vrouw die hij heeft mishandeld. Als u daarvoor kunt zorgen, zorg ik dat hij achter de tralies verdwijnt. Dat beloof ik.'

9

Ashley liet zichzelf in Mia's huis met de sleutel die haar zus haar had gegeven voor noodgevallen. Ze deed de voordeur achter zich dicht, keek op haar horloge en fronste haar wenkbrauwen. Het was bijna vijf uur, op een gewone dinsdag, dus ze had verwacht dat ze Mia thuis zou treffen.

Nou ja, ze zou zo wel komen. Ze liep de enorme hal door naar de keuken. Terwijl ze wachtte, kon ze het zich net zo goed gemakkelijk maken. Dus zette ze koers naar de koelkast voor een van Boyds dure, buitenlandse biertjes.

Haar hakken tikten op de marmeren vloer. Plotseling bleef ze staan, zich bewust van de doodse stilte die er in het huis heerste. Nergens tikte een klok of verbrak het spinnen van een poes de stilte. Nergens klonken stemmen van een televisie die per ongeluk aan was blijven staan, of de gedempte geluiden van spelende kinderen. Ze had Mia's huis altijd al een soort mausoleum gevonden. Prachtig, maar koud. Ongastvrij. Een gouden kooi.

Na wat Melanie haar over het huwelijk van hun zusje had verteld, besefte ze hoe juist dat gevoel was geweest. Misschien was ze toch niet helemaal bezig haar verstand te verliezen.

Er was inmiddels precies een week verstreken na haar ruzie met Melanie, en ze had het incident niet van zich af kunnen zetten. Ze had niet kunnen vergeten welke gevoelens die confrontatie bij haar had opgeroepen: gevoelens van wrok en boosheid, van verbittering. Ze begreep niet waarom Melanie weigerde de waarheid te zien, waarom ze weigerde te erkennen dat Ashley de zaken duidelijker zag, omdat ze geen deel uitmaakte van het tweelingenclubje.

Drie was te veel. Een zielenpoot met te hoog gegrepen ambities. Meer was ze niet. Meer was ze ook nooit geweest. Haar zusjes en haar neefje betekenden alles voor haar. Ze waren het belangrijkste in haar leven. Het enige deel van haar leven dat echt iets voor haar betekende. Alleen hadden zij zoveel meer, en daarom dacht ze soms dat ze haar helemaal niet nodig hadden. Dat ze het nauwelijks zouden merken als ze van het ene moment op het andere van de aardbodem zou verdwijnen.

Ashley haalde diep adem, vervuld van afschuw over haar eigen gedachten. Het was niet waar, hield ze zich voor. Melanie en Mia hielden van haar. Haar gevoel van vervreemding kwam louter en alleen uit haarzelf voort. Haar eenzaamheid had niets te maken met anderen – alleen met haarzelf. Met haar misplaatste boosheid. Dat had de psycholoog die ze een tijdje had bezocht immers ook gezegd? Dat ze altijd alleen zou zijn, tot ze bereid was de waarheid over haar verleden onder ogen te zien.

Nadat ze haar tas op de bar in de keuken had gelegd, liep ze naar de koelkast. Op de glimmend zwarte deur zat een foto van haar en haar zusjes, genomen op hun dertiende verjaardag. Ze hadden hun armen in elkaar gehaakt en keken lachend in de camera. Drie meisjes, drie opmerkelijk aantrekkelijke meisjes in identieke, vuurrode jurken. Drie meisjes die bijna elkaars spiegelbeeld waren.

Ashley keek naar haar eigen gezicht, en een brandend gevoel van eenzaamheid en verlangen nam bezit van haar. Bijna elkaars spiegelbeeld. Bijna. Niet helemaal. Zij was anders. Het verschil was heel subtiel, maar toch plaatste het haar op een afstand. Ashley, de buitenstaander. Ashley, de verstotene.

Er kwamen tranen in haar ogen, en ze schraapte haar keel om ze te verdrijven. Kon ze de pijn diep van binnen maar net zo gemakkelijk verdrijven! Kon ze maar iets vinden wat die pijnlijke leegte diep binnen in haar zou weten te vullen!

Verdrietig streek ze met haar hand over haar ogen. Wat gebeurde er toch met haar? Ze kende zichzelf soms niet meer. Ze was bang voor de angst en de woede die haar vervulden. Voor de aanvallen van wraakzuchtigheid, die werden afgewisseld met vlagen van berouw. Ze wilde er zo graag bij horen, maar ze voelde zich altijd buitengesloten. En ondanks haar wanhopige verlangen naar liefde, was ze bang om anderen te dichtbij te laten komen.

Verwoed knipperde ze met haar ogen om haar tranen te verdringen. Toen haar blik weer helder werd, ontdekte ze op de koelkast, naast de foto, een briefje van Boyd, waarin hij Mia liet weten dat hij die avond heel laat thuis zou zijn en dat ze niet op hem moest wachten.

Terwijl de betekenis van het briefje tot haar doordrong, kwam ze weer tot zichzelf. Waarom zou ze zich openstellen voor de liefde, met het risico dat het haar net zo verging als haar zusjes?

Ashley trok een gezicht naar de koelkastdeur en pakte een biertje. Terwijl ze dat deed, hoorde ze het geluid van de garagedeur die openging. Mia. Ongetwijfeld beladen met pakjes. Haar zusje was dol op winkelen en bracht een groot deel van haar tijd door met het uitgeven van Boyds ogenschijnlijk onuitputtelijke kapitaal.

Ashley schudde haar hoofd. Dokters! Te duur betaalde, over het paard getilde egotrippers. Op een enkeling na, die zich oprecht inzette voor het welzijn van zijn medemens. Haar zwager behoorde echter niet tot die uitzonderingen.

De voordeur ging open en weer dicht. In de hal klonk het geritsel van boodschappentassen, begeleid door zacht geneurie.

Er verscheen een glimlach op Ashleys gezicht. Mia was zo voorspelbaar! Met haar bier in haar hand liep ze naar de woonkamer.

Mia stond met haar rug naar haar toe en boog zich, nog altijd neuriënd, over de koffietafel.

'Wat klink je vrolijk,' zei Ashley vanuit de deuropening.

Met een ruk draaide Mia zich om. 'Ashley! Wat doe jij hier?'

'Een biertje pakken om de tijd te doden tot mijn zusje thuiskomt.' Ze slenterde de kamer in. 'Of ben ik alleen maar welkom op uitnodiging?'

'Natuurlijk niet.' Mia glimlachte vluchtig. 'Je liet me gewoon schrikken.'

'Mijn auto staat voor de deur geparkeerd. Heb je die niet gezien?'

'Nee. Blijkbaar heb ik zitten dagdr –'

'O, mijn hemel, Mia! Is dat een revolver?'

Mia keek naar de revolver in haar hand. Toen sloeg ze haar ogen op naar haar zusje. Er lag een blos op haar wangen. 'Ja.'

'Wat ga je daarmee doen?'

'Niets.' Met een onbehaaglijke uitdrukking op haar gezicht stopte Mia het wapen weer in de fraai bewerkte doos op de grote, glazen koffietafel. Toen deed ze met een klap het deksel dicht.

'Niets?' Ashley liep naar haar toe en ging voor haar staan, pijnlijk getroffen door de blauwe plekken van haar zusje, die ook haar make-up niet had kunnen verbergen. 'Waar heb jij een revolver voor nodig? Ben je soms van plan je op de klassieke manier van je man te ontdoen?'

'Doe niet zo gek.'

'Ik vind het niet gek.' Ashley zette haar biertje op de tafel en deed de doos open. De revolver had een korte, stompe loop en een met parelmoer ingelegde handgreep. Zonder het wapen zelfs maar aan te raken, zag ze meteen dat het geen speelgoed was. 'Als ik met die rotvent getrouwd was, zou de verleiding erg groot zijn. Hoewel ik niet denk dat ik hem zou doodschieten. Daarvoor zou het risico om gepakt te worden te groot zijn.'

Mia zuchtte geërgerd. 'Hou op! Ik zou er niet over piekeren mijn man te vermoorden.'

'Dat is het verschil tussen jou en mij, schat. Als mijn man me zo had toegetakeld, had hij voor mij afgedaan.' Ashley stak haar hand uit naar de revolver, maar ze aarzelde. 'Is hij geladen?'

'Natuurlijk niet.'

Voorzichtig nam ze het wapen uit de doos en woog het op haar hand. Het was lang niet zo zwaar als ze had gedacht, en lang niet zo koud. Sterker nog, het was een prettig gevoel zoals het in haar hand lag. Ze nam het in beide handen en hield het voor zich uit, zoals de politie dat deed. 'Blijf staan! Of ik schiet je voor je raap!'

Mia begon te lachen. 'O, Ash. Je bent me d'r eentje.'

Ondanks alles moest Ashley ook lachen. 'Ik zou het wel een kick vinden om met zo'n ding rond te lopen.' Vervolgens gaf ze het wapen weer aan haar zusje. 'Denk je dat Melanie zich ook zo voelt als ze zich 's ochtends aankleedt? Helemaal macho en zo?'

'Ongetwijfeld, Mel kennende.'

Ashley nam een slok van haar bier. 'Waarom heb je dat ding hier liggen? Het lijkt me nogal gevaarlijk als je geen plannen hebt om er iemand mee om zeep te helpen. Of het nu geladen is of niet.'

Mia's glimlach vervaagde. 'Boyd is... de laatste tijd erg veel weg 's avonds, en ik dacht... nou ja, om mezelf te kunnen beschermen...'

'Je hoeft tegenover mij geen komedie te spelen, hoor. Melanie heeft me alles verteld. Over je vermoedens. En over wat Boyd je heeft aangedaan.'

Mia legde een hand op haar toegetakelde gezicht. 'Het was verschrikkelijk, Ash. Zoals hij... Ik was echt bang voor hem. Dat ben ik trouwens nog steeds.'

Langzaam schudde Ashley haar hoofd. 'Je hebt geen revolver nodig, Mia. Je moet gewoon bij hem weggaan.'

'Dat kan ik niet.' Ook zij schudde haar hoofd. 'Ik ben bang voor wat hij dan misschien zou doen. Hij heeft gezegd dat hij... Als ik ooit wegliep... zou hij me weten te vinden, zei hij, en dan zou ik er spijt van krijgen.'

Ashley fronste haar wenkbrauwen. Haar bezorgdheid groeide met de minuut. Hoewel ze haar zwager altijd een arrogante hufter had gevonden, had ze nooit gedacht dat hij gewelddadig kon zijn. Anderzijds, hun eigen vader werd ook altijd beschouwd als een hoeksteen van de maatschappij.

'Zo kun je toch niet doorgaan, Mia!'

Ze verplaatste nerveus haar gewicht van de ene voet naar de andere. 'Toen ik hem leerde kennen, dacht ik dat ik... de ideale man had gevonden. In mijn ogen was hij volmaakt. Dus de geruchten die over hem de ronde deden, heb ik altijd afgedaan als jaloerse praatjes. Al die verhalen over de mysterieuze dood van zijn vrouw heb ik altijd genegeerd.'

'Ik ook.'

'Melanie niet,' mompelde Mia met een bittere klank in haar

stem. 'Maar ja, Melanie weet het nu eenmaal altijd beter.'

Snel wendde Ashley haar blik af. Daar leek het soms wel op. Melanie was altijd de sterkste, de slimste. Degene die de juiste keuzes maakte, de juiste beslissingen nam. En zelfs als ze zich vergiste – zoals bij haar huwelijk met Stan – maakte ze die fout zelf goed. Zonder de hulp van anderen. Zelfs niet van haar zusjes. Haar blik viel op de stapel boodschappentassen bij de voordeur. 'Zo te zien, heb je vandaag weer een hoop geld uitgegeven. Heb je nog iets bijzonders gekocht?'

Het gezicht van haar zusje klaarde op. 'Een zwart jurkje. Ik zou het wel voor je willen aantrekken, maar Boyd –'

'Die komt vanavond pas laat thuis. Er zit een briefje op de koelkast. Hij heeft een vergadering.' Bij het zien van de gekwetste uitdrukking op Mia's gezicht, slaakte ze een spijtige zucht. 'Het spijt me zo voor je.'

'Ach, jij kunt er ook niets aan doen.'

'Nee, maar daarom vind ik het nog wel afschuwelijk voor je.' Ashley legde haar hand op Mia's arm. 'Je bent te goed voor hem. Laat hem toch barsten.'

'Was het maar zo gemakkelijk.' Met een felle blik in haar ogen keek ze Ashley aan. 'Waag het niet te zeggen dat het gemakkelijk is. Wáág het niet... Dat heb ik al van Melanie gehoord, en ik word er doodziek van.' Ze draaide zich om naar de boodschappentassen, pakte ze op en liep ermee naar haar slaapkamer.

Verbijsterd keek Ashley haar na. Haar zusje had haar emoties altijd verborgen gehouden – ook voor zichzelf. Ze was al lang geleden tot de conclusie gekomen dat Mia het gemakkelijker vond haar gevoelens te negeren dan ermee af te rekenen – en ook een stuk minder angstaanjagend. Vanwaar dan ineens die uitbarsting? Dat was niets voor Mia.

Ashley liep achter haar aan en vond haar in de grote slaapkamer, waar ze haar boodschappen uitpakte en liefkozend op de champagnekleurige, satijnen sprei uitstalde.

In de deuropening bleef Ashley staan. 'Oké, het is verre van gemakkelijk. Jij je zin. Het is zelfs verdraaid ingewikkeld. Is dat wat je wilt horen?'

'Doe niet zo krengerig.'

Met opgetrokken wenkbrauwen sloeg Ashley haar armen over elkaar. 'Ik vind het prima dat je je emoties toont. Het werd hoog tijd, maar ík ben niet degene die je heeft geslagen. Dus je moet je niet op mij afreageren.'

Mia aarzelde zichtbaar, maar ze keek niet op. 'Je hebt gelijk. Het spijt me. Ik denk dat ik gewoon kwaad ben op de hele wereld.'

'Dat kan ik me heel goed voorstellen. Echt waar.'

Haar zusje keek op, met een uitdagende uitdrukking op haar gezicht. 'Maar?'

Ashley haalde diep adem en koos haar woorden zorgvuldig. 'Je man heeft je geslagen. Hij heeft je bedreigd en heeft je bang gemaakt. Ik ben misschien maar een simpele ziel, maar de beslissing lijkt me toch niet al te ingewikkeld.'

'Dat weet ik, maar Boyd heeft beloofd dat hij het niet meer zou doen... en het is ook maar één keer gebeurd.'

'Mijn hemel, Mia! Is één keer niet genoeg?'

Zonder die vraag te beantwoorden, richtte Mia haar aandacht weer op haar inkopen.

Onwillekeurig begon Ashley op te tellen hoeveel haar zusje moest hebben uitgegeven. Enkele honderden dollars, waarschijnlijk meer dan duizend. In één middag. En ze ging diverse keren per week winkelen. Ineens begreep ze het. 'Weet je,' zei ze zacht. 'Geld uitgeven bezorgt je misschien wel even een prettig gevoel, maar het is geen vervanging voor liefde. Of tederheid.'

Mia verstijfde. 'Pardon?'

'Het is het geld, hè?' zei Ashley, naar de kleren op het bed gebarend. 'Daarom wil je niet bij hem weg.'

Bij die woorden werd Mia vuurrood. 'Ik heb ooit een belofte gedaan, Ashley. Voor Gods aangezicht. Dus ik moet hem nog een kans geven. Het is in een huwelijk nu eenmaal niet altijd rozengeur en maneschijn.' Strijdlustig stak ze haar kin naar voren. 'Maar jíj bent nooit getrouwd geweest, dus dat begrijp jij toch niet.'

Ashleys gekwetstheid maakte snel plaats voor woede. 'Dat was een stoot onder de gordel, Mia.'

'En mij beschuldigen dat ik met Boyd ben getrouwd om zijn geld zeker niet?'

'Dat heb ik niet gezegd. Ik probeer alleen te begrijpen waarom je in 's hemelsnaam zou blijven bij een man die niet alleen vreemdgaat, maar die je ook nog slaat.'

'Wat geeft jou het recht om mijn gedrag ter discussie te stellen? Wat weet jij over liefde? Over toewijding? Niets. En dat zul je ook nooit weten, want je sluit je voor iedereen af.'

Ashley deed een stap naar achteren. De woorden van haar zusje raakten haar tot in het diepst van haar ziel, waar eenzaamheid en een gevoel van vervreemding huisden. Ze zag haar toekomst. Leeg en zonder liefde. Ze zag zichzelf. Alleen, altijd alleen.

Uit alle macht probeerde ze het beeld te verdringen. 'Ik weet wat Melanie en jij van me vinden. Jullie vinden me koud, een mannenhaatster. Jullie denken dat ik nog liever een man zou vermoorden dan dat ik hem in mijn hart zou toelaten.'

'Dat is niet waar! We zeggen helemaal niet –'

'Nou, ik kan je geruststellen, Mia. Ik verlang ook naar liefde. Vooral wanneer ik die reclames op de televisie zie, met twee mooie mensen die hand in hand langs een exotisch strand wandelen. Dan wil ik dat ook. Maar dan roep ik mezelf tot de orde en herinner ik mezelf eraan dat het allemaal onzin is.'

'Dat is niet waar, Ash.' Mia pakte haar hand. 'Uiteindelijk gaat de liefde boven alles. De liefde is –'

'Een man die je vertrouwt en die je vervolgens bont en blauw slaat? Of een man die je probeert klein te houden? Ik ben hier niet degene die een probleem heeft, Mia. Dat ben jij. Want je gelooft nog in sprookjes.'

Mia schudde haar hoofd. 'Nee, jij hebt een probleem. Je bent zo bang voor de liefde, dat je iedereen wegduwt. Je weigert te zien dat er ook goede –'

'Waar is die revolver voor?' Ashley kon het niet langer aanhoren. 'Hoop je soms dat Melanie komt binnenstormen? Net als vroeger, toen we nog klein waren? Om je uit de brand te helpen? Hoop je soms dat zij die vent van je een kogel door zijn kop jaagt?'

'Hou op!' Mia greep haar bij haar armen en schudde haar door elkaar. 'Hou op! Ik vind het afschuwelijk als je zo doet. Wat is er toch met je?'

Plotseling stroomden de tranen over Ashleys gezicht. Ze hield zoveel van haar zusjes. Waarom begrepen ze haar toch niet? Waarom konden ze haar niet helpen zich minder ongelukkig te voelen? Waarom kon niemand dat?

Vechtend tegen haar tranen, concentreerde ze zich op de pijn en de woede – de tweelingdemonen die haar zo vaak tot steun waren. Haar zusjes waren haar enige vriendinnen. Ze zou Mia wel eens wat laten zien. En Melanie. Ooit zouden ze weten wat ze voor hen had gedaan, en dan zouden ze haar dankbaar zijn en spijt hebben. Verschrikkelijk veel spijt.

'Ach, schei toch uit!' Ashley rukte zich los. 'Er is helemaal niets mis met me. Ooit zullen jullie dat beseffen. En dan zullen jullie me smeken om vergiffenis!'

10

De tequila brandde door zijn keel. Hij dronk zijn glas leeg, schonk het bij en gooide de inhoud opnieuw achterover. Het proces herhaalde zich. Uit ervaring wist Connor Parks dat hij van drie glazen, snel achter elkaar, onmiddellijk in een aangename staat van dronkenschap kwam te verkeren. Vanaf het derde glas kon hij het wat rustiger aan doen en ervan genieten. In de afgelopen vijf jaar was hij een expert geworden op het gebied van de verdovende effecten van alcohol.

Hij schonk zichzelf opnieuw een glas in en zette het op de koffietafel, boven op een map met 'foto's – niet vouwen' erop. Eromheen lag de hele tafel bezaaid met nog meer mappen, paperassen en dossiers. Hetzelfde gold voor de vloer, en zelfs voor de zitting van een van de stoelen. De foto's en de dossiers vertegenwoordigden, met de documenten die ze bevatten, de afgelopen vijf jaar van zijn leven. Ze vertegenwoordigden zijn zoektocht naar een moordenaar. De man die hem zijn zusje had afgenomen. Zijn dierbare Suzi. Zijn enige familie.

Connor pakte een van de mappen, maar sloeg hem niet open. Want hij kende de inhoud uit zijn hoofd.

Het profiel van de moordenaar van zijn zusje!

De afgelopen vijf jaar had hij elk vrij moment besteed aan het bestuderen van dat profiel en van het bewijsmateriaal dat op de plaats van het misdrijf was aangetroffen. Zonder toestemming had hij de bronnen van het Bureau gebruikt om een vergelijking te maken met soortgelijke misdrijven. In dat proces had hij niet alleen zijn huwelijk verspeeld, maar ook zijn carrière, zijn reputatie.

Desondanks was hij geen stap dichter bij de oplossing gekomen. Hij wist nog altijd niets méér over Suzi's moordenaar dan op de dag waarop hij was geconfronteerd met haar verdwijning.

Met een vermoeid gebaar streek hij over zijn ogen. Zijn hoofd was zwaar van te weinig slaap en te veel drank. Toch dwong hij zichzelf door te gaan en zich te concentreren. Hoewel Suzi's lichaam nooit was gevonden, hadden de sporen op de plaats van het misdrijf duidelijk in de richting van moord gewezen.

De plaats van het misdrijf. Het gezellige huis in Charleston. Het huis dat hij haar had helpen kopen. In gedachten ging hij vijf jaar terug in de tijd, naar dat huis en naar die verschrikkelijke dag. De dag waarop de politie van Charleston hem in Quantico had gebeld met de mededeling dat het erop leek dat Suzi al vier dagen werd vermist en dat er werd gedacht aan een misdrijf...

Connor stond in de hal van Suzi's huis, met zijn maag in zijn keel. Om hem heen heerste een soort georganiseerde chaos. In een gebaar van hoffelijkheid had de politie hem in de gelegenheid gesteld de op dat moment nog onbetreden plaats van het misdrijf te onderzoeken. Op voorwaarde dat hij zo snel mogelijk kwam. Hij had de eerste de beste vlucht naar huis genomen.

Hij inspecteerde de hal, waarbij de haren in zijn nek overeind gingen staan. Een gewelddadige dood liet een onuitwisbare indruk achter, als een bijna tastbaar aura. Zelfs als een plek op het eerste gezicht een normale aanblik bood, zoals deze, maakte de dood zijn aanwezigheid voelbaar.

Langzaam liep Connor verder het huis in. Soms schreeuwde de plek van een misdrijf het uit, soms was het niet meer dan een zacht gejammer. Hij had het allemaal al eens gezien. Soms gruwelijk, bloederig, soms zo schoon en steriel als een ziekenhuiskamer. Hij had moordslachtoffers gezien die onherkenbaar waren verminkt, en anderen die leken te slapen. Plus alles daartussenin.

Althans, dat dacht hij.

Suzi. Het kon niet waar zijn.

Opnieuw maakte wanhoop zich van hem meester. Hij verdrong het gevoel en concentreerde zich op zijn werk. De onbekende dader had erg veel moeite – en tijd – besteed aan opruimen en schoonmaken. Daaruit maakte Connor op dat hij niet bang was geweest voor ontdekking en dat hij vertrouwd was geweest met de buurt, misschien zelfs met het huis.

Connor liep naar het tapijt voor de haard, waarop nog duidelijk bloedvlekken waren te zien. De dader had geprobeerd het tapijt schoon te maken. Connor trok rubber handschoenen aan en inspecteerde de grootste vlek. Die was nog vochtig. Toen hij zijn vingers naar zijn neus bracht, rook hij de geur van een schoonmaakmiddel met dennenaroma.

Langzaam liet hij zijn blik door het vertrek gaan. Te oordelen naar de banen op het hoogpolige tapijt, was de vloer recent gestofzuigd. Zijn blik gleed naar de haard en bleef rusten op het ijzeren haardstel. Een bezem, een schepje, een ijzeren tang om blokken mee in het vuur te leggen en... De vierde haak was leeg.

In gedachten maakte Connor een aantekening daarover navraag te doen bij de rechercheurs. Toen liep hij verder. De keuken was schoon, op twee bloedige handdoeken na die in de vuilnisbak onder de gootsteen waren gepropt. Ook deze roken naar schoonmaakmiddel met dennengeur. Blijkbaar waren ze gebruikt om de vlekken uit het tapijt in de zitkamer te halen. Vervolgens inspecteerde hij de rest van de vuilnisbak.

'Heb je iets gevonden?'

Hij keek op. Ben Miller, de SAC van het FBI-kantoor in Charleston, stond in de deuropening met een uitdrukking van medeleven op zijn gezicht.

'Een lege fles schoonmaakmiddel,' antwoordde Connor. 'Een flesje cola light en een bananenschil.'

'Alles is nog zoals het oorspronkelijk door de politie is aangetroffen. De jongens van het bureau Charleston komen achter je aan om bewijzen te verzamelen.'

'Dat waardeer ik enorm, Ben.'

'Je begrijpt natuurlijk dat je officieel niet bij het onderzoek wordt betrokken. Net zomin als het Bureau.'

'Dat begrijp ik.' Er kwam een brok in zijn keel, en hij wendde zijn blik af. 'Zeg dat ze de stofzuigerzak meenemen. Volgens mij heeft de dader de boel na de moord gestofzuigd.'

'Ik zal het zeggen.'

'O, en Ben?'

De SAC keek achterom.

'De pook van het haardstel ontbreekt. Is er al iemand die dat ding heeft gevonden?'

'Niet dat ik weet. Ik ga het wel even vragen.'

Connor knikte en liep de gang in die naar de twee slaapkamers leidde. De kast in de gang stond open, en er waren een paar koffers uitgehaald... alsof Suzi plotseling op reis had gemoeten.

Met zijn handen op zijn heupen keek hij naar de koffers. Het waren er twee, geen drie. Er ontbrak er één. Dat wist hij omdat hij die kofferset zelf voor haar had gekocht ter ere van het behalen van haar schooldiploma. Wat vertelde de dader hun hiermee, vroeg hij zich af.

Hij liep de slaapkamer binnen. Het bed was onopgemaakt, en de louvredeurtjes stonden open. Haar kleren hingen schots en scheef door elkaar, en op de grond voor de kast lagen diverse hangers. Met gefronste wenkbrauwen liet hij zijn blik over de inhoud van de kast gaan.

Sinds de dood van hun ouders was Suzi altijd erg netjes geweest, op het obsessieve af. Rommel kon haar tot wanhoop brengen. De psycholoog die ze op zijn aandrang had bezocht, had haar overdreven neiging tot ordelijkheid verklaard door de chaos waarin haar leven door de dood van haar ouders terecht was gekomen. Het veilige, overzichtelijke wereldje van het elfjarige meisje was daardoor plotseling op een angstaanjagende manier uit het lood geraakt. Vandaar dat ze troost zocht in ordelijkheid. Deze gaf haar het gevoel dat ze greep op haar omgeving had.

Ze was er nooit overheen gegroeid. En dus zou ze haar huis nooit op deze manier hebben achtergelaten, besefte Connor. Hoeveel haast ze misschien ook had gehad.

Hij wendde zich af en liep naar de ladekast. De la met haar lingerie stond open. In de rechterhelft lagen – keurig opgevouwen – haar kanten slipjes, ragdunne hemdjes en sexy nachtponnetjes. Zo te zien, onaangeroerd. De linkerhelft van de la was een rommeltje. Daar lagen katoenen slipjes en beha's. Het degelijke-re spul dat een vrouw dagelijks droeg, voor zichzelf en niet wanneer ze haar geliefde verwachtte...

Buiten klonk getoeter. Connor schrok. Het onverwachte geluid bracht hem met een ruk terug in het heden. Hij knipperde met zijn ogen en streek met zijn hand over zijn ogen.

Toen pakte hij zijn glas, maar hij zette het weer neer, zonder ervan te drinken. Zijn gedachten gingen terug naar Suzi's dood. Naar wat het lege huis hem vertelde. Te oordelen naar de manier waarop het geheel in scène was gezet en waarop er was geprobeerd de schade op te ruimen, was Suzi's moordenaar een buitengewoon georganiseerd iemand. Intelligent, ontwikkeld.

Bovendien bleek uit niets dat de dader zich met geweld toegang had verschaft tot het huis. Suzi's bed was onopgemaakt; het licht op het nachtkastje brandde nog, en haar leesbril lag keurig op een opengeslagen boek op het bed. Daaruit had hij afgeleid dat de ontvoering in de avonduren had plaatsgevonden en dat Suzi haar moordenaar had gekend.

Hij kneep zijn ogen tot spleetjes en probeerde de puzzel in elkaar te leggen, nog altijd op zoek naar het ontbrekende stukje. Het stukje waardoor alles ineens in elkaar zou passen. Suzi en de onbekende dader waren door de gang naar de woonkamer gelopen, waar – te oordelen naar de bloedvlekken – de dader haar had aangevallen. Vervolgens had hij haar buiten gevecht gesteld met de – ontbrekende – pook van het haardstel. Waarschijnlijk met één of meer slagen op de achterkant van haar hoofd.

Connor pakte zijn glas. Zijn hand trilde zo hevig, dat de inhoud over de rand klotste. Haastig sloeg hij de tequila achterover, waarna hij zich weer aan zijn geestelijke zoektocht wijdde. Te oordelen naar de bewijzen van onhandigheid en besluiteloosheid die hij had aangetroffen, was de dader geen ervaren misdadiger. Evenmin geloofde hij dat Suzi's moord van tevoren beraamd was geweest. Haar belager had zijn kans schoon gezien en er gebruik van gemaakt. Na zijn daad had hij niet alleen geprobeerd zijn sporen uit te wissen, hij had ook een poging gedaan om het misdrijf te verbergen door het lichaam mee te nemen en de indruk te wekken dat Suzi een koffer had gepakt en op reis was gegaan.

Een vloek ontsnapte hem. Ondanks alles wat hij wist, miste er toch nog een stukje van de puzzel. Een voor de hand liggende schakel die hij over het hoofd zag.

Opnieuw streek hij met zijn hand over zijn ogen, trachtend zich niet te laten leiden door zijn emoties. Hij moest zich blijven concentreren op de handtekening die de onbekende dader had achtergelaten. In plaats daarvan herinnerde hij zich echter het laatste gesprek dat hij met Suzi had gevoerd. Een haastig telefoontje. Ze had hem gebeld in Quantico en gezegd dat ze bang was. En ze had hem gesmeekt thuis te komen...

'Con, met mij. Je moet me helpen.'

Niet weer. Niet nu. 'Kan het niet even wachten, Suz?' Hij keek op zijn horloge, ongeduldig, en bovendien tot over zijn oren in het werk. 'Ik moet over twintig minuten naar het vliegveld, en er zijn nog zoveel dingen die ik voor die tijd moet doen.'

'Nee! Het kan niet wachten. Deze keer is het echt serieus. Het gaat om... Nou ja, er is een man met wie ik uitga en... hij... ik...' Ze slaakte een wanhopige zucht. 'Ik ben erachter gekomen dat hij getrouwd is.'

Typisch iets voor zijn zus, die de ene na de andere mislukkeling scheen aan te trekken. 'O, Suzi, hoe vaak hebben we deze discussie nu al gevoerd?'

'Ik weet het. Het is stom van me. Alles wees erop dat hij getrouwd was, maar ik... wilde het niet zien.' Haar stem kreeg de maar al te vertrouwde, licht hysterische klank. 'Maar nu kon ik het niet langer negeren, en ik... ik heb geprobeerd er een streep onder te zetten.'

'Geprobeerd?'

'Hij heeft me bedreigd, Con. Als ik bij hem wegging, zou ik nooit meer met een andere man uitgaan, zei hij. Ik ben echt bang. Je moet naar huis komen.'

Hij hield van zijn zusje. Aangezien hij twaalf jaar ouder was dan zij, had hij haar grootgebracht nadat hun ouders om het leven waren gekomen. Hij was zowel een vader als een broer voor haar, maar inmiddels was ze volwassen, en hij had zijn werk en een eigen leven. In zijn drie jaar bij de afdeling gedragsstudies had zijn zusje hem herhaaldelijk gebeld vanwege de een of andere crisis. En elke keer had hij alles opzij gezet en was hij naar huis gekomen.

Deze keer besloot hij dat niet te doen. Het werd tijd dat ze leerde op eigen benen te staan. Dat zei hij dan ook.

Toen ze begon te huilen, probeerde hij haar te troosten. 'Ik hou van je, Suzi, maar we schieten er geen van beiden iets mee op als ik elke keer naar huis kom, omdat jij in de problemen zit. Je moet eindelijk leren volwassen te worden, lieverd.'

'Je begrijpt het niet! Deze keer –'

Resoluut kapte hij haar af, hoe moeilijk hij het ook vond. 'Ik moet ophangen. Ik bel je zodra ik terug ben.'

Het was de laatste keer dat hij haar had gesproken...

Opnieuw vloekte hij, vervuld van haat – jegens zichzelf, maar ook jegens de hufter met wie ze had geprobeerd het uit te maken. Want hij was ervan overtuigd dat Suzies getrouwde minnaar haar moordenaar was.

Hij kende het type maar al te goed, dat een vrouw verleidde, haar mishandelde en uiteindelijk in een vlaag van jaloezie en bezitsdrang vermoordde. Tenslotte had hij de resultaten van hun daden maar al te vaak gezien.

Langzaam bracht hij zijn glas naar zijn lippen, in de hoop daarmee de gruwelijke beelden te verdrijven: de beelden van Suzi en van talloze andere slachtoffers, van het onvoorstelbare dat door zijn werk bijna tot zijn dagelijkse routine was gaan behoren.

Toch wist hij maar al te goed dat die beelden zich niet lieten verdrijven, hoeveel hij ook dronk. Hij zou ermee moeten leven.

Op dat moment deed de voordeurbel hem opschrikken uit zijn gedachten. Een verwensing mompelend, stond hij op. Toen hij de voordeur openzwaaide, stond hij oog in oog met Steve Rice.

'Wat kom jij doen?' Woedend keek Connor hem aan.

'Wat een bijzonder hartelijk welkom.' Rice glimlachte, duidelijk niet onder de indruk. 'Moet ik dat beschouwen als een uitnodiging om binnen te komen?'

'Je gaat je gang maar.' Connor zwaaide de deur verder open, draaide zich om en liep terug naar de kamer en naar zijn glas.

Steve baande zich een weg rond de paperassen en bleef voor Connor staan. 'Mag ik even gaan zitten?'

'Maak maar ergens een plek vrij.'

Zorgvuldig verzamelde Rice de papieren die op de zitting van de stoel lagen, waarna hij ze op de grond legde.

'Wil je iets drinken?' vroeg Connor.

'Nee, dank je. Anders dan jij ben ik nogal gehecht aan mijn lever.'

'Erg grappig.' Connor hield zijn glas omhoog en dronk hem toe. 'Ben je hier als vriend of als baas?'

Toen hij geen antwoord kreeg, volgde Connor zijn blik. Hij zag dat Rice naar een ingelijste foto van de zoon van zijn ex-vrouw staarde, genomen op een van hun visexpedities. De jongen grijnsde van oor tot oor en toonde trots de baars die hij had gevangen.

'Heb je Trish of haar zoon recent nog gesproken?' vroeg Rice.

'Niet meer sinds ze bij me is weggegaan.'

'Dat is een hele tijd geleden, Con.'

Deze haalde zijn schouders op.

'Ik kan me nog herinneren dat je behoorlijk gek was op die jongen. Hoe heette hij ook alweer?'

Jamey, antwoordde hij in stilte. Hij balde zijn vuisten. 'Waar wil je naartoe, Rice?'

'Ik ben gewoon nieuwsgierig.'

'Hou er dan over op.'

Rice keek naar zijn handen, die losjes gevouwen in zijn schoot lagen. 'Heb je de televisie nog niet aan gehad vanavond?'

Met een ruk keek Connor op. 'Hoezo?'

'Ze openden met de beloning van Cleve Andersen. Honderdduizend dollar is een hoop geld. Ze lieten ook een gesprek met jou zien waarin je kritiek uitte op de beloning. Ik geloof dat je het een "achterlijke zet" noemde.'

'Op welke zender?'

'Op alle zenders. Zowel in het nieuws van zes als van tien uur.'

'Verdraaid!'

'Zeg dat wel.' Hij keek Connor recht aan. 'Cleve Andersen is de vader van het slachtoffer, maar bovendien een belangrijk man in de stad. Zijn connecties houden niet op bij de staatsgrenzen. En reken maar dat ze machtig zijn. Heb je me gehoord?'

'Ik heb je gehoord.' Connor stond op. 'Maar je zegt niets. Voor de draad ermee, Steve.'

'Eerst daag je hem uit voor een kamer vol mensen, dan praat je met de pers. Dus het zal je niet verbazen dat Andersen op het oorlogspad is. Hij heeft wat onderzoek gedaan naar je verleden. De drank, je berisping, je degradatie...'

Connor verstijfde. 'Ik doe mijn werk nog altijd beter dan wie dan ook. En dat weet je.'

'Dat heb ik ooit geweten.' Zijn gezicht stond zorgelijk. 'Je moet hiermee ophouden, Connor.' Hij gebaarde naar de kamer, de papieren, de fles. 'Het wordt nog eens je dood.'

Connor lachte hard en schamper. 'Er is meer voor nodig dan een beetje tequila om mij klein te krijgen.'

'Ik heb het niet over de drank. Je moet die kwestie met Suzi laten rusten, Connor. Hou ermee op.'

De woorden troffen hem met de kracht van een moker. 'Enig idee hoe ik dat moet doen?' vroeg hij met een stem die werd verstikt door emotie. 'Je weet niet waar je het over hebt. Je kunt je niet voorstellen wat ik... wat ik heb...'

Hij zuchtte, deels van woede, deels van pijn. 'Het is allemaal mijn schuld! Ze heeft me gebeld. Ze wilde dat ik thuiskwam. Ze heeft het me letterlijk gesmeekt. In plaats daarvan heb ik haar een preek gegeven dat ze moest leren op eigen benen te staan. Dat het moment was aangebroken waarop ze volwassen...' Hij spande zich tot het uiterste in om zichzelf weer onder controle te krijgen. 'Snap je het dan niet? Als ik naar haar had geluisterd...' Hij wendde zijn blik af, bevend van machteloze woede. Van verdriet en spijt.

'Het spijt me, Con.' Zijn vriend stond op en legde een hand op zijn schouder. 'Ik heb gevraagd je met verlof te sturen. Met onmiddellijke ingang.'

Met een ruk draaide Connor zich om. 'Omdat ik Charlottes belangrijkste burger heb beledigd? Of omdat ik het blazoen van het Bureau besmeur?'

'Kijk nou eens naar jezelf. Je bent een wrak. Het Bureau is wel mijn laatste zorg, maar als ik je op deze zaak hou, vallen er doden. Jijzelf of een van de anderen.'

'Doe me dit niet aan, Steve.' Hij zei het met vlakke stem, maar voor hem stond het gelijk aan een smeekbede. 'Zonder het Bureau krijg ik die vent nooit te pakken. Hij heeft Suzi vermoord, en ik zou het niet kunnen verdragen als hij niet werd gestraft.'

'Zie je het dan niet? Dat is al gebeurd. Het is te laat. Je moet de zaak laten rusten en verdergaan met je leven.'

Connor schudde zijn hoofd. 'Ik heb gewoon iets over het hoofd gezien; dat is alles. Met de middelen van het Bureau –'

'Is dat de enige reden waarom je je werk nog doet? Om je obsessie te kunnen blijven voeden?'

'Je begrijpt het niet.'

'Nee, daar zou je best eens gelijk in kunnen hebben.' Hij stak zijn hand uit. 'Je penning en je dienstwapen, Connor. Het spijt me, maar je laat me geen andere keus.'

11

De telefoon wekte Melanie uit een diepe slaap. Ze was echter onmiddellijk klaarwakker en stootte bijna haar nog halfvolle glas wijn om – een zeldzame uitspatting voor haar – toen ze opnam. 'Met May.'

Er klonk een gefluister dat ze niet kon verstaan. Ze fronste haar wenkbrauwen. 'Met wie spreek ik?'

'M-Melanie... m-met mij.'

'Mia?' Ze keek op de wekker. Het was even voor tweeën! Haar hart begon wild te slaan. 'Wat is er? Is er iets gebeurd?'

Haar zus begon te snikken. Het was een intens verloren, wanhopig geluid.

Geschokt ging Melanie rechtop zitten. 'Rustig maar, Mia. Wat is er gebeurd?'

'Het is... Boyd,' wist Mia gesmoord uit te brengen. 'Hij... Hij...' Opnieuw begon ze te snikken.

Melanie stapte uit bed en liep naar de kast, met de draagbare telefoon tegen haar oor gedrukt. Haastig haalde ze een spijkerbroek en een trui tevoorschijn. 'Lieverd...' Ze moest zich tot het uiterste beheersen om niet in paniek te raken. 'Probeer rustig te worden. Wat is er gebeurd?'

Even was het stil, en Melanie kon duidelijk horen dat haar zusje probeerde zichzelf in de hand te krijgen. 'Hij raakte helemaal buiten zichzelf van woede,' fluisterde ze ten slotte met een bibberstemmetje. 'Hij zei dat hij...' Ineens begon ze luider te praten. 'Ik ben bang, Mellie. Je moet me helpen!'

'Waar ben je nu?'

'Thuis. Ik... Ik heb mezelf opgesloten in de badkamer. Ik dacht... Ik dacht dat hij de deur in zou trappen.'

Met de telefoon tussen haar oor en haar schouder schoot Melanie haar spijkerbroek aan. 'Is Boyd nu thuis?'

'Nee... Tenminste... ik geloof het niet.'

'Goed.' Melanie ritste haar spijkerbroek dicht, trok haar nachtjapon uit en ging op zoek naar haar beha. 'Denk erom dat je blijft waar je bent,' droeg ze haar zusje op. 'Je komt de badkamer niet uit, begrepen? Ik kom nu meteen naar je toe.'

'Maar... Casey dan. Je kunt hem toch niet –'

'Het is voorjaarsvakantie. Stan heeft hem gisteren gehaald om samen naar Disney World te gaan.' Inmiddels had Melanie haar beha gevonden, en niet veel later trok ze haar trui over haar hoofd. 'Ik ga nu weg. Beloof me dat je de badkamer niet uit komt.'

Nadat ze had opgehangen, trok ze haastig haar schoenen aan en rende naar de deur. Halverwege maakte ze rechtsomkeert om haar dienstwapen te pakken. Als Boyd inderdaad zo buiten zinnen was, achtte ze hem tot alles in staat.

Twintig minuten later reed ze het tuinpad van haar zusje op. Ze sprong uit de auto en rende naar de voordeur, die niet op slot bleek te zijn. Met bonzend hart duwde ze de deur open en stapte het donkere huis binnen, terwijl ze ondertussen haar wapen trok. 'Boyd?' riep ze. 'Mia? Ik ben het. Melanie.'

Geen antwoord. Ze knipte het licht aan en hield geschokt haar adem in. Blijkbaar was haar zwager als een dolle tekeergegaan. Stoelen lagen omver; lampen en prullaria waren op de grond gesmeten.

'Mia!' riep ze opnieuw, en deze keer lukte het niet de paniek uit haar stem te weren. Alle voorzichtigheid overboord zettend, rende ze naar de achterkant van het huis, waar zich de slaapkamer van Mia en Boyd bevond. Via de slaapkamer liep ze naar de badkamer. Ze probeerde de deurknop, maar de deur zat op slot. 'Mia! Ik ben het!' Ze bonsde op de deur.

Er klonk een kreet, gevolgd door het geluid van iets wat op de grond viel. Even later vloog de deur open, en Mia viel haar in haar armen.

'Melanie!' riep ze uit. 'De hemel zij dank! Ik was zo bang!'

Melanie trok haar zusje dicht tegen zich aan en besefte geschokt dat ze trilde en dat ze in haar armen heel klein en kwetsbaar voelde. 'Rustig maar. Ik ben bij je, en ik zal ervoor zorgen dat niemand je kwaad kan doen. Ook Boyd niet. Dat beloof ik.'

Terwijl ze het zei, besefte ze hoe vaak ze – vroeger, toen ze nog kinderen waren – bijna diezelfde woorden had gezegd. Haar hoofd vulde zich met beelden die ze liever wilde vergeten, met herinneringen aan de talloze malen dat ze Mia in haar armen had gehouden en getroost, net als nu. Herinneringen aan de vele keren dat ze haar zusje te hulp was geschoten. Aan die allereerste keer, slechts enkele uren na de begrafenis van hun moeder.

Krampachtig sloot ze haar ogen om de gruwelijke herinneringen te verdrijven. Op die dag was Mia het favoriete doelwit van hun vader geworden, hoewel Melanie nooit had begrepen waarom. Als een wild dier dat een van zijn eigen jongen verstoot, had hij zijn uiterste best gedaan Mia kapot te maken. Zonder Melanie – en zonder Ashley – zou hem dat ook zijn gelukt.

Toen ze dertien waren en zijn verbale en fysieke misbruik ook seksueel was geworden, had Melanie gedreigd hem te vermoorden. Toen hij op een ochtend wakker was geworden, waren zijn armen en benen met touwen aan zijn bed gebonden en had hij recht in het gezicht van zijn oudste dochter gekeken, die een van zijn jachtmessen op zijn keel had gedrukt. Als hij Mia ooit nog met één vinger aanraakte, zou ze hem vermoorden, had ze gedreigd. En ze had het gemeend. Blijkbaar had hij haar geloofd, want daarna was er een eind aan het seksuele misbruik gekomen.

Melanie sloeg haar armen nog steviger om haar zusje heen. Van hen drieën was Mia de meest weerloze, de gevoeligste. Waarom kreeg ze niet gewoon de liefde die ze verdiende? Waarom kregen ze die geen van allen?

Na een tijdje hield Melanie haar zusje een eindje van zich af en keek haar aan. 'Heeft hij je pijn gedaan?'

Langzaam schudde Mia haar hoofd. 'Nee, daar heb ik hem niet de kans voor gegeven,' bracht ze gesmoord uit. 'Toen hij zo driftig werd, heb ik de draagbare telefoon gepakt en mezelf hier opgesloten. Hij... probeerde wel de deur in te trappen, maar ineens gaf hij het op.' Ze zuchtte beverig. 'Ik was bang dat hij zijn pistool zou pakken en –'

'Heeft hij een pistool?'

Mia verbleekte. 'Hij... Ik... Ik weet het niet... Ik bedoel, dat hij misschien een pistool zou pakken. O, Melanie, ik was zo bang!'

Melanie keek naar de deur van de badkamer en zag de akelige, zwarte afdrukken van een schoen. 'Heb je de politie gebeld?'

'Wat?'

'De politie. Heb je ze gebeld?'

'Nee, ik –'

'Dat geeft niet. Dan doen we het nu.' Ze pakte de telefoon van de grond en hield hem Mia voor. Toen haar zusje achteruitdeinsde, fronste Melanie haar wenkbrauwen. 'Je moet dit doen, Mia. Je moet jezelf beschermen.'

'Ik kan het niet.'

'Mia –'

'Ik zou het niet kunnen verdragen als iedereen het wist!' Wanhopig sloeg ze haar handen voor haar gezicht. 'Ik schaam me zo.'

Melanie legde de telefoon neer en nam Mia's ijskoude, trillende handen van haar gezicht. 'Kijk me aan, Mia. Jíj hoeft je nergens voor te schamen. Hij zal zich –'

'Nee. Hij zal alles ontkennen, en iedereen zal hem geloven en denken dat ik het allemaal heb verzonnen om aandacht te krijgen.'

'Je hebt toch bewijzen! Die plekken op de deur, je...' Terwijl ze het zei, besefte ze dat haar zusje weinig meer had dan een paar blauwe plekken die inmiddels bijna twee weken oud waren. Ze had destijds niet eens het alarmnummer gebeld.

'Je beseft dat ik gelijk heb, hè?' Mia schudde haar hoofd. De tranen stroomden over haar gezicht. 'Het is mijn woord tegenover het zijne. Wie denk je dat iedereen zal geloven?'

Melanie had met hetzelfde vooroordeel te maken gehad toen ze bij Stan weg was gegaan, hoewel die haar nooit fysiek had misbruikt. Het had haar destijds razend gemaakt, en dat deed het ook nu weer.

'Het is allemaal mijn schuld,' zei Mia met haar hoofd gebogen. 'Ik vroeg waar hij heen ging, maar ik had beter moeten weten. Ik had hem met rust moeten laten.'

'Zo moet je niet praten, Mia. Je laat je in de slachtofferrol drukken,' zei ze, Melanie bij haar schouders pakkend. 'Hij is je man. Je had het volste recht te vragen waar hij heen ging.'

'Maar ik –'

'Nee, Mia. Hij is nu echt te ver gegaan.' Ze dwong haar zusje haar aan te kijken. 'Je moet bij hem weggaan. Dat is je enige keus.'

Mia begon weer te huilen. 'Je hebt gelijk, Mellie, maar ik wil het niet. Ik wil gewoon getrouwd zijn. Ik wil mijn huwelijk terug. Het huwelijk waarvan ik altijd heb gedroomd.'

Tranen van medeleven en begrip vulden Melanies ogen. Opnieuw trok ze haar zusje tegen zich aan. 'Ik begrijp het, lieverd. Dat wilde ik ook, maar dat zal niet gebeuren. Je moet bij hem weggaan voordat hij je echt pijn doet.'

12

Melanie bleef bij haar zusje tot het licht werd. Nadat ze de chaos hadden opgeruimd, kropen ze samen in het grote bed en haalden herinneringen op aan vroeger. Aan vriendinnetjes die ze hadden gehad, huizen waarin ze hadden gewoond. Het duurde niet lang of Mia doezelde weg.

Zelfs toen haar zusje sliep, liet Melanie haar slechts met de grootste moeite alleen. Ze had echter geen keus. Het was wel duidelijk dat Boyd die nacht niet meer thuiskwam, en Melanie hoopte nog een uurtje te kunnen slapen voordat ze aan het werk moest. In plaats daarvan lag ze naar het plafond te staren en zich zorgen te maken over haar zusje.

Hoewel Mia had beloofd dat ze bij haar man weg zou gaan, maakte Melanie zich geen illusies. Het gebeurde maar al te vaak dat vrouwen in een dergelijke relatie alsnog voor hun man kozen, als die zijn verontschuldigingen aanbood en beterschap beloofde.

Boyd moest ter verantwoording worden geroepen, besloot ze terwijl ze onder de douche stond. Hij moest weten dat hij in de gaten werd gehouden. Dat zijn gedrag niet zou worden getolereerd. Dat zíj het niet zou tolereren. En ze wist ook al hoe ze dat zou aanpakken.

'Goeiemorgen, Bobby,' zei ze tegen haar collega toen ze later die ochtend op het bureau arriveerde.

'Goeiemorgen, Mel.' Haar altijd jeugdig ogende collega keek op van het sportkatern van de Charlotte Observer. 'Wat zie jij er beroerd uit. Ben je soms de hele nacht op geweest met een ziek kind?'

'Zo zou je het kunnen noemen.' Ze zette haar tas naast haar bureau en liep naar de koffiepot.

Hij pakte zijn lege mok en kwam achter haar aan. 'Wacht eens even...' Met gefronste wenkbrauwen keek hij haar aan. 'Ik dacht dat Casey met zijn vader in Orlando zat.'

'Dat is ook zo. Het was een ander kind.' In kort bestek vertelde ze hem wat er die nacht was gebeurd. 'Ik dacht dat we de dokter misschien een onofficieel bezoekje zouden kunnen brengen.'

Bobby grijnsde. 'Om hem een beetje onder druk te zetten.'

'Precies.'

'Ik doe mee.'

Melanie deed melk in haar koffie. 'Is er nog iets belangrijks gebeurd sinds gisteren?'

'Niet echt.' Met een grijns voegde hij eraan toe: 'Hoewel, de oude Mrs. Grady belde. Er zat weer een gemaskerde schurk in haar vuilnis te rommelen.'

Melanie rolde met haar ogen. Na haar kortstondige kennismaking met het echte werk, leken de routinebezigheden van het WPD allemaal nog zinlozer. 'Een wasbeer zeker?'

'Nou ja, het zijn ook ergerlijke beesten. Waar of niet? Hoe dan ook, ze eiste dat we onmiddellijk in actie zouden komen.'

Ze liepen naar Bobby's bureau, en Melanie ging op een hoekje zitten. 'Hoe zit het met de speciale telefoonlijnen? Is er al iets binnengekomen?'

'Iets wat er veelbelovend uitziet? Nee, maar er is wel het nodige binnengekomen.' Hij gaf haar een uitdraai.

Gefrustreerd liet Melanie haar blik over de lijst gaan. 'Dat zijn minstens honderd telefoontjes!'

'Honderd en twaalf.'

Ze slaakte een berustende zucht. 'Onder of boven?' vroeg ze, bedoelend of hij de onderste of de bovenste helft van de lijst voor zijn rekening wilde nemen.

'Het spijt me dat ik je dag moet bederven, maar wat je daar

vasthoudt, is de bovenste helft.' Ze kreunde, en hij keek haar meelevend aan. 'Tja, het valt niet mee, hè?'

'Nee, het valt zeker niet mee.' Terwijl ze hem aankeek, vroeg ze zich – niet voor het eerst – af hoe hij toch altijd zo positief kon blijven. Ze besloot het hem te vragen.'Je zit nu al tien jaar bij het WPD. Hoe komt het toch dat je nooit eens gek wordt van al die zinloze klussen?'

Hij zweeg even. Toen hij weer begon te praten, klonk zijn stem – bij wijze van uitzondering – volkomen serieus. 'Ik ben nu achtendertig, Melanie. Ik heb vier kinderen en een vrouw die ik moet onderhouden, maar ik heb niet veel opleiding gehad. Ik verdien hier net zoveel als iemand bij het CMPD met dezelfde rang. Ik draag een dienstwapen, en in de ogen van mijn kinderen ben ik een held. Maar ik hoef niet bang te zijn dat de gemaskerde schurk van de oude Mrs. Grady mijn vrouw haar man en mijn kinderen hun vader zal afnemen. En dat vind ik heel belangrijk.'

Met nieuw ontzag keek Melanie hem aan. En ook met een zekere mate van schuldgevoel. Zij zou hetzelfde moeten hebben ten aanzien van Casey, maar dat had ze niet. Ze werd beheerst door ambitie, door het verlangen naar het echte politiewerk. Ze dwong zichzelf te glimlachen en hield haar helft van de lijst omhoog. 'Oké. Leer me dan eens hoe ik hier de zonzijde van moet zien. Vlug. Voordat het lachen me is vergaan.'

'Met alle plezier.' Hij tikte op de uitdraai. 'Ongeveer een derde van deze lijst kunnen we meteen schrappen als regelrechte verzinsels.'

Vragend trok ze haar wenkbrauwen op. 'En daar moet ik vrolijk van worden?'

'Laat me nou even. Dan is er nog een derde dat eenvoudig valt af te handelen met een telefoontje, een blik in de computer, dat soort dingen.'

'Maar voor de rest zullen we echt alles uit de kast moeten halen.' Ze liet haar hoofd in haar handen vallen. 'Dat betekent dat we de hele dag zinloze tips moeten natrekken!'

'Niet de hele dag.' Bobby grijnsde en dempte zijn stem. 'Als we al deze zinloze aanwijzingen hebben nagetrokken en geconstateerd dat ze tot niets leiden, gaan we een bezoekje brengen aan die zwager van je met zijn losse handjes.'

Bij die woorden keek ze op. 'De dag begint er eindelijk wat vrolijker uit te zien.'

Er kwam een duivelse blik in zijn ogen. 'Zo ben ik nu eenmaal. Ik doe alles om een glimlach op je gezicht te toveren.'

Uren later betraden Melanie en Bobby de hal van het Queen's City Medical Center. Het ziekenhuis lag op nog geen vijf minuten van het politiebureau, en ze hadden hun bezoekje voor het laatst bewaard, als een soort beloning voor de vele uren geestdodend werk die ze erop hadden zitten.

Ze meldden zich bij de balie. 'Hallo,' zei Melanie tegen de receptioniste, terwijl ze haar penning omhoog hield. 'Ik ben agent May, en dit is mijn collega Taggerty. We willen dokter Donaldson graag even spreken. Is hij aanwezig?'

De receptioniste trok haar wenkbrauwen op. 'U bedoelt toch niet dokter Boyd Donaldson?'

Inderdaad, de altijd charmante, razend populaire, waanzinnig succesvolle dokter Boyd Donaldson. Melanie glimlachte poeslief. 'Dat klopt. Dokter Boyd Donaldson. Is hij aanwezig?'

De receptioniste aarzelde even, toen knikte ze. 'Ik zal hem even bellen.' Ze keerde Melanie de rug toe en praatte zacht in de telefoon, ongetwijfeld om de geweldige dokter Donaldson – in eerbiedige termen – duidelijk te maken dat de politie hem wilde spreken.

Nadat ze had opgehangen, keerde ze zich weer naar Melanie. 'Hij komt zo beneden.'

'Dank u wel.' Met een knipoog naar Bobby keerde Melanie de liften de rug toe. Ze wilde niet dat Boyd haar meteen zag. Haar zwager hield ervan controle over een situatie te hebben. Op deze manier hoopte ze hem te verrassen.

Lang hoefden ze niet te wachten, en haar plannetje lukte. Boyd stapte rechtstreeks op Bobby af, in de veronderstelling dat hij de agent was die hem wilde spreken. 'Goedemiddag, agent,' zei hij op joviale toon. 'Mijn naam is Donaldson. Wat kan ik voor u doen?'

Daarop draaide Melanie zich om. 'Wat kun je aardig zijn tegen de politie. Waar heb je dat geleerd?' vroeg ze liefjes.

Gedurende een fractie van een seconde keek hij haar verbijsterd aan. Toen verscheen er een vurige blos op zijn knappe gezicht. 'Wat moet dit voorstellen? Een grap?'

'Hoezo? Ik begrijp niet waarover je het hebt.'

'Je hebt tegen Nancy gezegd dat je me officieel wilde spreken.'

'Helemaal niet.' Verontschuldigend keerde ze zich naar de receptioniste. 'Het spijt me als we die indruk hebben gewekt.'

De receptioniste keek geschokt, en Boyd schonk haar een geruststellende glimlach. 'Dit is mijn schoonzus, Nancy. Ze speelt nu eenmaal graag toneel.' Hij wendde zich weer tot Melanie. 'Ik heb echt geen tijd voor een familievisite. Bel mijn secretaresse maar voor een afspraak.'

Zijn houding verraste Melanie niet. Ze hadden het nooit goed met elkaar kunnen vinden. Direct in het begin had zij de toon gezet door haar zusje te smeken niet met hem te trouwen, en hij had sindsdien geprobeerd Mia zover mogelijk bij haar zusje vandaan te houden. Hij was zelfs zo ver gegaan om zijn kersverse bruid te vertellen dat Melanie in zijn huis niet welkom was.

Hij wilde zich al omdraaien, maar ze legde haar hand op zijn arm. 'Dan maak je daar maar tijd voor.'

'Pardon?' vroeg hij, een venijnige blik op haar hand werpend.

'Het gaat om Mia.'

Hij aarzelde, wierp een blik op zijn horloge en zuchtte geërgerd. 'Goed. Jij je zin.' Vervolgens gebaarde hij naar een rustige hoek van de hal. 'Maar hou het kort. Ik moet over een halfuur opereren.'

Met moeite slaagde Melanie erin zich te beheersen tot ze de rustige hoek hadden bereikt. Toen kon ze zich niet langer inhouden. 'Je bezorgdheid om mijn zus is werkelijk roerend. Ik ben diep onder de indruk.'

'Ik zie geen reden voor bezorgdheid. Ik heb haar vanmorgen nog gezien. Ze maakte het uitstekend. Als ze ziek was of een ongeluk had gehad, zou je me dat wel meteen hebben verteld.' Na deze woorden trok hij arrogant zijn wenkbrauwen op.

Melanies bloed kookte. Ze deed een stap naar voren. 'Ik weet alles, dokter Donaldson. Ik weet wat je doet en zou je dringend willen aanraden daarmee te stoppen.'

Zijn gezicht bleef onbewogen, hoewel Melanie vluchtig iets van paniek in zijn ogen meende te zien. Ze deed nog een stap in zijn richting. 'Als je mijn zusje ooit nog een keer slaat,' zei ze, zonder de moeite te nemen haar stem gedempt te houden, 'sta ik niet in voor mijn daden.'

Er werd door verschillende mensen naar hen gekeken, en Boyd bloosde. 'Als je soms doelt op dat blauwe oog, dat heeft ze toch echt uitsluitend en alleen aan zichzelf te danken. Ze is zo onhandig. En dankzij haar onhandigheid moest ik alleen naar het jaarlijkse diner voor donateurs van het ziekenhuis. Dat kon ik niet echt waarderen.'

Blijkbaar voelde Bobby dat ze op het punt stond te ontploffen, want hij legde waarschuwend een hand op haar arm.

Ze haalde even diep adem. 'Je golfvriendjes en je collega's hier geloven dat verhaal misschien,' begon ze zacht, 'maar ik weet beter. Dus als je mijn zus ooit nog aanraakt –'

Een van de beveiligingsbeambten van het ziekenhuis kwam haastig aanlopen. 'Alles in orde, dokter Donaldson?'

'Maak je geen zorgen.' Boyd glimlachte beminnelijk. 'Mijn schoonzus is een beetje in de war, maar ze ging net weg. Hè, Melanie?'

Ze ging er niet op in, maar boog zich nog dichter naar hem toe. 'Als je mijn zus ooit weer pijn doet,' begon ze zacht, 'sta ik niet in voor mijn daden. Begrepen?'

Er verscheen een flauwe, zelfingenomen glimlach om zijn mond. 'Dat klinkt als een dreigement.' Hij keek eerst de beveiligingsbeambte en daarna Bobby aan. 'Jullie hebben het gehoord, dus ik beschouw jullie als getuigen.' Toen keek hij Melanie weer aan. 'Je zou eens moeten leren je drift in bedwang te houden, lieve schoonzus. Ik heb zo'n gevoel dat je daar nog eens grote problemen mee krijgt.'

13

Met een vluchtige, geamuseerde glimlach om zijn mond keek Boyd zijn schoonzus na. Hij bedankte de beveiligingsbeambte, bood zijn verontschuldigingen aan voor Melanies gedrag en liep terug naar zijn afdeling – een toonbeeld van kalmte, beheersing en zelfvertrouwen.

Althans, op de veelzeggende zenuwtrek boven zijn rechteroog na. Hij vervloekte die zenuwtrek, en inwendig verwenste hij zijn schoonzus. Schijnheilige, nieuwsgierige zeur. Hoe durfde ze hem op die manier te confronteren? Hoe durfde ze naar het ziekenhuis te komen en hem ter verantwoording te roepen? In het ziekenhuis was hij een godheid. Hier bepaalde híj wat er gebeurde. Hier bogen anderen voor zijn wil en keken ze vol respect naar hem op. Ze wist niets over hem. Helemaal niets!

Toen hij langs de informatiebalie kwam, zag hij dat de receptioniste hem taxerend zat op te nemen. De zenuwtrek werd heviger. Zo begon het. Met een onderzoekende blik, een gemompelde vraag, gefluister, een gerucht, een beschuldiging.

Hij schonk haar een vluchtige glimlach, waarop ze haastig haar hoofd boog, duidelijk in verlegenheid gebracht doordat ze was betrapt terwijl ze naar een van de belangrijkste mensen van het ziekenhuis zat te staren. En terecht, dacht hij. Per slot van rekening kon hij ervoor zorgen dat ze werd ontslagen. Een telefoontje, en ze kon vertrekken.

Even overwoog hij de mogelijkheid, maar hij verwierp deze onmiddellijk weer. Daarmee zou hij het tegendeel bereiken van wat hij wilde. Als hij haar ontsloeg, zou hij de aandacht op zichzelf vestigen en heel wat tongen in beweging zetten. Nee, hij kon haar maar beter negeren, net als het gebeuren van zo-even.

Op weg naar zijn kantoor knikte hij links en rechts collega's toe, genietend van de manier waarop ze naar hem keken. Van de manier waarop ze naar hem ópkeken. Hij zou er alles aan doen om dat zo te houden.

Even later liep hij zijn kantoor binnen en trok de deur achter zich dicht. Melanie had hem ervan beschuldigd dat hij zijn vrouw sloeg. Nou en? Daarvoor was nog nooit iemand naar de gevangenis gestuurd. Als Melanie May ook maar het geringste vermoeden van de waarheid had gehad, zou hij hier nu niet staan. Laat staan dat hij hoofd thoraxchirurgie zou zijn in een van de meest gerenommeerde ziekenhuizen in dit deel van het land.

Nee, besloot hij. Ze wist dat het niet goed ging tussen hem en haar zus, dus ze had alleen maar stoom afgeblazen. Het was typisch iets voor Mia om haar beklag te doen bij haar zus. Verwende huilebalk.

Hij schudde zijn hoofd. Toen hij met Mia was getrouwd, had hij haar als de perfecte keuze beschouwd. Als verpleegster was ze vertrouwd geweest met de gang van zaken in een ziekenhuis, en ze had bovendien over de sociale vaardigheden beschikt om zijn positie binnen de hiërarchie in het ziekenhuis te bevorderen. Ze was een lieftallige verschijning met wie hij zich kon laten zien, en het belangrijkste was dat ze volgzaam was. Ze liet zich gemakkelijk intimideren en aanbad niet alleen hem, maar ook het leven dat hij haar als haar echtgenoot zou kunnen bieden. Bij zijn beslissing had hij er geen rekening mee gehouden dat ze een kreng van een zus had, die bovendien ook nog eens bij de politie zat.

Bij de politie! Een gevoel dat verwant was aan paniek nam bezit van hem. Hij was altijd zo voorzichtig geweest – met de vrouwen die hij koos en de plekken waar hij ze oppikte.

Nee, niet met alle vrouwen, verbeterde hij zichzelf. Hij had fouten gemaakt!

Hij liep naar zijn bureau en liet zich in zijn stoel vallen. De politie had de neiging overal zijn neus in te steken. Stel je voor dat zijn schoonzus vragen begon te stellen over zijn vroegere collega's, zijn vorige werkgever? Charleston was een stuk kleiner dan Charlotte. Er werd zo gauw gekletst. Wat zou ze boven water weten te halen? En wíe zou ze boven water weten te halen?

Wanhopig probeerde hij het gevoel van paniek van zich af te zetten. Melanie May was een onbeduidend agentje in een gemeente die nauwelijks groter was dan een gemiddeld winkelcentrum. Hoeveel schade kon ze aanrichten?

Hij snoof verachtelijk. Geen enkele. Melanie May was voor hem net zo gevaarlijk als een beveiligingsbeambte in een winkelcentrum.

14

Het lot was een grillig, wispelturig iets. Soms beschermde het degenen die straf verdienden, terwijl het zijn rug toekeerde naar wie goed en bescheiden was.

Zo niet de Dood. De Dood was rechtvaardig. Onpartijdig. De Dood steunde niet op grilligheden of kansen, maar op zorgvuldigheid en voorbereiding. Op gerechtigheid.

Het moment was aangebroken. De tijd was gekomen waarop de man, net als de anderen, zou moeten boeten. Hij zou moeten boeten voor zijn ongestrafte misdrijven. Voor zijn zonden tegen de zwakkeren. Tegen hen voor wie gerechtigheid slechts een loos begrip was.

De Dood kwam tevoorschijn uit de schaduw van het restaurant en stak het parkeerterrein over naar de rij fruitbomen aan het eind daarvan. De bomen stonden in volle bloei. De tere, witte bloesems verspreidden een heerlijke geur. Onder het baldakijn van hun takken stond de auto van de man.

Bij de auto aangekomen, bleef de Dood even staan om de bedwelmende geur in te ademen. Om ervan te genieten. Van die geur, maar ook van het moment. Het moment waarop het kwaad zou worden overwonnen, waarop het goede zou triomferen.

Het moment was aangebroken.

Zoals zijn gewoonte was, had de man de raampjes van zijn auto gedeeltelijk opengelaten. Een gevaarlijke gewoonte als de auto zo dicht bij zulke zoet geurende bloesems stond. Roekeloos zelfs. Vooral voor wie allergisch was voor bijengif. Vooral voor wie door slechts één enkele steek op een ongunstig moment het slachtoffer kon worden van een opzwellende keel, een dalende bloeddruk en uiteindelijk zelfs een hartstilstand.

De Dood had een kleine, witte zak bij zich – van het type waarin afhaalmaaltijden worden verpakt. De zak was bedrukt met de naam van het restaurant waarachter het parkeerterrein lag. Uit de zak klonk een woedend gezoem. Het waren de boodschappers van de Dood die eisten te worden vrijgelaten. Die riepen om vergelding.

'Nog even.' De Dood vouwde de bovenkant van de zak open en gooide die haastig door het halfopen achterraam aan de kant van de bestuurder de auto in. De zak raakte de rugleuning van de stoel en viel op de grond. Daar ging hij helemaal open, waarop de kleine maar machtige boodschappers van de Dood te voorschijn kwamen.

15

⚜

Melanie parkeerde haar auto voor de rij winkels en pakte haastig haar tas en haar sporttas. Het was een milde avond. De lente was duidelijk weer in het land.

Ze was aan de late kant voor haar taekwondo-les. In de paar dagen die waren verstreken sinds Cleve Andersen zijn beloning had uitgeloofd, waren de telefoontjes binnengestróómd. Maar als ze zich haastte, kon ze nog op tijd op de mat staan. Haar leraar kon het niet waarderen als iemand te laat kwam, zeker niet bij de zwarte banden. In zijn ogen getuigde dat van een gebrek aan discipline en respect.

'Agent May?'

Verrast bleef Melanie staan en keek achterom naar de blonde vrouw die achter haar aan kwam. 'Veronica, wat een verrassing!'

Veronica Ford wees op Melanies sporttas. Zelf had ze een soortgelijk exemplaar bij zich. 'Blijkbaar hebben we meer gemeen dan het verlangen het tuig van de richel achter de tralies te stoppen.'

'Daar lijkt het wel op.' Samen liepen ze verder. 'Heb je de zwarte band?'

'Ja. Derde dan. En jij?'

'Eerste.' Melanie deed de deur van de *dojang* open en liet Veronica voorgaan. 'Wanneer ben jij hier begonnen?' vroeg ze terwijl ze naar de kleedkamer liepen.

'Twee weken geleden. Ik ging aanvankelijk naar een andere *dojang*, maar het klikte niet.'

Melanie begreep wat ze bedoelde. Elke *dojang* had zijn eigen sfeer, iedere leraar zijn eigen filosofie. Zelf had ze ook diverse scholen bekeken, voordat ze deze had gekozen.

Nadat ze hun kleren haastig voor de traditionele witte *dobok* hadden verwisseld, liepen ze naar de oefenzaal. Wie de zwarte band had, kon tijdens alle gewone openingsuren van de *dojang* terecht, of tijdens de speciaal voor de zwarte banden gereserveerde uren.

Melanie gaf de voorkeur aan deze laatste, omdat daarbij de kans het grootst was op een tegenstander die beter was dan zij. Van meet af aan had ze zich volledig ingezet om zich deze manier van vechten eigen te maken. Dat was niet altijd gemakkelijk geweest. Ze was geen natuurtalent; dus ze had heel wat kneuzingen en spierblessures opgelopen. Om nog maar te zwijgen van alle tranen van frustratie.

De dag waarop ze de zwarte band had gehaald, behoorde dan ook tot de hoogtepunten van haar leven.

Melanie en Veronica begonnen met de rekoefeningen. Bij taekwondo ligt het accent op traptechnieken en een breed scala van draaibewegingen, sprongen en stoten die een adembenemend schouwspel vormen, maar buitengewoon moeilijk uit te voeren zijn. En die dan ook een goede fysieke conditie en een grote wendbaarheid vereisen.

Melanie beoefende de sport inmiddels vijf jaar en ging minimaal drie keer per week naar de *dojang*, maar voor elke sessie deed ze nog altijd rekoefeningen. Ze zag dat Veronica hetzelfde deed.

Geïnteresseerd sloeg Melanie haar gade. Ze zat op de mat, met haar benen gespreid en boog zich langzaam naar voren tot haar borst de vloer raakte. Veronica Ford was zo te zien absoluut een natuurtalent!

Melanie zette haar voet op de oefenbar ter hoogte van haar middel en boog naar voren tot haar voorhoofd haar knie raakte. De spieren in haar benen protesteerden heftig. 'Vind jij dit net zo afschuwelijk als ik?' vroeg ze met een vertrokken gezicht.

'Vreselijk!' Veronica zette haar tanden op elkaar en boog opnieuw naar voren. 'Maar het is een noodzakelijk kwaad. Net als magere salades en panty's.'

Melanie lachte.

Zwijgend voltooiden ze hun rekoefeningen, waarna ze overgingen tot de warming-up, die bestond uit een vaste combinatie van stijlfiguren waarbij alle spieren aan bod kwamen.

'Zullen we elkaars tegenstander zijn?' vroeg Veronica.

Vol bewondering keek Melanie naar haar krachtige, zorgvuldige bewegingen. 'Graag. Dat wil zeggen, als je belooft dat je me niet totaal vernedert.'

'Ik denk dat je jezelf onderschat. Volgens mij zijn we aardig aan elkaar gewaagd.'

'Zei de spin tegen de vlieg.'

Zwijgend namen ze hun posities in. Melanie koos als eerste voor de aanval. Ze begon met een rechtstreekse stoot, gericht op Veronica's hoofd. '*Kiap!*'

Deze blokkeerde de stoot moeiteloos en reageerde met een linkerstoot naar Melanies borst die ze – met opzet – net niet raakte.

Ze maakten een buiging naar elkaar en herhaalden de procedure, waarbij ze trappen en stoten elkaar lieten afwisselen en beurtelings voor de aanval en de verdediging kozen.

Aan het eind van de training was Melanie uitgeput, maar zeer voldaan. In lange tijd had ze niet meer zo'n goede tegenstander gehad.

Dat zei ze dan ook tegen Veronica terwijl ze naar de kleedkamer liepen.

Deze glimlachte. 'Het genoegen was geheel wederzijds. Ik ben je dankbaar voor de gelegenheid mijn vaardigheden aan te scherpen.'

'Dat zal wel meevallen. Je had geen enkele moeite met me. Je bent echt goed.'

Veronica glimlachte gevleid. 'Ik vind het ook heerlijk om te doen. Het is de enige bezigheid waarbij ik het echt lékker vind om te zweten.'

Tijdens het douchen en verkleden praatten ze wat over koetjes en kalfjes.

'Zullen we nog ergens een kop koffie gaan drinken?' vroeg Veronica terwijl ze naar buiten liepen.

Melanie aarzelde geen moment. Casey was nog met zijn vader in Orlando; het was vrijdagavond, en ze was zo vrij als een vogeltje.

Ze kozen een koffiezaak niet ver van de *dojang* en gingen buiten zitten. Het was nog altijd zacht, de hemel bezaaid met sterren. 'Ik hou van deze tijd van het jaar,' zei Melanie zacht. 'Lente in de Carolina's. Daar kan niets aan tippen.'

'Ik zou het niet weten,' zei Veronica. 'Ik heb nooit ergens anders gewoond dan in de Carolina's.'

'Je bent opgegroeid in Charleston?'

'Hm. Mijn familie zat in de meubelindustrie. Markham Industries.'

Die naam kende Melanie, zoals iedereen in deze contreien. Behalve dat ze actief waren in de meubelindustrie, hadden ook verschillende Markhams een rol gespeeld in de nationale politiek.

'En jij?' vroeg Veronica. 'Heb jij ook je hele leven hier gewoond?'

'Nee, mijn vader zat bij het leger. Dus tot mijn vijftiende zijn we voortdurend verhuisd.'

'Die "we", daar horen zeker ook je zusjes bij? Ik heb jullie wel eens bij Starbucks gezien. Jullie lijken werkelijk sprekend op elkaar.'

Er verscheen een glimlach op Melanies gezicht. 'Mia en Ashley. Mijn tweeling- en mijn drielingzusje.'

Nadat Melanie het had uitgelegd, schudde Veronica geamuseerd haar hoofd. 'Je bent nogal een ongebruikelijk type, hè?'

'Ach, dat weet ik niet. Gescheiden, werkende moeder, erg doorsnee, zou ik zeggen.'

'Nou, ik moet zeggen, jullie vallen wel op met jullie drieën.'

'Ja, dat zal wel.' Melanie keek haar oplettend aan en besefte dat Veronica Ford met haar fijngetekende gezicht, haar blonde haar en haar ver uit elkaar staande, diepblauwe ogen gemakkelijk voor hun vierde zusje zou kunnen doorgaan. Dat zei ze ook.

'Denk je?' Met een glimlach keek Veronica haar aan. 'Dat zou leuk zijn. Ik ben enig kind.'

'Eenzaam, hè?'

'Erg eenzaam, ook al werd ik gruwelijk verwend.' Veronica nam een slok van haar koffie. 'Je bent tot je vijftiende voortdurend verhuisd, zei je. Hoe ging het daarna?'

'Toen zei mijn vader het leger vaarwel en begon hij hier in Charlotte een koffiezaak. Nog heel ouderwets. Geen cappuccino en espresso, alleen degelijk gezette koffie met zelfgebakken taart.' Ze tilde haar mok op. 'Vandaar mijn verslaving.'

'Heeft hij die zaak nog steeds?'

'Hij is vier jaar geleden overleden.'

'En je moeder?'

'Die is gestorven toen we nog klein waren. Borstkanker.'

'Wat verdrietig.'

Quasi-nonchalant haalde Melanie haar schouders op. 'Ach, het is inmiddels al zo lang geleden. En jij? Behalve dat je een eenzaam enig kind was en gruwelijk werd verwend?'

Veronica lachte. 'Dat klinkt nogal als een cliché, hè? Het arme, rijke meisje. Verzorgd door kindermeisjes en huishoudsters, terwijl mijn vader bouwde aan zijn imperium.'

'Dat klinkt vooral nog niet zo slecht.' Melanie glimlachte vluchtig. 'In elk geval beter dan elke avond de keuken van een koffiezaak schoonboenen. En je moeder?'

Bij die vraag verbleekte Veronica's glimlach. 'Dat is weer iets wat we gemeen hebben. Mijn moeder stierf toen ik nog jong was. Dertien, om precies te zijn.'

'Wij waren elf. Hoe is het gebeurd?'

'Ze heeft zichzelf doodgeschoten. Ik heb haar gevonden.'

Er viel een geladen stilte. 'Wat afschuwelijk,' zei Melanie. 'Het spijt me, ik had er niet naar moeten vragen, maar ik ben altijd nieuwsgierig als het om moeders gaat. Omdat ik mijn eigen moeder al zo jong heb verloren, ben ik waarschijnlijk –'

'Het geeft niet.' Veronica maakte een nonchalant gebaar. 'Ik ben eroverheen. Voorzover je daar als meisje ooit overheen komt.'

Melanie begreep haar maar al te goed. In zekere zin waren haar zusjes en zij ook nooit helemaal over de dood van hun moeder heen gekomen. Ze rouwden nog steeds; ze voelden zich nog steeds in de steek gelaten en verraden. Die gevoelens waren bij Veronica waarschijnlijk nog sterker, vermoedde ze.

Deze schraapte haar keel en glimlachte geforceerd. 'Ik weet niet hoe jij erover denkt, maar ik vind dat we het maar eens over iets anders moeten hebben. Overleden moeders, dat is me een beetje te zwaar voor de vrijdagavond.'

'Helemaal mee eens.' Melanie kon Veronica's gevoel voor humor wel waarderen. 'Heb je een voorstel?'

'Taekwondo lijkt me aardig neutraal.' Een brede grijns sierde haar gezicht. 'Waarom ben je ermee begonnen?'

Melanie haalde haar schouders op. 'Dat lijkt me nogal voor de hand liggend. Ik zit bij de politie. Daar kan ik het goed gebruiken.'

'Waarom heb ik het gevoel dat dit antwoord een zoethoudertje is?'

'Omdat je jurist bent.'

'Daar heb je gelijk in.' Ze grijnsde sluw. 'Ik weet dat er op elke politieacademie van de studenten wordt verwacht dat ze een aantal uren aan zelfverdediging doen. Het merendeel neemt genoegen met die minimale training. Waarom jij niet?'

'Dat is heel simpel. Om te beginnen bestaat het merendeel van de studenten niet uit vrouwen die er rekening mee moeten houden dat ze worden geconfronteerd met tegenstanders die twee keer zo groot en zo sterk zijn. En ten tweede vind ik gewoon dat iedere vrouw in staat zou moeten zijn zichzelf te beschermen.'

'Aha.'

Vragend keek Melanie Veronica over de rand van haar mok aan. 'Hoezo, aha?'

'De ware reden.'

Geamuseerd en geërgerd tegelijk schudde Melanie haar hoofd. Veronica had haar doorzien. Vanwege haar verleden was ze al lang voordat ze bij de politie ging, tot het besef gekomen dat een vrouw zichzelf moest kunnen verdedigen. Bij een demonstratie taekwondo had ze tot haar verbijstering gezien dat vrouwen zich met succes verdedigden tegen mannen die twee keer zo zwaar waren. Dat had voor haar de doorslag gegeven. De volgende dag had ze zich laten inschrijven bij een *dojang*.

'In de roos,' zei ze zacht. 'Ik weet zeker dat je het de verdediging niet gemakkelijk maakt in de rechtszaal. Je bent goed. Maar nu is het jouw beurt. Waarom heb jij voor taekwondo gekozen?'

'Om dezelfde redenen als jij, neem ik aan. Door mijn werk word ik dagelijks geconfronteerd met geweld tegen vrouwen. Ik heb me ooit plechtig voorgenomen dat ik nooit slachtoffer zou zijn. Taekwondo is mijn manier om me aan die belofte te houden.'

Het gesprek ontwikkelde zich ontspannen, en terwijl de tijd verstreek, ontdekten ze dat ze in veel opzichten op elkaar leken. Ze hielden allebei van misdaadromans, jankfilms en chocolade-ijs. Ze hielden er soortgelijke, uitgesproken meningen op na over goed en fout. Een moreel grijs gebied bestond voor hen niet. Ze waren allebei vurig loyaal jegens hun dierbaren en hun beroep. En ze hadden hun beroep allebei gekozen in de hoop iets aan de wereld te kunnen verbeteren. Bovendien hadden ze allebei een ongelukkig huwelijk achter de rug, hoewel Veronica niet ge-scheiden was, maar weduwe.

'Hij moest voor een bespreking naar Chicago,' zei ze in ant-woord op Melanies vraag waaraan haar man was overleden. 'Ik bracht hem die ochtend naar het vliegveld. Zoals altijd. Bij de gate heb ik hem een kus gegeven, en daarna heb ik hem nooit meer gezien.'

Melanie boog zich naar voren. 'Wat is er gebeurd?'

'Het vliegtuig ontplofte tijdens de vlucht.'

'Lieve hemel!' Melanie meende zich het ongeluk te herinne-ren. 'Was dat niet ongeveer vijf jaar geleden?'

'Klopt.' Veronica zette haar kin op haar handen en staarde voor zich uit. 'Aanvankelijk was ik er kapot van.' Verwoed knipperde ze met haar ogen, waarna ze haar blik weer op Melanie richtte. 'Achteraf ben ik pas gaan beseffen dat die explosie mijn redding is geweest.'

Er verscheen een blos op haar wangen, en ze schudde haar hoofd alsof ze zelf moeite had met die onthulling. 'Toen ik een-maal over de schok en het verdriet heen was, zag ik eindelijk de waarheid. Over mezelf en mijn leven. Over de man met wie ik ge-trouwd was geweest.'

'En?'

'Het was een rotzak. Wreed, dominant, altijd vol kritiek. Maar dat was nog niet het ergste.' Ze keek Melanie recht in haar ogen. 'Het ergste was dat hij me mijn onafhankelijkheid en mijn zelfrespect niet had áfgenomen, ik had ze zelf aan hem gegeven! Ik had uit mezelf afstand gedaan van de controle over mijn bestaan.'

'En toen heb je gezworen dat zoiets je nooit meer zou gebeuren.'

'Precies. Ik was gestopt met mijn rechtenstudie, omdat hij dat wilde. Hij had een echte vrouw nodig, zei hij. Niet iemand die het zo druk had met haar studie, dat ze geen tijd had voor haar man en haar huishouden.'

Veronica legde haar handen om haar mok. 'Toen ik eenmaal uit mijn shock was ontwaakt, heb ik als eerste mijn studie afgemaakt.'

'Ik ben diep onder de indruk.'

Veronica haalde haar schouders op. 'Ja, ik zie nu zelf ook wel dat het een enorme prestatie was, maar toen leek het wel alsof ik over bijna bovennatuurlijke krachten beschikte. Ik voelde me onstuitbaar.'

'Daarin verschillen we. Toen ik bij Stan wegging, was ik doodsbang bij alles wat ik deed.'

'Jij had een kind om voor te zorgen. Je was ongetwijfeld bang dat je man zou proberen je je kind af te nemen.'

Dat ben ik nog steeds, dacht ze. Sterker nog, dat is precies wat er op dit moment dreigt te gebeuren. 'Ja, dat maakt de dingen wel anders.' Ze keek op haar horloge en zag tot haar verbazing dat het al bijna elf uur was. 'Het wordt tijd om op te stappen.'

Ook Veronica keek op haar horloge. 'Lieve help, is het al zo laat?' Nadat ze haar laatste slok koffie had opgedronken, kwam ze overeind.

Melanie pakte haar tas en volgde haar voorbeeld. Samen liepen ze naar buiten.

'Trouwens,' zei Veronica, toen ze vlak bij hun auto's waren die naast elkaar geparkeerd stonden. 'Ik ben woensdagavond bij de Blue Bayou gaan eten. Omdat de keuken er zo goed is en omdat ik die vent weleens wilde zien die zijn vriendin slaat. Hij was precies zoals je hem –'

'Hij is dood.'

Geschrokken keek ze Melanie aan. 'Dood? Maar... Ik ben er net geweest en –'

'Het is gisteravond gebeurd. Hij heeft een auto-ongeluk gehad, maar het is nogal bizar. Het blijkt dat hij allergisch was voor bijengif. Hij had zijn auto achter het restaurant geparkeerd, onder een rijtje bloeiende fruitbomen. Blijkbaar zijn er een paar bijen in de auto terechtgekomen, want hij is tijdens het rijden diverse malen gestoken. Volgens getuigen reed hij slingerend over de weg en sloeg hij wild om zich heen. Uiteindelijk is hij tegen een betonnen afscheiding gebotst.'

'Zijn er nog meer gewonden bij gevallen?'

'Nee, gelukkig niet. Het had allemaal veel erger kunnen zijn.' Melanie dacht aan wat de patholoog-anatoom had gezegd. 'Hoewel die botsing fataal was, zouden alleen de bijensteken dat ook al zijn geweest. Op het moment dat hij stierf, verkeerde hij al in een anafylactische shock.'

Huiverend wreef Veronica over haar armen. 'Het lot bewandelt vreemde wegen, vind je niet?'

'Reken maar. Wat ik echter nog veel vreemder vond, was de reactie van zijn vriendin.'

'Ik wil wedden dat ze gebroken was. Hysterisch van verdriet.'

'Ze deed niets anders dan huilen.'

'Dat deed ik ook toen mijn man was gestorven, maar ik weet zeker dat ze tot inzicht komt.'

'Ik moet je zeggen dat ik minder begrip kon opbrengen. En ik kan nog steeds niet geloven dat ik dacht dat ze tegen hem zou getuigen. Je had groot gelijk.'

'Ach, dat heb ik al zo vaak meegemaakt.' Veronica haalde haar autosleutels uit haar tas. 'Ik heb een erg leuke avond gehad.'

'Ik ook. Dat moeten we nog eens doen.'

'Ja, dat doen we.' Veronica glimlachte. 'Wat dacht je van volgende week na de training?'

'Klinkt goed.'

Melanie stak haar hand op en liep naar haar jeep. Glimlachend startte ze de motor. Ze had een heerlijke avond gehad. Hoe lang was het geleden dat ze voor het laatst met een vriendin uit was geweest? Ze sprak weliswaar regelmatig af met haar zusjes, maar dat was toch iets anders.

Vanavond was ze echt uit geweest. Sinds haar scheiding had ze, dankzij haar werk en haar zorg voor Casey, nog maar zo weinig tijd voor een sociaal leven. Ze besefte dat ze dat miste. Uitgaan met vriendinnen. Een avondje stappen. Afspraakjes met mannen.

Naast haar startte Veronica haar Volvo. In een ingeving draaide Melanie haar raampje open. 'Veronica!'

Ze keek haar kant uit en draaide ook haar raampje open.

'Heb je zin om volgende week zaterdag te gaan lunchen? Ik zal kijken of Mia en Ashley ook kunnen.'

'Klinkt goed. Ik bel je nog wel. Dan kunnen we een tijd en een plaats afspreken.'

'Geweldig. Tot dan.' Met een laatste zwaai reed Melanie het parkeerterrein af. Grappig hoe dingen soms liepen, dacht ze, terwijl ze een van de brede, door bomen overschaduwde boulevards op reed waarom Charlotte beroemd was. Grappig hoe iemand van het ene op het andere moment kon veranderen van een vreemde in een vriendin.

Ze glimlachte, blij dat Veronica Ford in haar leven was gekomen.

16

Het bloed dreunde in zijn oren, in een overrompelend, primitief ritme. Het vermengde zich met het zware dreunen van de muziek die er in de club werd gedraaid, zodat er een angstaanjagend, bedwelmend mengsel ontstond.

Boyd baande zich een weg door de drukte en liet zijn blik keurend over de gezichten gaan. Hij was niet bang voor herkenning. In een gelegenheid als deze hoefde hij geen collega's te verwachten, noch iemand anders uit de kringen waarin hij verkeerde. De cliëntèle bestond uit mensen die van groepsseks en partnerruil hielden. Mensen die seksueel op het scherp van de snede leefden. Mensen zoals hij.

Onder het lopen ving hij af en toe een zweem parfum op. De behoefte aan seksuele ontlading deed hem diep van binnen verkrampen, alsof zich een vuist om zijn organen balde, beurtelings knijpend en strelend. Straffend en opwindend.

Hij haalde diep en beheerst adem. Voorzichtig. Hij moest voorzichtig zijn en mocht zich niet laten opjagen door zijn verlangen. Dat kon hij zich niet permitteren. Als hij ongeduldig was, maakte hij fouten. Iedere vrouw was tenslotte een risico. Dus hij moest slim zijn – en voorzichtig. Tenslotte had hij veel te verliezen.

Zijn blik viel op een blondine die wat ouder was dan de vrouwen op wie hij meestal viel, maar die er ondanks haar leeftijd werkelijk fantastisch uitzag. Brutaal beantwoordde ze zijn blik. Ze keken elkaar lang aan, toen verscheen er een veelbetekenende glimlach om haar vuurrode lippen. Er liep een tinteling langs zijn ruggengraat bij de gedachte aan het genot dat ze hem zou kunnen bieden.

Terwijl hij haar glimlach beantwoordde, begon hij naar haar toe te lopen.

17

֍

Melanie had een hekel aan advocatenkantoren. Een gruwelijke hekel. De gedempte sfeer, de dikke tapijten en leren stoelen, de geur van boenwas en stoffige, juridische standaardwerken... Dat kwam door Stan, en doordat een bezoek aan een advocatenkantoor haar nog nooit iets positiefs had opgeleverd.

Misschien zou daar nu verandering in komen. Althans, dat hoopte ze.

Ze slaakte een diepe zucht. Het was de schuld van Stan dat ze hier op een stralende vrijdagmiddag zat, met bonzend hart en het zweet in haar handen. Hij had zijn dreigement om de voogdij van Casey aan een rechter voor te leggen, waargemaakt. Afgelopen maandag, bijna drie weken nadat hij er voor het eerst over was begonnen, had zijn advocaat contact met haar opgenomen.

In die drie weken was ze al gaan hopen dat hij misschien van gedachten was veranderd. Als eeuwige optimist was ze bijna gaan geloven dat hij tijdens hun reisje naar Disney World had beseft dat Casey bij zijn moeder hoorde.

'Mrs. May?'

Melanie kromp ineen. 'Ja?'

'Mr. Peoples kan u ontvangen.'

'Dank u wel.' Ze stond op en volgde de secretaresse door een gang met links en rechts kasten, gevuld met juridische standaardwerken. Een van Caseys juffen op de kleuterschool had haar deze advocaat aangeraden. Hij had een vriendin van haar geholpen de voogdij over haar twee kinderen te krijgen, aldus de juf.

Er was voor Melanie geen betere aanbeveling denkbaar, en dus had ze Mr. Peoples nog diezelfde dag gebeld. Tijdens dat telefoongesprek had hij de indruk gewekt dat hij wist waarover hij het had. Nadat ze hem op de hoogte had gebracht van de situatie, had ze hem de naam en het telefoonnummer van Stans advocaat gegeven.

'Hier is het.' De receptioniste bleef staan voor een deur waarvan Melanie vermoedde dat Mr. Peoples daarachter zetelde. 'Wilt u echt niet een kopje koffie?'

'Nee, dank u wel.'

De receptioniste tikte op de deur en maakte die open. Achter een bureau verhief zich een reusachtige man. Hij stak zijn hand naar haar uit. 'Mrs. May. Mijn naam is John Peoples.'

Ze schudde hem de hand. 'Ik ben blij u te ontmoeten.'

'Gaat u zitten,' zei hij, op een van de twee leren fauteuils voor zijn bureau wijzend.

Dat deed ze, met haar handen krampachtig in haar schoot gevouwen.

'Laten we maar meteen terzake komen, vindt u niet?'

'Ja,' antwoordde ze met een knikje. 'Hebt u de advocaat van mijn ex-man al gesproken?'

'Ja.' Hij vouwde zijn handen op het bureaublad.

Ze waren erg pafferig, zag Melanie, en zo wit als de buik van een vis.

'Hij heeft een erg goede advocaat,' vervolgde Mr. Peoples. 'Een van de besten die er zijn.'

'Ik had niet anders verwacht. Tenslotte werkt Stan bij een van de meest gerenommeerde maatschappen in heel Charlotte.'

'Ik zal er maar niet omheen draaien. Het zal niet meevallen deze zaak van uw ex-man te winnen.'

'Pardon?'

Nadat hij zijn woorden had herhaald, schudde ze verbijsterd haar hoofd. Het duurde even voordat ze zichzelf voldoende onder controle had om te reageren. 'Dat kunt u toch niet menen?'

'Het spijt me, Mrs. May. Ik weet dat u liever iets anders had gehoord, maar ik kan tot geen andere conclusie komen.' Hij schraapte zijn keel. 'Laten we de feiten eens op een rijtje zetten. Uw ex-man kan uw zoontje een stabielere thuissituatie bieden, met een vader en een moeder. Bovendien is zijn werk niet van dien aard, dat hij op onregelmatige uren kan worden weggeroepen, terwijl úw baan bepaald niet zonder risico is.'

Verbijsterd staarde Melanie hem aan. Hij klonk meer als Stans advocaat dan als de hare. Ze verstijfde. 'Ik werk bij de politie in Whistlestop, Mr. Peoples. Hebt u enig idee hoe ik mijn dagen doorbreng? Hoe volstrekt ongevaarlijk mijn werk is? Ik haal katten uit bomen en reken winkeldieven in. Ik hoor klachten aan van mensen die woedend zijn over de huisdieren of de parkeergewoonten van hun buren. Ik een riskante baan? Laat me niet lachen.'

'En die zaak Andersen dan?'

'Zoiets gebeurt maar één keer in je leven. Bovendien ben ik niet langer actief bij dat onderzoek betrokken.'

'Dat kan wel waar zijn, maar het is een zaak die wel degelijk hier in Whistlestop speelt. En de advocaat van uw ex-man zal daar gebruik van maken.'

Ze kon haar oren niet geloven. De grote zaak waarnaar ze zo lang had verlangd, zou er misschien de oorzaak van zijn dat ze Casey kwijtraakte. Tranen van frustratie en wanhoop prikten in haar ogen. Ze verdrong ze krampachtig. Als politieagent en alleenstaande moeder kon ze het zich niet permitteren te gaan huilen.

'Verder woont uw ex-man in een van de voornaamste wijken van Charlotte, in een buitengewoon comfortabel huis met een zwembad. De scholen in zijn wijk worden beschouwd als de beste in de hele staat.'

'Maar –'

Met een handgebaar legde hij haar het zwijgen op. 'Aangezien uw zoon volgend jaar naar school gaat en uw ex-man en u allebei aan een andere kant van de stad wonen, behoort een gemeenschappelijke voogdijregeling tot de onmogelijkheden. Hij weigert te verhuizen, en uw baan verplicht u in Whistlestop te blijven. Dus tenzij u bereid bent uw baan op te geven –'

'Mijn baan opgeven?' Ze balde haar vuisten en voelde zich hulpeloos, in een hoek gedreven. 'En dan? Ik ben agent. Ik hou van mijn werk. Daar heb ik voor geleerd. Dat geef ik niet op.'

Er verscheen een blos op zijn vlezige gezicht. 'Het was maar een suggestie.'

'Een erg slechte suggestie. Stan kan gemakkelijk verhuizen. Voor zíjn werk maakt het niets uit waar hij woont.'

'Zoals ik al zei, dat weigert hij.'

'Ik ook.'

'Dan is een gemeenschappelijke voogdijregeling onmogelijk. Mocht u deze zaak verliezen, dan zult u zich tevreden moeten stellen met weekendbezoeken van uw zoon. Of misschien zelfs met bezoeken om het andere weekend, zoals u dat nu met uw man hebt afgesproken.'

Ze begon te trillen. 'Dat is niet genoeg.'

'Het spijt me.'

'O ja?' Strijdlustig stak ze haar kin naar voren, vervuld van een diepe afschuw jegens deze man. 'Moet ik u er soms aan herinneren dat ik Caseys moeder ben? Dat ik van hem hou? Dat ik bovendien een uitstekende, liefhebbende ouder ben met erg veel aandacht voor haar kind? Telt dat dan helemaal niet?'

'Natuurlijk wel.' Hij probeerde geruststellend te glimlachen, maar het resultaat was nogal neerbuigend. 'Uw ex-man is Caseys vader. En volgens zijn advocaat ook een goede ouder. Bent u het daarmee eens?'

'Dat hangt af van de definitie van "een goede ouder".' Ze haatte de bittere klank in haar stem.

'Dan zal ik het anders formuleren. Gelooft u dat uw ex-man van uw zoon houdt? En dat hij ervan overtuigd is dat hij hiermee handelt in Caseys belang?'

'Ja,' fluisterde ze, zij het met tegenzin. 'Dat geloof ik inderdaad.'

Opnieuw schraapte de advocaat zijn keel. 'Misschien zou u zichzelf dan eens de vraag moeten stellen of het wel zo verschrikkelijk voor u zou zijn om uw zoon alleen in de weekends te zien. Tenslotte bent u een alleenstaande ouder in een veeleisend en gevaarlijk beroep.'

Ze keek in zijn koele, blauwe ogen en kon haar oren niet geloven. 'Wát zei u?'

'Misschien zou u zich eens moeten afvragen wat het beste is voor Casey.'

Terwijl de betekenis van zijn woorden tot haar doordrong, kwam Melanie langzaam overeind, bevend van woede. 'Ik weet wat het beste is voor mijn zoon. Bij mij zijn! Bij zijn moeder. Hoe durft u iets anders te suggereren? Hoe durft u te suggereren dat ik hem maar moet opgeven?'

Het gezicht van de advocaat werd vlekkerig, en hij begon te protesteren in advocatenjargon.

Deze keer was zij degene die een hand opstak. 'Heeft die gewéldige advocaat van mijn ex-man toevallig ook verteld tot hoe laat Stan 's avonds moet werken? Of hoe vaak hij de stad uit moet voor zijn werk? Dat hij elke zaterdag vier uur golft, ondanks het feit dat hij Casey maar eens in de twee weken ziet?'

Ze zweeg even om op adem te komen. 'Het is misschien niet bij u opgekomen, maar als hij de voogdij krijgt, wordt Casey niet opgevoed door hem, maar door zijn tweede vrouw. Ik ben Caseys moeder, Mr. Peoples! En ik ben van plan hem groot te brengen.'

'Het spijt me. Ik wilde alleen maar –'

'Het spijt u. Dat klinkt wel erg gemakkelijk.' Ze deed een paar stappen naar achteren. 'U kunt onze relatie als beëindigd beschouwen. Ik ga op zoek naar een advocaat die niet alleen gelooft dat ik deze zaak kán winnen, maar die bovendien vindt dat ik hem zou móeten winnen.'

Toen de zondag aanbrak, was Melanie een wrak. Na haar gesprek met John Peoples, de vrijdag daarvoor, was ze bevend van verontwaardiging naar huis gereden. Klaar om de strijd aan te gaan met Stan en desnoods een heel leger dure advocaten.

Naarmate de tijd was verstreken, was haar verontwaardiging echter omgeslagen in twijfel en ten slotte in regelrechte angst. Casey was dit weekend weer bij zijn vader, en haar lege huis leek haar te honen. Zo zou haar leven eruitzien als Stan de voogdij over Casey kreeg. Ze dacht niet dat ze dat zou kunnen verdragen.

Ter afleiding had ze zich gestort op alle activiteiten die ze doorgaans ondernam in de weekends dat Casey bij zijn vader was: ze had in de tuin gewerkt, een film gekeken die ze al heel lang had willen zien en allerlei klusjes gedaan die zich gedurende de week hadden opgestapeld. Het was haar echter niet gelukt de voogdijkwestie uit haar hoofd te zetten. Ze had haar zusjes gebeld, maar Ashley was voor haar werk de stad uit en Mia had griep. Veronica was ook niet bereikbaar, want die had het razend druk met een proces dat de komende week zou beginnen.

Dus had Melanie lopen ijsberen. Ze had woedeaanvallen gehad en had gehuild. Al met al was dit het langste weekend van haar leven geweest.

Inmiddels was het voorbij. Althans, het zou voorbij moeten zijn. Melanie keek op haar horloge. Al bijna half vijf. Waar bleef Stan toch? Doorgaans had hij Casey op dit uur allang thuisgebracht. En dat wilde ze ook. Het kind had tijd nodig om zich weer aan te passen, en ze hadden samen tijd nodig om bij te praten. Daarna werd er gegeten en ging Casey in bad en naar bed. Tenslotte moest hij de volgende morgen weer vroeg naar de kleuterschool.

Melanie haalde diep adem. Boosheid nam bezit van haar. Stan maakte zich niet druk over zulke simpele dingen als bedtijd of in bad gaan. Dat had hij nooit gedaan. Ook niet voor hun scheiding.

Ongerust begon ze weer te ijsberen. Wat wist hij van de dagindeling van een kind van vier? Wat wist hij ervan hoe belangrijk het was dat zo'n kind genoeg slaap kreeg en een evenwichtige voeding? Wat wist hij over verkoudheden, koorts en bezoekjes aan de kinderarts? Helemaal niets.

Ze haatte hem om zijn dreigement Casey van haar af te pakken. De arrogante kwast. Hij wist helemaal niets over haar plaats in het leven en het hart van hun zoon. En dan die ellendige advocaat die haar aan zichzelf had doen twijfelen. Die haar zo bang had gemaakt.

Buiten klonk het geluid van een autoportier dat werd dichtgegooid. Zo snel ze kon, rende ze naar de voordeur. 'Casey!' Nog nooit was ze zo dankbaar geweest het lachende gezicht van haar zoon te zien.

'Mam!' Hij rende naar haar toe en viel haar om de hals.

Gedurende enkele seconden omhelsde en knuffelde ze hem zo hartstochtelijk, dat hij al snel probeerde zich los te rukken. Genietend snoof ze zijn geur op, en heel even vergat ze haar angst. Ten slotte liet ze hem los. 'Ik heb je gemist.'

Stralend keek hij haar aan. 'Ik jou ook.' Hij keek over zijn schouder naar zijn vader en toen weer naar haar. 'Ik moet je wat vertellen, mam!' zei hij, dansend van opwinding.

Liefdevol streek ze de krullen van zijn voorhoofd. 'Nou?'

'Papa heeft een hondje voor me gekocht.'

Het was alsof er een emmer ijskoud water over haar werd uitgestort. 'Een jong hondje?'

'Ja.' Casey knikte heftig. 'Ik heb hem Vlek genoemd. Volgens pap is het een golden retriever.'

Onder andere omstandigheden zou ze geamuseerd zijn geweest door haar zoons besluit een golden retriever Vlek te noemen, maar nu niet. Ze richtte haar blik op Stan, die naast zijn zilverkleurige Mercedes was blijven staan. Een lange, donkere man, knap als een filmster. Ooit had alleen al zijn aanblik haar de adem benomen, maar dat was in een ander leven geweest. Wanneer ze nu naar hem keek, voelde ze alleen maar woede.

'We hebben het hele weekend met hem gespeeld,' vervolgde Casey enthousiast. 'Hij vindt het leuk om achter stokken en ballen aan te rennen. En weet je wat nog meer zo fijn is? Hij mag van papa bij me in bed slapen!' Vol verwachting keek hij haar aan.

Uiteindelijk dwong ze zichzelf te glimlachen. 'Dat is geweldig, lieverd. Ik ben blij dat je zo gelukkig bent. En ik weet zeker dat je heel goed voor Vlek gaat zorgen.'

Hij zwol op van trots. 'Ik heb hem gevoerd en uitgelaten. En als hij een beetje groter is, ga ik hem kunstjes leren.' Zijn glimlach verdween. 'Hij vond het helemaal niet leuk toen ik wegging. Ik had hem eigenlijk mee willen nemen, maar volgens papa is Vlek mijn vriendje bij papa thuis.'

Met inspanning van al haar krachten lukte het Melanie om kalm te blijven. 'Ik heb iets voor je gekocht. Het staat op de bar in de keuken. Ga maar eens kijken.'

Casey riep zijn vader gedag over zijn schouder en rende naar binnen.

Peinzend keek Melanie hem na, toen liep ze naar haar ex-man toe. 'Hoe kon je, Stan?' vroeg ze met ingehouden boosheid.

Vragend trok hij zijn wenkbrauwen op. 'Hoe kon ik wat? Een cadeautje kopen voor mijn zoon?'

'We hebben het laatst nog over een jong hondje gehad, en we waren het erover eens dat hij er nog te jong voor was en dat we zulke ingrijpende beslissingen als de aanschaf van een huisdier met elkaar zouden overleggen.'

Zonder een zweem van berouw haalde hij zijn schouders op. 'Iemand op kantoor had een nestje, en er was nog een pup over. Zo'n aanbod kon ik toch niet laten lopen?'

'Zo'n aanbod?' herhaalde ze, zo woedend dat haar stem trilde. 'We hebben het hier niet over een actie van de supermarkt. Het gaat hier om de opvoeding van een kind.'

'Je reageert zoals altijd weer veel te heftig. Die hond heeft een eersteklas stamboom. Kampioensbloed!'

Driftig stopte ze haar handen in haar zakken. 'Het kan me niets schelen, al was hij wereldkampioen. Je had me moeten bellen.'

'Dat heb ik niet gedaan. Het spijt me.'

Melanie zou zich door zijn excuus hebben laten vermurwen, als ze had gedacht dat hij het meende. Als hij niet zo vervloekt zelfingenomen had gekeken, en als ze hem niet zo goed had gekend.

'Waarom geef je niet gewoon eerlijk toe waarom je die hond hebt gekocht? Omdat je wist dat ik daar niet tegenop kon. Om Casey een reden te geven liever bij jou te willen wonen dan bij mij, als de rechter het hem vraagt.'

Even meende ze iets van spijt op zijn gezicht te zien. 'Dat is onzin, Melanie.'

'O ja?' Ze zuchtte gefrustreerd. 'Ik weet niet waarom, maar ik dacht dat je het eerlijk zou spelen. Ik had niet gedacht dat je je zou verlagen tot dit soort... emotionele chantage. Een jong hondje! Je deinst werkelijk nergens voor terug.'

'Ach, je hebt altijd het ergste van me gedacht.' Hij lachte bitter. 'Vanwege die vader van je.'

'Mijn vader heeft hier niets mee te maken!'

'O nee? Weet je zeker dat je er niet ergens, diep van binnen, van overtuigd bent dat alle mannen net zulke monsters zijn als hij?'

'Je probeert me af te leiden. Geweldige tactiek in de rechtszaal, maar bij mij werkt het niet.'

Hij slaakte een diepe zucht. 'Ik heb die hond gekocht, omdat ik Casey blij wilde maken. Omdat ik zijn vader ben en omdat ik ervan geniet leuke dingen met hem te doen.'

Nu was Melanie degene die verbitterd lachte. 'Stan May doet nooit iets zomaar "om iets leuks te doen", zelfs niet voor zijn zoon. Stan May denkt altijd een stap vooruit en probeert de gang van zaken te manipuleren in zijn voordeel. Het is nooit anders geweest.'

Abrupt keerde hij haar zijn rug toe. 'Ik weiger met je te praten als je zo doet.' Vervolgens stapte hij in de auto. 'Als je een probleem hebt, bel je mijn advocaat maar.'

Melanie pakte het portier, voordat hij het kon dichttrekken. 'Casey is hier gelukkig. Waarom zou je zijn hele leven overhoop halen? Denk toch alsjeblieft aan hem.'

'Dat doe ik,' zei hij kortaf, met twee vurige blossen op zijn wangen. 'Ik kan hem veel meer bieden dan jij.'

'Alleen materieel.' Ze bukte zich om hem in zijn ogen te kijken. 'Casey hoort hier, bij mij, en dat weet je.'

'Dat weet ik helemaal niet.' Stan zette de auto in zijn achteruit. 'Bovendien moet de rechter daar maar over oordelen.'

18

De vrouw die tegenover Melanie zat, was niet knap, hoewel ze dat misschien ooit wel was geweest. Haar zwaar opgemaakte gezicht verried duidelijk de sporen van een leven als straatprostituee. Een leven vol misbruik, zowel geestelijk als lichamelijk.

In de hoop het steenkoude spoor in de zaak Andersen wat nieuw leven in te blazen, hadden de rechercheurs van het CMPD besloten de suggestie van Connor Parks op te volgen en de plaatselijke prostituees te ondervragen. Misschien zou een van hen het ritueel van de moordenaar en het profiel herkennen dat Parks had geschilderd. Vandaar dat de politie de vorige avond de straten had schoongeveegd.

In de ogen van Melanie hadden ze dat al drie weken eerder moeten doen, maar aangezien de politie van Whistlestop niet meer dan een adviserende status had, werd er niet naar haar geluisterd. De enige reden waarom Bobby en zij weer actief bij het onderzoek waren betrokken, was dat de actie bijna veertig hoertjes had opgeleverd – veel meer dan Harrison en Stemmons aankonden binnen de maximale vierentwintig uur dat ze mochten worden vastgehouden.

Melanie bedwong een geeuw en keek op haar horloge. Ze was hier al sinds even na middernacht. Inmiddels was het acht uur 's ochtends. Even overwoog ze nog een kop koffie te nemen, maar uiteindelijk besloot ze het niet te doen. Haar maag voelde toch al alsof ze er accuzuur in had gedumpt.

Volgens het formulier dat voor haar op tafel lag, heette het meisje Sugar. Van de acht prostituees die ze had ondervraagd, had er niet één de man uit de profielschets van Parks herkend. Althans, dat beweerden ze. Sommigen hadden zich coöperatief opgesteld, maar de meesten waren weinig spraakzaam en woedend geweest. Te oordelen naar de uitdrukking op Sugars gezicht, viel zij onder de laatste categorie.

'Hallo, Sugar,' zei Melanie.

'Ik heb recht op een telefoontje.'

'Zo meteen. Wil je een sigaret?' Melanie schoof het pakje over de tafel naar haar toe.

Sugar zei niets, maar pakte wel een sigaret.

Nadat Melanie haar vuur had gegeven, wachtte ze tot het meisje een paar lange trekken had genomen. 'Ik moet je een paar vragen stellen, Sugar,' zei ze toen. 'We zijn op zoek naar een vent.'

'Ach, dat zijn we allemaal.'

'Nee, het gaat hier om een vent die er een nogal ongebruikelijk ritueel op na houdt. Hij vindt het leuk om meisjes vast te binden en om dingen in te brengen in hun –'

Sugar lachte. Een hese rokerslach. 'Dat vinden ze allemaal leuk, schat.'

'In hun lichaamsopeningen,' maakte Melanie haar zin af. 'Ongebruikelijke dingen. Onnatuurlijke dingen. Komt dat je bekend voor?'

'Sodemieter op.'

'Hij heeft een goede baan. Ziet eruit alsof hij geld heeft. Knap. Rijdt in een mooie auto. Echt zo'n keurige jongen. Althans, in het begin.'

Heel vluchtig meende Melanie iets van emotie in Sugars ogen te zien opflakkeren, maar het was meteen weer verdwenen.

'Waarom zou ik jullie helpen? Jullie hebben nooit iets voor mij gedaan. Ook niet toen ik nog niet op straat werkte.'

Melanie schrok niet van haar woorden, noch van het venijn dat erin doorklonk. 'Omdat er een meisje is vermoord,' antwoordde ze eenvoudig, 'en omdat ze misschien niet zijn laatste slachtoffer is.'

Sugar nam nog een trek van haar sigaret. 'Die rijke meid zeker? Die meid over wie iedereen zo'n drukte maakt.'

'Joli Andersen, ja.'

Er verscheen een verbitterde uitdrukking op Sugars gezicht. 'Dacht je dat het me ook maar íets kan schelen wat er met dat verwende, rijke nest is gebeurd?'

'Dus het was haar verdiende loon dat ze is vermoord? Alleen omdat haar vader een hoop geld heeft? Is dat wat je wilt zeggen?'

Het was duidelijk dat die vraag Sugar verraste. Ze schudde haar hoofd. 'Nee, dat bedoel ik niet.'

Melanie boog zich naar haar toe. 'Er loopt daar ergens een moordenaar rond. We denken dat hij regelmatig bij prostituees komt, en het zou heel goed kunnen dat een van jullie zijn volgende slachtoffer wordt.'

'Doe maar niet alsof jullie dat iets kan schelen. Ik ben bont en blauw geslagen door een kerel, maar de politie was te beroerd er iets aan te doen.'

'Jíj zou de volgende kunnen zijn, Sugar. Dat besef je toch wel?'

Het meisje pakte een nieuwe sigaret, en Melanie zag dat haar handen trilden terwijl ze die opstak. 'Is er iets wat je dwarszit, Sugar?'

Ze inhaleerde diep. 'Ja, ik moet pissen.'

'Je kent hem, hè? Die vent die ik bedoel. En je bent bang voor hem.'

Uitdagend blies ze een rookwolk in Melanies gezicht. Toen glimlachte ze. 'Sodemieter toch op.'

'Ik kan je helpen... als jij mij helpt.'

'Ik wil even bellen.'

'Heeft hij je soms al bijna vermoord? Heeft hij tegen je gezegd dat hij dat ging doen en heb je je toen verzet?'

'Ach, mens, hou toch je mond.'

'Heeft hij een kussen op je gezicht gedrukt?' Melanie dempte haar stem. 'Merkte je dat het hem opwond, toen je geen lucht meer kreeg?'

'Hou je mond, verdomme!'

'Wat is er gebeurd, Sugar? Waarom heeft hij je laten gaan?'
Melanie reikte over de tafel en greep de hand van het meisje. 'Is hij ergens van geschrokken? En denk je dat je de volgende keer net zoveel geluk hebt?'

Het meisje trok haar hand weg en sprong overeind. Haar gezicht zag spierwit.

'Er is helemaal niets gebeurd! Ik ken die vent niet! Ik wil hem niet kennen!'

Ze loog. Melanie wist niet waarom ze daar zo zeker van was, maar ze was er heilig van overtuigd. Dat zei ze ook. 'Jij weet dat je liegt, en ik weet het. Je kunt je eigen veiligheid alleen maar garanderen door me te helpen dat monster van de straat te halen.'

Sugar liep naar de deur en begon erop te bonzen. 'Ik wil bellen! Ik heb recht op een telefoontje!'

'Je moet me vertellen wat er is gebeurd, Sugar,' zei Melanie, terwijl ze opstond en naar haar toe liep. 'Dan zal ik je helpen. Die vent die je bont en blauw slaat... Als jij me helpt de man te vinden die ik zoek, zal ik zorgen dat je van die andere kerel ook geen last meer hebt.'

'Dan ben je te laat. Die ellendeling is inmiddels dood en begraven, maar niet dankzij de politie. Daar heeft het lot voor gezorgd, en moeder natuur. Mag ik nou nog bellen, of hoe zit dat?'

Ten slotte besloot Melanie haar te laten gaan. Voorlopig zou ze toch niets meer loslaten. Ze gaf haar een kaartje, met zowel haar telefoonnummer als het nummer van haar pieper. 'Bel me als je je nog iets herinnert. Of als je me nodig hebt. Het kan me niet schelen hoe laat.'

Met een ongelovig gezicht pakte Sugar het kaartje aan. 'Dus je laat me gewoon gaan?'

Melanie deed de deur open. 'Ja, maar hang het alsjeblieft niet aan de grote klok.'

Even meende ze iets van dankbaarheid in Sugars ogen te lezen. Toen knikte het meisje en verdween ze de gang op.

Op het moment dat Melanie zich omdraaide, zag ze Pete Harrison op zich af komen.

'Ben je nog iets wijzer geworden?' vroeg hij.

'Nee, niet echt. Hoewel ik zo'n gevoel heb dat het laatste meisje iets achterhield. Het leek absoluut alsof ze iets te verbergen had –'

Hij kapte haar af. 'Dat hebben ze allemaal, May. Dat komt door hun werk.'

'Natuurlijk. Dat weet ik ook wel, maar ik kreeg sterk de indruk dat ze onze man kende. Toen ik bleef aandringen, raakte ze helemaal van streek. Ze was echt bang, Pete.'

'Schrijf maar op. Ik zal je rapport doorkijken en naar aanleiding daarvan besluiten of we hiermee doorgaan.' Hij keek op zijn horloge. 'Zij was de laatste. Lever je aantekeningen maar bij me in wanneer je weggaat.'

'Pardon?'

'We zijn klaar. Je wordt bedankt.'

Hij stuurde haar gewoon weg. De rotzak. Nou, ze zou zich niet als een soort boodschappenjongen laten behandelen! 'En jullie? Zijn jullie nog iets wijzer geworden?'

'We hebben een paar aanwijzingen. Als er wat in blijkt te zitten, horen jullie het wel.'

In de krant, ja. Zoals iedereen!

Ze wilde al een venijnige opmerking maken, maar op dat moment kwam Bobby aanlopen. Blijkbaar had hij hun gesprek gehoord, want hij trok een gezicht naar Petes rug.

Bij het zien van haar geamuseerde blik, draaide Pete zich met een ruk om.

Bobby glimlachte echter vriendelijk naar hem. 'Ik neem aan dat we klaar zijn?'

'Klopt.' Ze liep om de rechercheur heen en voegde zich bij haar collega. 'Wat zou je ervan zeggen om eerst eens wat te gaan eten? Ik rammel van de honger.'

Dat gold ook voor Bobby; dus onderweg van het CMPD naar Whistlestop stopten ze ergens om te ontbijten. Bij de deur kocht Bobby een krant.

De serveerster kwam met verse koffie en de kaart. Ze bestelden meteen: een wafel voor Melanie en eieren met spek voor Bobby.

Toen de serveerster weg was, stak Melanie waarschuwend een vinger op. Hoewel hij erg mager was, had Bobby de neiging tot een veel te hoog cholesterolgehalte. Vandaar dat zijn vrouw hem op een streng, vetarm dieet had gezet. 'Ik weet zeker dat eieren met spek niet onder je dieet vallen.' ·

Hij vertrok zijn gezicht. 'Het enige wat ik tegenwoordig nog krijg, is konijnenvoer, vis en kippenborst zonder vel. Op dat spul kan een echte vent niet leven.'

Melanie begon te lachen. 'Ben je nog iets te weten gekomen vannacht?'

'Reken maar.' Terwijl hij melk en suiker in zijn koffie deed, zong hij in zijn beste Willie Nelsonimitatie: *'Mama, don't let your babies grow up to be hookers.'*

'Erg grappig.'

Op slag ontnuchterde hij. 'Nee, het is helemaal niet grappig. Het is gewoon treurig.' Even zweeg hij. 'Niet een van de meisjes die ik heb ondervraagd, herkende iets in het profiel van Parks.'

'De mijne ook niet.' Ze wendde haar blik af. 'Maar zoals een van die vrouwen zei: waarom zouden ze ons helpen?'

'Uit een gevoel van burgerlijke verantwoordelijkheid?'

'Schei nou toch uit.' Ze nam een slok van haar koffie. 'Waar was Parks, trouwens? Ik had gedacht dat hij er wel bij zou zijn.'

'Heb je dat dan niet gehoord? Hij is geschorst.'

Nee, ze had het niet gehoord, maar het verbaasde haar niet. 'Omdat hij op de verkeerde tenen is gaan staan, zeker?'

'Reken maar.'

'Eerst wij, toen Parks.' Ze snoof geërgerd. 'Ik was weliswaar niet bepaald weg van hem, maar volgens mij wist hij wel wat hij deed. En dat kan lang niet van al die kerels bij het CMPD worden gezegd.'

'Ach, dat zeg je alleen maar omdat je pissig bent dat jij daar niet werkt.'

Op dat moment werd hun bestelling gebracht.

Melanie wachtte tot de serveerster was verdwenen, toen boog ze zich naar voren. 'Wat bedoel je daar nou weer mee?'

'Het is toch geen geheim dat je verlangt naar het echte werk? Ik heb dat niet, maar ik begrijp het wel. Het moet verschrikkelijk frustrerend zijn om anderen het werk te zien doen waarnaar jij snakt. En dan gebeurt er eindelijk iets spectaculairs, en dan word je op een zijspoor gezet... Ik geloof eigenlijk dat ik ook pissig ben.'

'Ik ben niet pissig.'

'Nee, dat zal wel.' Hij strooide zout op zijn eieren. 'Vind je het erg als ik de krant lees?'

'Ga je gang, maar dan krijgen we wel praatjes achter ons aan. Want dan zijn we net een getrouwd stel.'

Lachend sloeg Bobby de krant open.

Melanie wijdde zich aan haar wafel en dacht na over wat Bobby had gezegd. Was ze pissig? Beoordeelde ze de rechercheurs van het CMPD oneerlijk omdat ze jaloers was? Ze fronste haar wenkbrauwen, maar ineens werd ze afgeleid door een kop op de voorpagina van de Charlotte Observer: 'Voormalig verdachte, vrijgesproken van aanranding, dood aangetroffen.' Ze boog zich naar voren en liet haar blik haastig over het artikel gaan. 'Allemachtig,' mompelde ze. 'Heb je dat gezien, Bobby? Dat verhaal over Jim McMillian?'

'Over wie?'

'Jim McMillian. Die verkrachtingszaak. Weet je dat niet meer? Een maand of zeven, acht geleden. Er is heel veel over geschreven.'

Bobby knikte. 'Die rijke vent. Die zich heeft laten vrijpleiten door een stelletje peperdure advocaten uit New York? En dat terwijl de publieke opinie hem allang schuldig had verklaard.'

'Reken maar. Laat eens kijken.'

Zwijgend gaf hij haar de krant. Volgens het artikel was Jim McMillian overleden aan een hartaanval, veroorzaakt door digitalisvergiftiging.

Melanie kon haar ogen niet geloven. 'Dat kan gewoon niet waar zijn.'

'Wat?' Reikhalzend keek Bobby mee, om te zien wat haar aandacht had getrokken.

'Zo is mijn vader ook overleden.'

'Aan een hartaanval?'

'Ja, maar een hartaanval veroorzaakt door een overdosis digitalis in het bloed.'

Bobby fronste zijn wenkbrauwen. 'Hebben we het hier over dat hartmedicijn?'

'Precies. Jim McMillian slikte digitalis op doktersrecept, net als mijn vader. Al bij drie of vier keer de dosis die nodig is om de hartslag te reguleren, kan digitalis dodelijk zijn. Dus dat is helemaal niet zoveel. Het verraderlijke is bovendien dat plotselinge veranderingen in de stofwisseling kunnen leiden tot een verhoogd digitalisniveau, wat vervolgens weer kan leiden tot een hartaanval. Daarom worden zulke patiënten ook zorgvuldig in de gaten gehouden door hun dokter. Ashley heeft het me allemaal uitgelegd.'

'Lieve hemel!' Hij fronste zijn wenkbrauwen. 'Mijn vader gebruikt dat spul ook.'

'Dat geldt voor een heleboel mensen. Voorzover ik heb begrepen, is de dood van mijn vader veroorzaakt door een buitengewoon onwaarschijnlijke samenloop van omstandigheden. Zoiets komt maar zelden voor. Daarom vind ik dit ook zo vreemd.'

Nadat Bobby zijn laatste hap eieren met spek had verslonden, veegde hij zijn mond af en gooide zijn papieren servet op zijn bord. 'Gezien McMillians hartafwijking verbaast het me dat er zo'n uitvoerige lijkschouwing is gedaan.'

Melanie knikte peinzend. 'Mijn vader was een paar dagen voor zijn dood nog bij de dokter geweest, en het zag er allemaal prima uit.'

'Een vreemde samenloop van omstandigheden.'

'Heel vreemd.' Ze fronste haar wenkbrauwen. 'Volgens mij klopt hier iets niet.'

'Daar heb je haar weer! Bij elk rottelefoontje dat we krijgen, denk jij dat er een spectaculaire zaak achter zit.'

'Ach, schei toch uit!'

Hij begon te lachen, maar werd al snel weer ernstig. 'Waarom bel je niet gewoon een paar mensen als we straks op het bureau zijn? Misschien is het toch niet zo zeldzaam als jij denkt.'

'Je hebt gelijk.' Glimlachend keek ze hem aan. 'Wat ben je toch verstandig. Dankzij jou blijf ik met beide benen op de grond staan.'

'Tja, daar zal toch iemand voor moeten zorgen. Bovendien...'
Er verscheen een ondeugende grijns om zijn mond. '...een man
moet meer kunnen dan alleen maar kinderen maken.'

19

❦

Na hun terugkeer op het bureau en nadat ze hun baas hadden geïnformeerd over de ontwikkelingen, ging Melanie aan de telefoon zitten. Het duurde even, maar uiteindelijk kreeg ze verbinding met het hoofd van de afdeling hartziekten van een van de grootste ziekenhuizen in de staat. Vervolgens belde ze de patholoog-anatoom. Een kwartier later legde ze de hoorn op de haak en keerde ze zich naar Bobby. 'Merkwaardig. Erg merkwaardig.'

'Wat zeiden ze?' vroeg hij.

'Allebei bevestigden ze mijn vermoeden dat een hartaanval veroorzaakt door een overdosis digitalis uiterst zeldzaam is.'

'Maar?' drong hij aan.

'Maar ze waren ook allebei van mening dat twee van dergelijke gevallen in dezelfde staat, met een tussentijd van vier jaar, niet tot de onmogelijkheden behoorden.'

'Met andere woorden, er is geen reden om in actie te komen.'

'Precies.'

'Toch ben je niet tevreden?'

'Dat heb ik niet gezegd.'

'Nee, maar dat zie ik aan je gezicht. Ik ken je! Je weigert te accepteren dat McMillian en je vader door dezelfde bizarre speling van het lot zijn gestorven. En omdat ik je ken, weet ik dat je hier net zo lang op gaat zitten broeden tot je erbij neervalt, of tot zich een klus voordoet die nog aantrekkelijker is. Zo ben je nu eenmaal.'

'Dat is niet waar.'

In gespeeld ongeloof trok hij zijn wenkbrauwen op. De telefoon begon te rinkelen. 'Politie Whistlestop, met Taggerty spreekt u.' Hij luisterde even, toen verscheen er een grijns op zijn gezicht. 'Ze zit tegenover me. Onrust te zaaien, zoals gebruikelijk. Hier komt ze.' Vervolgens wenkte hij Melanie. 'Veronica voor je.'

Melanie knikte. In de weken sinds hun eerste ontmoeting waren Veronica en zij dikke vriendinnen geworden. Behalve dat ze de koffie na hun vrijdagse training tot een wekelijks ritueel hadden verheven, spraken ze elkaar om de paar dagen telefonisch, en ze hadden ook al een keer geluncht, samen met Mia. Nog nooit had Melanie een vriendin gehad met wie ze zo snel zo vertrouwd was geraakt.

Het leek overigens wel alsof Veronica dat effect op iedereen had. Waar ze ook kwam, ze werd door bijna iedereen meteen sympathiek gevonden. Dat gold ook voor Mia, Bobby en Casey. De enige belangrijke persoon in Melanies leven die Veronica nog niet had ontmoet, was Ashley, en die tekortkoming zou het daaropvolgende weekend worden goedgemaakt.

Melanie drukte de hoorn tegen haar oor. 'Hé, hallo! Vertel het eens.'

'Dat kan ik beter tegen jou zeggen. Wat moet ik me voorstellen bij dat "onrust zaaien"?'

'O, let maar niet op Bobby...' Grijnzend keek ze hem aan. 'Hij moet er met zijn neus bovenop worden gedrukt, voordat hij een misdrijf herkent.'

Bobby protesteerde vrolijk en wijdde zich toen weer aan zijn verslag van de afgelopen nacht. 'Heb je de krant gelezen vanmorgen?' vroeg Melanie aan haar vriendin.

'Nee, geen tijd gehad. Wat stond erin?'

'Jim McMillian is dood.'

'Dat weet ik. Dat hoorde ik gisteren al van Sam.' Sam Hale was de openbare aanklager geweest in de zaak tegen McMillian. 'Een vriend van hém bij het CMPD belde zodra hij het had gehoord.

Maar wat heeft dat te maken met jou als onrustzaaier?'

In het kort legde Melanie uit hoe toevallig het was dat haar vader op dezelfde manier was gestorven als Jim McMillian. Ook vertelde ze over haar telefoongesprekken met de hartspecialist en de lijkschouwer.

Even zweeg Veronica – Melanie kon haar bijna horen denken. 'Het klinkt inderdaad nogal bizar,' zei ze ten slotte. 'Wat ga je daaraan doen?'

'Wat kan ik doen? Ik hou in elk geval mijn ogen en mijn oren open, en misschien ga ik een beetje rondneuzen.'

Veronica mompelde instemmend en veranderde toen van onderwerp. 'Het spijt me dat ik tot dusverre niet heb gebeld, maar dit proces is een regelrechte verschrikking. De vader van dat joch heeft een legertje peperdure advocaten ingehuurd, die ons aardig aan het werk hebben gezet.'

'Hoe gaat het?'

'De jury is inmiddels in beraad, maar volgens mij hebben we hem te pakken, dat stuk ellende. Het tweede meisje dat tegen hem getuigde, gaf de doorslag.' Melanie hoorde aan Veronica's stem dat ze glimlachte. 'Deze keer heeft dat arrogante stuk vreten zich zodanig in de nesten gewerkt, dat zijn pappie hem er, ook al biedt deze nog zoveel geld, niet meer uit kan kopen.'

'Wat geweldig voor je!'

'Nee,' verbeterde Veronica haar zacht. 'Het is geweldig voor al die meisjes die hij heeft beschadigd. En voor alle meisjes die hij nu niet zal kunnen beschadigen. O, wacht even.' Melanie hoorde haar met iemand praten. 'Sorry, ik heb niet veel tijd, maar ik wilde even weten hoe je afspraak met die advocaat was gegaan.'

'Dat wil je niet weten.'

'Was het zo erg?'

'Het was verschrikkelijk. Ik ben het hele weekend heen en weer geslingerd tussen totale wanhoop en heilige verontwaardiging.'

Nadat Melanie Veronica in korte bewoordingen op de hoogte had gesteld, mompelde deze een verwensing. 'Die ellendeling geeft ons advocaten een slechte naam.'

'Reken maar.' Melanie probeerde haar woede of haar gerechtvaardigde verontwaardiging te mobiliseren, maar het enige wat ze voelde, was vermoeidheid. 'Ik weet niet goed wat ik nu moet doen. Een advocaat van het kaliber dat Stan in de arm heeft genomen, kan ik me niet permitteren.'

'Nou en of wel.'

'Pardon?'

'Ik ken een geweldige vrouwelijke advocaat in Columbia. Ze is echt fantastisch. Gespecialiseerd in familierecht. En ze staat aan de goede kant. Ik zal haar eens bellen. Als ze het ook maar enigszins kan plooien, neemt ze je als cliënt. Ik heb nog iets van haar te goed.'

'Dat zou geweldig zijn. Ook al weet ik niet hoe ik haar moet betalen.'

'Maak jij je nou maar zorgen over die voogdijzaak. Ik zorg voor de rest.'

'Maar, Veronica –'

'Geen gemaar,' zei haar vriendin kordaat. 'Vertrouw me nu maar. Zo, nu hang ik je op. Ik ga haar meteen bellen.'

Melanie werd overspoeld door dankbaarheid. 'Dank je wel, Veronica,' zei ze met een brok in haar keel. 'Dit is... Ik weet echt niet... hoe ik je ooit moet terugbetalen.'

'Terugbetalen?' herhaalde Veronica lachend. 'Doe niet zo gek. Ik vind het heerlijk als ik iemand kan helpen die me dierbaar is. Beschouw dat maar als mijn taak in dit leven.'

20

Met een ruk zat Melanie rechtop in bed, meteen klaarwakker. Ze keek op de wekker. Tien over half vier. Met gefronste wenkbrauwen luisterde ze wat haar kon hebben gewekt. Het was zo stil in huis, dat ze het geborrel van het aquarium in Caseys kamer kon horen.

Nog niet gerustgesteld, haalde ze haar dienstwapen uit de bovenste la van het bureau naast haar bed en begon aan een inspectietocht door het huis. Eerst keek ze bij Casey om een hoekje. Hij had zich niet bewogen sinds ze hem uren eerder had ingestopt. Vervolgens ging ze van kamer naar kamer en controleerde ze alle deuren en ramen. Nergens trof ze iets verontrustends aan.

Waar was ze dan wakker van geworden? En wat nu? Ze was klaarwakker; haar hart ging als een razende tekeer, en elke zenuw in haar lichaam was tot het uiterste gespannen.

Aan slapen hoefde ze niet meer te denken, dus ze besloot een pot koffie te zetten en op haar gemak de krant te gaan lezen. Met die gedachte deed ze haar dienstwapen weer in de la van het bureau. Toen liep ze naar de voordeur en keek ze door het kleine raampje daarnaast of de krant al op het tuinpad lag. Toen dat zo bleek te zijn, liep ze haastig naar buiten om hem te halen.

Terwijl ze wachtte tot de koffie klaar was, ging ze in de keuken op een van de krukken aan de ontbijtbar zitten en sloeg de krant open. Vluchtig liet ze haar blik over de koppen glijden, maar ineens moest ze weer denken aan het grote artikel dat ze de vorige dag in de krant had gelezen.

Jim McMillian, verdacht van huiselijk geweld, was plotseling overleden...

Thomas Weiss, die zijn vriendin sloeg en die ze nooit voor de rechter had kunnen slepen, was plotseling overleden...

Melanie fronste haar wenkbrauwen. Hoe had Bobby de twee sterfgevallen genoemd? 'Bizarre spelingen van het lot.' En wat had Veronica gezegd toen ze haar vertelde dat Thomas Weiss dood was? 'Het lot bewandelt vreemde wegen.'

Melanie sloeg haar hand voor haar mond. Dáár was ze wakker van geworden! Dát had door haar hoofd gespookt. Niet de toevallige overeenkomst tussen de dood van Jim McMillian en van haar vader, maar de kort op elkaar volgende, toevallige dood van drie mannen die zich schuldig hadden gemaakt aan huiselijk geweld.

Drie? Melanie wreef over de brug van haar neus. Hoe kwam ze bij drie?

Ineens wist ze het. De prostituee die ze op het hoofdbureau van het CMPD had ondervraagd! Wat had ze ook alweer gezegd? Dat de man die haar bont en blauw had geslagen, dood was. Dankzij het lot en moeder natuur.

Het lot en moeder natuur. Alweer!

Melanie liet zich van haar kruk glijden en liep naar de koffiepot. Er ging van alles door haar hoofd, terwijl ze een mok uit de kast pakte en koffie inschonk. Wat dacht ze nou eigenlijk? Dat er een verband bestond tussen de drie sterfgevallen? Een al wat oudere, rijke ondernemer, een beginnend restauranthouder en een cokesnuiver?

Hoe kon daar een verband tussen bestaan? Wat zou drie zulke verschillende mannen met elkaar kunnen verbinden? Ze hadden zich alledrie schuldig gemaakt aan huiselijk geweld. En nu waren ze alledrie dood.

'Mammie?'

Geschrokken draaide Melanie zich om. Casey stond in de deuropening, met zijn knuffelkonijn tegen zich aan gedrukt.

'Wat doe je uit bed, lieverdje?' Snel liep ze naar hem toe. 'Het is nog helemaal donker buiten.'

'Ik droomde heel akelig. Iemand had jou meegenomen, en ik kon je nergens vinden.' Zijn stemmetje beefde.

Ze nam hem in haar armen en drukte hem dicht tegen zich aan. 'Dat gebeurt niet,' mompelde ze bezwerend. Maar terwijl ze het zei, moest ze denken aan Stan en aan het proces. Ze trok Casey nog dichter tegen zich aan. 'Kom, schatje. Dan gaan we weer naar bed. Mama kruipt lekker bij je.'

Melanie kreeg niet meer de kans om na te denken over een mogelijk verband tussen de dood van Jim McMillian en Thomas Weiss. Toen ze die ochtend op het bureau kwam, werd ze bedolven onder een reeks ergerlijke, onbeduidende klussen, waaronder twee pagina's 'aanwijzingen' die moesten worden nagetrokken naar aanleiding van de beloning die Cleve Andersen had uitgeloofd.

Helaas leverden ze geen van alle iets op.

Melanie veronderstelde dat ze dankbaar zou moeten zijn dat ze die ochtend niet meer tips na te trekken had. Onmiddellijk na de bekendmaking hadden de telefoons roodgloeiend gestaan. Inmiddels waren ze drie weken verder, en de stroom telefoontjes was aanzienlijk teruggelopen. Ze was echter niet dankbaar. Integendeel, ze voelde zich gefrustreerd en popelde om verder te kunnen werken aan het bewijs dat haar theorie levensvatbaar was.

Toen ze haar bureau eindelijk leeg had, belde ze opnieuw de lijkschouwer. 'Hallo, Frank. Met Melanie May, politie Whistlestop. Ik heb je gisteren gebeld over de dood van Jim McMillian.'

'Ja? Kan ik verder nog iets voor je doen?'

'Ik heb nog één vraag. Is het mogelijk dat Jim McMillian is vermoord?'

Hij bleef lang stil aan de andere kant van de lijn. 'Mijn conclusie luidde dat McMillian een natuurlijke dood is gestorven. Weet jij iets wat ik niet weet?'

'Nee,' antwoordde ze haastig. Het laatste waarop ze zat te wachten, was dat hij het CMPD belde met de mededeling dat zij bezig was haar neus in hun zaken te steken. 'Misschien moet ik het anders formuleren. Zou iemand op die manier een moord kunnen plegen?'

'Het zou kunnen, maar er is niets wat daar in dit geval op wijst. Digitalis wordt gewonnen uit vingerhoedskruid. Als Mr. McMillian vergiftigd was, zou ik sporen van vingerhoedskruid in zijn maag hebben gevonden.'

'Maar als het slachtoffer al digitalis gebruikte op doktersvoorschrift, kan het dan niet zijn dat hij een overdosis heeft binnengekregen? Een verhoogd digitalisniveau in het bloed kan leiden tot een hartaanval. In dit geval zou dat voor jou onmogelijk zijn vast te stellen, omdat het slachtoffer het spul al slikte als medicijn.'

De lijkschouwer schraapte zijn keel. 'Heb je enige reden om te vermoeden dat McMillian is vergiftigd? Is hij ooit bedreigd? Had zijn vrouw recent misschien een enorme levensverzekering afgesloten? Had hij vijanden die zover zouden gaan om van hem af te komen?'

'Nee, eh... Ik bedoel, dat weet ik niet, maar –'

'Je kijkt te veel naar de televisie,' zo viel hij haar in de rede. 'De dood brengt nu eenmaal altijd raadsels met zich mee. Het menselijk lichaam is geen machine. We kunnen niet altijd precies vaststellen waardoor het ermee ophoudt. Dus tenzij je een concrete reden hebt om het dossier McMillian te heropenen, beschouw ik dit gesprek als beëindigd.'

Melanie had geen concrete reden, en toen ze ophing, zag ze dat Bobby haar zat aan te staren. 'Wat is er?' Strijdlustig stak ze haar kin naar voren. 'Ik controleer gewoon een vermoeden dat ik heb.'

'Ben je soms gek geworden? Heb je enig idee hoe link het is wat je doet? Eén telefoontje van Frank Connell, en je zit tot over je oren in de problemen.'

'Ik weet het.' Ze keek haar aantekeningen van de vorige dag door en stond op. 'Wil je alsjeblieft iets voor me doen? Als de baas vraagt waar ik ben, zeggen dat ik op hoerenjacht ben?'

Melanie had niet anders verwacht dan dat het adres dat Sugar haar had gegeven, vals zou blijken te zijn. Haar vermoeden leek te worden bevestigd toen dat adres zich in een keurig appartementengebouw bleek te vinden in een van de betere wijken van Charlotte. Een heel eind van de hoek waar de prostituee was opgepikt. Sterker nog, Sugar woonde helemaal niet zo ver bij Ashley vandaan.

Melanie drukte op de bel. Toen er werd opengedaan, deed de vrouw aan de andere kant van de deur haar in niets denken aan de geharde prostituee die ze had ondervraagd. De herkenning in haar ogen verried haar echter.

'Sugar?' zei Melanie.

De vrouw keek over haar schouder. Toen pas werd Melanie zich bewust van het geluid van een televisie. Een tekenfilm, zo te horen.

'Kathy,' verbeterde de vrouw haar. 'Kathy Cook. Wat kom je doen?'

'Ik moet je een paar vragen stellen.'

'Ik heb toch gezegd dat ik die vent niet ken?'

Ze wilde de deur al dichtdoen, maar Melanie hield haar tegen. 'Het gaat niet om hem. Ik wil je iets vragen over die vent die je bont en blauw sloeg?'

Verrast keek ze Melanie aan. 'Samson? Wat wil je over hem weten?'

'Wat bedoelde je toen je zei dat het lot en moeder natuur met hem hadden afgerekend?'

Ze wierp een snelle blik over haar schouder. 'Hoor eens, mijn zoontje is thuis. Dus ik heb er geen enkele behoefte aan dat de politie voor problemen komt zorgen –'

'Dat wil ik ook helemaal niet. Ik wil alleen maar weten hoe hij is gestorven.'

'Hij heeft een overdosis genomen. Zo, en laat je me nu verder met rust?'

'Een overdosis,' herhaalde Melanie teleurgesteld. Natuurlijk, pooiers en mensen uit het nachtleven namen voortdurend overdoses. Daarachter hoefde ze niet de hand van een meestermoordenaar te vermoeden.

'En voordat je het vraagt, ik moet keihard werken om mezelf en mijn kind te onderhouden, maar ik raak die troep niet aan.'

Dat had Melanie al vaker gehoord. Soms van mensen die zo stoned waren, dat ze amper rechtop konden staan. Toch geloofde ze het deze keer. In Sugars ogen las ze een felheid en een vastberadenheid die ze daar niet had gezien onder de felle lampen in de ondervragingsruimte.

'Was hij verslaafd?' vroeg Melanie. 'Was het iemand die je kende van de straat?'

Ze schudde haar hoofd. 'Nee, toen ik hem leerde kennen, was ik van de straat af en had ik een gewone baan. Ik kreeg goed betaald. Er was opvang voor mijn zoontje. Toen leerde ik hem kennen. Hij werkte bij een bedrijf aan de overkant van de straat. Hij had een goede baan.' Ze snoof verachtelijk. 'Toen ik Samson Gold leerde kennen, dacht ik dat het geluk me eindelijk toelachte.'

'Wanneer begon hij je te slaan?'

'O, dat heeft wel even geduurd. Hij leek... heel anders dan de mannen die ik tot dan toe had gekend. Anders dan de...' Ze dempte haar stem. '...mannen die ik als klant had gehad. Hij trok bij me in, en toen begon hij te veranderen. Hij ging aan de coke. Behoorlijk heavy. Daar raakte hij van in de war, en hij werd gewelddadig. Hij raakte zijn baan kwijt, en omdat hij me voortdurend belde met dreigementen aan het adres van mijn collega's, werd ik uiteindelijk ook ontslagen.' Haar gezicht verstrakte. 'Ik ging naar de politie. Ze deden geen moer, want een van die lui herkende me nog van de straat.' Ze lachte verbitterd. 'Hoeren verdienen blijkbaar niet beter.'

Uit de kamer klonk het gelach van een kind. Melanie dacht aan Casey en voelde een steek van pijn in haar hart. 'En toen?'

'Toen kwam het lot tussenbeide. Of mijn beschermengel. Hij kocht een portie coke gemengd met heroïne. En niet zomaar heroïne. Honderd procent zuiver. Zwaarder is er niet.' Ze fronste haar wenkbrauwen. 'Ik ben er nooit achter gekomen hoe hij aan dat spul is gekomen. Er is geen dealer die zoiets verkoopt. Zuivere heroïne is op straat onmogelijk te krijgen. Daarvoor is het veel te duur. Als Samson had geweten dat het dat was, zou hij het nooit hebben gesnoven! Hij was hartstikke verslaafd, maar hij was niet gek.'

Melanie kon haar opwinding nauwelijks beheersen. Drie! Het

waren er drie! Drie mannen die onder bizarre omstandigheden waren gestorven.

'Mammie? Wie is daar?'

Kathy keek over haar schouder. 'Gewoon een vriendin, lieverd. Ga maar weer televisie kijken. Ik kom zo.' Ze keerde zich naar Melanie. 'Ik kan niet langer praten.'

'Dat begrijp ik. Bedankt.' Losjes legde Melanie haar hand op haar arm. 'Ik vind het afschuwelijk dat je het gevoel hebt dat de politie niets voor je doet. Als je ooit weer hulp nodig hebt, kom dan bij mij. Ik zal doen wat ik kan.'

Hoewel Kathy knikte, stonden haar ogen wantrouwend.

Melanie vermoedde dat ze niet veel vriendelijkheid in haar leven had gekend.

'Maak je over mij maar geen zorgen,' zei ze. 'Ik ga uit het leven. Ik heb vooruitzichten op een baan, mét kinderopvang. Dat zou ik al eerder hebben gedaan, maar ik moest eerst wat sparen om hier te kunnen blijven wonen. Er is hier een goede school, en ik wil dat mijn zoontje met leuke kinderen omgaat, uit goede gezinnen. Ik wil niet dat hij net zo wordt als –' Ze zweeg abrupt, alsof ze zich plotseling herinnerde dat ze met de vijand sprak. 'Ik moet naar binnen.'

'Nog één vraag, hoe lang is het geleden dat Samson is gestorven?'

Ze dacht even na. 'Vier maanden. Ja, dat klopt, want het was vlak voor Thanksgiving. En ik kan je wel vertellen dat ik nog elke dag dankbaar ben.'

21

Terwijl Melanie haar jeep in een van de parkeerhavens voor het bureau Whistlestop manoeuvreerde, dacht ze koortsachtig na over wat Sugar haar had verteld.

Ze had inmiddels drie dode mannen. Drie dode mannen die gewelddadig waren geweest. Drie mannen die door de handen van justitie waren geglipt. Drie mannen die onder verschillende, maar bizarre omstandigheden waren gestorven. Drie mannen die op een vreemde manier het slachtoffer waren geworden van hun eigen zwakheden.

In gedachten liet ze ze opnieuw de revue passeren. Een coke-snuiver neemt een overdosis van een portie drugs die nooit op de straat had mogen belanden. Een hartpatiënt wordt het slachtoffer van de medicijnen die worden geacht zijn gezondheid te waarborgen. Een man die allergisch is voor bijen overlijdt achter het stuur, terwijl hij wild om zich heen slaat om de diertjes van zich af te houden.

Bestond er een verband tussen die drie sterfgevallen? Of waren ze niet meer dan een bizar toeval? Of een daad van goddelijke vergelding?

Met een zucht legde Melanie haar hoofd tegen de rugleuning van haar stoel en sloot haar ogen. Terwijl ze haar gedachten en gevoelens ordende, kwam ze tot de conclusie dat deze sterfgevallen geen toeval waren. Dat deze mannen waren vermoord. Door een en dezelfde dader.

Als ze gelijk had, zou dat betekenen dat er een seriemoorde-naar aan het werk was in Charlotte en omgeving, met als doelwit mannen die zich schuldig maakten aan geweld tegenover vrou-wen.

Melanie schudde haar hoofd, want ze besefte hoe vergezocht anderen haar theorie zouden vinden. Hoe ongeloofwaardig. Er moest iets zijn wat de drie mannen met de moordenaar verbond. En dat moest ze zien te vinden.

Op het moment dat ze haar portier opendeed, kwam Bobby naar buiten. 'Bobby!' riep ze opgewonden uit. 'Ik moet met je praten.'

Met grote stappen kwam hij naar haar toe. 'Rijen met die kar! Ze hebben een verdachte in de zaak Andersen. De baas wil dat we erbij zijn wanneer ze hem ondervragen.'

'Oké.' Ze trok haar portier weer dicht. 'Wie is het?'

'De vent die Joli heeft bedreigd op de avond dat ze werd ver-moord. Jenkins heet hij. Een paar dagen terug heeft hij zich op-nieuw laten zien. De barkeeper herkende hem en heeft het CMPD gebeld.'

'Heeft hij zich opnieuw laten zien in dezelfde club?' Ze schud-de haar hoofd. 'Dan is hij of onschuldig, of een ongelooflijke stommeling.'

'Volgens de computer is hij al eerder met de politie in aanra-king geweest. Roofovervallen, gewelddelicten. Maar hij is nooit veroordeeld. Mr. Jenkins is blijkbaar nogal driftig uitgevallen. Bij zijn laatste aanraking met de wet had hij een biljartkeu op ie-mands hoofd kapotgeslagen. Blijkbaar omdat de persoon in kwestie twijfelde aan zijn seksuele geaardheid.'

Melanie fronste haar wenkbrauwen en dacht aan het profiel dat Connor Parks had opgesteld. Mr. Jenkins klonk als de tegen-pool van de knappe, succesvolle, vlotte prater die Parks had be-schreven. 'En ze denken dat hij haar heeft vermoord?'

Bij het horen van de twijfel in haar stem, haalde Bobby zijn schouders op. 'Alle schijn is tegen hem. Hij had een motief; hij is die avond in de club geweest, en hij heeft haar bedreigd.'

'We zullen zien,' mompelde ze niet overtuigd. 'Ik ben be-nieuwd wat hij te zeggen heeft.'

Een tijdje reden ze zwijgend verder. Hoewel het tegen het spitsuur liep en ze dwars door het centrum reden, was de sfeer eerder landelijk dan grootsteeds. Misschien kwam dat doordat de stad met zijn zacht glooiende heuvels zo groen was. Of misschien doordat Charlotte een schone stad was, op een ouderwetse manier bemind en gekoesterd door haar inwoners.

'O, trouwens, ik heb tegen de baas gezegd dat je een tip in de zaak Andersen ging controleren,' zei Bobby, 'en dat ik je op het hoofdbureau van het CMPD zou zien. Gelukkig voor ons allebei kwam je net op tijd opdagen.'

Ze schonk hem een dankbare glimlach. 'Bedankt. Als ik ooit iets voor jou kan doen...'

'Kun je me misschien vertellen wat er gaande is?'

'We hebben het gisteren toch over Jim McMillian gehad en over de omstandigheden waaronder hij is gestorven?'

'Ja?'

'Ik besefte vannacht ineens dat het niet de overeenkomst tussen zijn dood en de dood van mijn vader was die me dwarszat, maar het feit dat er kort na elkaar drie mannen zijn gestorven die ervan werden beschuldigd dat ze hun vrouw sloegen. En alledrie zijn ze onder bizarre omstandigheden om het leven gekomen.'

'Sorry, maar dat kan ik niet volgen. Hoe kom je aan drie?'

Ze legde het uit, van de zaak Thomas Weiss waarmee ze enkele weken eerder was geconfronteerd, tot haar gesprek met Sugar die ochtend. Toen ze de auto voor het hoofdbureau van het CMPD tot stilstand had gebracht, keek ze haar collega aan. 'Dat zijn er dus drie, Bobby. Drie mannen die hun vrouw of hun vriendin sloegen. Drie mannen die zijn gestorven als gevolg van een bizarre speling van het lot.'

Vragend fronste hij zijn wenkbrauwen. 'Wat wil je daarmee zeggen? Dat er een verband is tussen die drie sterfgevallen?'

'Ja, natuurlijk!' Even wendde ze haar blik af. Toen keek ze hem weer aan. 'Zie je het dan niet? Zie je dan niet hoe logisch de conclusie is die ik trek?'

'Ik weet het niet, Mel. Wil je een eerlijk antwoord?' Toen ze knikte, zei hij, met een hand over zijn kaak wrijvend: 'Volgens mij heb je een te levendige fantasie. Hebben die mannen ook maar iets met elkaar te maken?'

'Ze zijn alledrie gewelddadig, en ze zijn alledrie – om verschillende redenen – nooit voor hun daden gestraft. Bovendien zijn ze alledrie gestorven onder bizarre omstandigheden.'

'Dat kan best waar zijn, maar ze kwamen uit totaal verschillende milieus; ze woonden en werkten in verschillende delen van de stad; er bestond geen enkele overeenkomst qua leeftijd, opleiding, of –'

'Ik begrijp wat je wilt zeggen.' Gefrustreerd viel Melanie hem in de rede. 'Mijn theorie heeft meer gaten dan een stuk Zwitserse kaas.'

'Wacht even...' Hij stak quasi-angstig zijn handen op. 'Ik probeer me gewoon te verplaatsen in de jury. Als je mij al lastig vindt, dan zou ik me maar eens afvragen hoe de baas zal reageren.'

Ze deed het portier open en stapte uit. Bobby volgde haar voorbeeld, en samen liepen ze naar het gebouw. 'Probeer je me weer voor problemen te behoeden?'

'Ach, iemand moet het toch doen.' Grijnzend hield hij de deur voor haar open. 'Bovendien ben ik nogal aan je gehecht geraakt. Met jou is het tenminste nooit saai.'

'Bedankt. Althans, ik neem maar aan dat je dat als een compliment bedoelde.'

Ze liepen de hal van het gebouw door.

'Bovendien...' vervolgde Bobby, terwijl ze in de lift stapten. 'Ik zeg niet dat je het mis hebt. Alleen dat je mij nog niet hebt overtuigd. Probeer nog wat meer boven tafel te krijgen en leg het dan aan de baas voor.'

'Wacht even! Ik moet ook nog mee!'

Melanie stak haar hand tussen de deuren, zodat ze weer openschoven.

Even later stapte Connor Parks bij hen in de lift, met een fles champagne onder zijn rechterarm. Hij glimlachte. 'Hallo, stuk. Taggerty.'

Bobby verbeet een glimlach, maar Melanie kneep geërgerd haar ogen tot spleetjes. 'Wat doe je hier, Parks? Ik hoor dat Cleve Andersen ervoor heeft gezorgd dat je van de zaak bent gehaald?'

Er verscheen een glimlach om zijn mond. 'Dat is ook toevallig.

Ik heb over jullie hetzelfde gehoord. Blijkbaar krijgen we vandaag allebei een bot toegeworpen.'

Met tegenzin moest Melanie toegeven dat hij zich niet gemakkelijk uit zijn evenwicht liet brengen. Met opgetrokken wenkbrauwen wees ze op de fles onder zijn arm. 'Is dat ter ere van dat bot, of heb je er gewoon een hekel aan om alleen te drinken?'

Het was een stoot onder de gordel, en dat was ook de bedoeling. Zijn gezicht verstrakte.

De lift stond stil; de deuren gleden open, en ze stapten uit. Een eindje verderop hadden zich wat mensen verzameld, onder wie Steve Rice, Parks' superieur. Hij gebaarde Connor op te schieten.

Parks keek Melanie aan. In zijn ogen zag ze dat het gevoel van onbehagen dat ze hem had bezorgd, plaats had gemaakt voor geamuseerdheid. 'Doe er je voordeel mee, stuk. Het kan geen kwaad om de grote jongens aan het werk te zien. Misschien leer je er nog wat van.'

Hij wilde al weglopen, maar ze hield hem tegen, geërgerd maar niet in staat haar nieuwsgierigheid te bedwingen. 'Dat is dezelfde champagne als de fles die we na de moord op Joli Andersen hebben aangetroffen.'

Er verschenen lachrimpeltjes bij zijn ooghoeken. 'Zie je wel? Je begint het al te leren.'

22

'Je bent laat,' begroette Rice Connor.

Deze keek op zijn horloge. 'Gezien het feit dat je me nog geen halfuur geleden hebt gebeld, had ik een andere begroeting verwacht. Iets in de trant van: "Goh, bedankt dat je zo snel kon komen, Con."'

'Ben je nuchter?'

'Sodemieter toch op!'

De SAC kneep zijn ogen tot spleetjes. 'Dat is geen antwoord.'

'Ja, ik ben nuchter, verdomme. Al tweeëntwintig dagen. En ik vind het verschrikkelijk.'

'Mooi. Ik ga bij de ondervraging zitten, alleen om de druk wat te verhogen. Jij observeert. Ik wil dat je elke zucht die hij slaakt, registreert. Elke keer dat hij met zijn ogen knippert. Ze denken dat hij het is.'

'Voel je je hier wel prettig bij, Steve? Ben je niet bang dat ik iemands leven of carrière in gevaar zal brengen?'

'Doe je mee of niet?'

'Nou en of ik meedoe!' Hij gaf Rice de fles. Zoals Melanie al had opgemerkt, was het precies zo'n fles als ze hadden aangetroffen in de motelkamer waar Joli Andersen was vermoord. 'Heb je de andere rekwisieten?'

'Ja.'

Op dat moment kwamen Pete Harrison en Roger Stemmons

aanlopen. 'Hallo, mannen,' zei Rice. 'Zullen we eens kijken of we Mr. Jenkins het vuur na aan de schenen kunnen leggen?'

Enkele minuten later betrad Connor de kamer vanwaar de ondervraging op video werd gevolgd. May en Taggerty zaten er al. Samen met een vertegenwoordiger van de officier van justitie en een handvol andere agenten.

Hij ging naast Melanie zitten. In de aangrenzende kamer zat Jenkins te wachten tot hij zou worden ondervraagd. Zodra hij de verdachte zag, wist Connor al wat hij al uit diens beschrijving had geconcludeerd: Ted Jenkins was niet de man die ze zochten. Hij voldeed niet aan het profiel. Hoewel hij fysiek niet onaantrekkelijk was, vormde hij het prototype van de mislukkeling – van zijn onverzorgde, golvende bruine haar tot zijn mouwloze T-shirt en de sigaret die hij achter zijn oor had gestoken. Hij leek in niets op het type van de succesvolle yup tot wie Joli zich aangetrokken zou hebben gevoeld.

Rice en de twee rechercheurs gingen tegenover de verdachte zitten. Pete Harrison zette de champagnefles op tafel en legde er een stapel dossiermappen naast. Jenkins zag eruit alsof hij misselijk was van de zenuwen, al voordat hem ook maar één vraag was gesteld.

Connor boog zich naar Melanie toe. 'Zie je dat Harrison die fles net binnen Jenkins' gezichtsveld heeft gezet?' fluisterde hij. 'Als hij schuldig is, zal hij niet in staat zijn de fles te negeren. Dan zal hij er voortdurend naar kijken en hoe langer hoe meer gaan zweten.'

'Waar zijn al die dossiermappen voor?'

'O, dat stelt niets voor. Zijn naam staat erop, maar er zit alleen maar blanco papier in. De bedoeling is om de indruk te wekken dat we al een heleboel informatie over hem hebben.'

Melanie toonde zich niet onder de indruk. 'Dus dit zijn nu de trucs van de beroemde mannen van de FBI?'

'Inderdaad, ontwikkeld door een speciale eenheid in Quantico.'

De uitdrukking op haar gezicht onderging een subtiele verandering. 'Nou ja, misschien leer ik toch nog iets vanmiddag.'

Nadat de rechercheurs zich hadden voorgesteld, begon de ondervraging, en Connor concentreerde zich volledig op wat er voor hem gebeurde.

'Wat moet die fles spuitwater hier?' Jenkins gebaarde met zijn hoofd naar de fles.

'Het lijkt me beter als ik de vragen stel,' zei Harrison, de leiding nemend. 'Waar heb je de afgelopen weken gezeten, Ted?'

'Nergens.' Jenkins wreef met zijn handen over zijn dijen. 'Gewoon een beetje rondgehangen.'

'Nergens?' herhaalde de ondervrager. 'Gewoon wat rondgehangen?'

'Ja,' antwoordde Jenkins koppig. Hij keek naar Stemmons, toen naar Rice. 'Wat is daar mis mee?'

'Met andere woorden: je hebt je gedeisd gehouden.'

'Helemaal niet.' Hij keek weer naar Harrison.

'Waarom ben je niet bij ons langs geweest?' Het was Stemmons die de vraag stelde.

'W-waarom zou ik?'

De politiemannen keken elkaar aan. 'Ach, wat zal ik eens zeggen? Misschien omdat een vrouw die je hebt geprobeerd te versieren, maar die niets van je moest hebben –'

' – nogal wreed –'

' – is vermoord. Diezelfde avond nog.'

'Daar heb ik niets mee te maken!'

'Je hébt haar die avond bedreigd. Waar of niet, Ted?'

'N-nee.'

'We hebben getuigen. Je hebt tegen haar gezegd dat ze er spijt van zou krijgen. Of niet soms?'

'Ja, maar daar... daar bedoelde ik niets mee.' Smekend keek hij van de een naar de ander, als een in het nauw gedreven dier.

Connor fronste zijn wenkbrauwen. Na zijn aanvankelijke vraag over de champagne leek hij de fles te zijn vergeten.

'Misschien moet ik een advocaat bellen.'

'Ga je gang. Daar heb je het volste recht toe,' zei Harrison. 'Tenminste, als je denkt dat je er een nodig hebt.'

Even aarzelde Jenkins, toen schudde hij zijn hoofd. 'Ik heb niets te verbergen.'

'Daar ben ik blij om, Ted.' Harrison glimlachte geruststellend. 'Laten we eens teruggaan naar de avond waarop Joli Andersen werd vermoord. Naar het conflict dat jij met haar had. Je hebt tegen haar gezegd dat ze er spijt van zou krijgen. Als je daar niets mee bedoelde, waarom zei je het dan?'

'Ik was gewoon kwaad.'

'Kwaad? Volgens onze getuigen was je buiten zinnen! Zo buiten zinnen, dat je gezicht rood aanliep en dat je begon te stotteren.'

'Oké, dat is waar... Ik voelde me afgezeken. Ze zette me te kakken. Waar iedereen bij was. Maar ik wilde haar geen... Ik was niet van plan om... haar iets te doen.'

De rechercheurs wisselden een veelbetekenende blik uit. Stemmons boog zich naar Jenkins toe. 'Ik begrijp het heel goed, maat,' zei hij op gedempte toon. 'Het was een lekker stuk, en je wilde gewoon een beetje aandacht. Ze had geen enkele reden voor wat ze heeft gedaan en had je geen mislukkeling mogen noemen.' Hij dempte zijn stem nog meer. 'Ik zou me zo afgezeken hebben gevoeld, dat ik haar het zwijgen had willen opleggen. Ongeacht op welke manier. Had jij dat ook, Ted? Was je zo woedend, dat je wel een kussen op haar gezicht had kunnen drukken, gewoon om te zorgen dat ze haar mond hield –'

'Nee! Ik was gewoon woedend, en ik wilde dat ze haar bek dichthield.' Hij ging met zijn tong over zijn lippen. 'Maar ik bedoelde er verder niets mee, en ik ben uiteindelijk weggegaan.'

'Maar je bent later teruggekomen!'

'Dat is niet waar.'

'Je bent naar haar toe gekomen op het parkeerterrein.'

'Dat is niet waar! Ik heb haar nooit meer gezien. Dat zweer ik.'

'We hebben een getuige die heeft gezien dat je haar op het parkeerterrein hebt aangesproken.'

'Dat is niet waar!'

'Dat je haar naar haar auto bent gevolgd.'

Heftig schudde hij zijn hoofd. Zo te zien, stond het huilen hem nader dan het lachen. 'Dat is niet waar!'

'Jij bent de laatste die haar nog in leven heeft gezien. De allerlaatste.'

'Dat is niet waar!' Hij sprong bevend overeind. Niet van woede, zag Connor. Van angst. 'Ik wil een advocaat! Ik heb haar die avond niet meer gezien, en ik zeg geen woord meer tot ik een advocaat heb.'

Even later kwamen Harrison, Stemmons en Rice het vertrek binnen waar de anderen het gesprek op video hadden gevolgd.

'En?' vroeg Harrison. 'Wat denk je?'

Connor wendde zich van de monitor af. 'Hij is het niet.'

'Hoe weet je dat zo zeker?' vroeg de hulpofficier van justitie.

'Omdat hij een mislukkeling is. Joli had gelijk. Kijk maar naar zijn kleren. Zijn haar. In wat voor auto rijdt hij? De een of andere ouwe Ford of een Chevy truck? Met zo'n vent zou ze zich nooit hebben ingelaten.'

De hulpofficier van justitie verstijfde. 'Ik geloof niet dat een slachtoffer haar moordenaar zelf uitkiest.'

'Je zou verbaasd zijn hoe vaak dat gebeurt. Maar wat ik bedoel, is dat we tot de conclusie zijn gekomen dat Joli Andersen uit vrije wil met haar moordenaar is meegegaan naar die motelkamer.'

'Dat hele gedoe in die club kan ook komedie zijn geweest,' opperde Bobby Taggerty. 'Om de omgeving op het verkeerde been te zetten. Ze hadden later op het parkeerterrein afgesproken.'

'Waarom zouden ze dat hebben gedaan?' vroeg Steve Rice. 'Ze waren geen van beiden getrouwd. Ze waren geen collega's van elkaar. En voorzover we weten, hadden ze elkaar tot die avond nooit eerder ontmoet.'

'Hij is het niet,' herhaalde Connor. 'Na zijn vraag over die champagne heeft hij er niet meer naar gekeken. Als hij hetzelfde met zo'n fles had gedaan als de moordenaar van Joli Andersen, zou hij zijn ogen er niet van af hebben kunnen houden. En hij zou waarschijnlijk een erectie hebben gekregen.'

De hulpofficier van justitie hield verschrikt haar adem in. 'Dat is walgelijk.'

'Ja, dat is het, maar we hebben het hier over een vent die een brute moord heeft gepleegd en daar een kick van heeft gekregen.'

'Ik ben het met Parks eens,' zei Rice. 'Jenkins was rechtshandig. Studies tonen aan dat rechtshandige verdachten doorgaans de waarheid spreken als ze bij het beantwoorden van een vraag naar links kijken. Als ze naar rechts kijken, zitten ze meestal te liegen. Jenkins heeft tijdens de hele ondervraging naar links gekeken wanneer hij antwoord gaf.'

'Hij heeft Joli Andersen niet vermoord,' zei Connor vlak. 'Jullie moeten verder zoeken.'

Harrison zuchtte gefrustreerd. 'Jenkins is de droom van iedere politieman. Hij had een motief; hij heeft een geschiedenis van geweldddelicten, en bovendien gedroeg hij zich alsof hij schuldig is.'

'Nou, dan ga je toch lekker met hem door,' mompelde Connor sarcastisch. 'Wat kan jou het schelen? Het gaat tenslotte maar om het geld van de belastingbetaler en om het leven van die arme sodemieter.'

'Parks,' mompelde Rice waarschuwend.

'Ga vooral door, mannen,' zei Connor, hem negerend. 'En ik kan jullie garanderen dat jullie op een verschrikkelijke manier op jullie bek gaan.'

'Misschien heb je het mis,' zei Melanie zacht. 'Misschien klopt je profiel niet.'

Hij keek haar aan. 'Ik zit er nooit zó ver naast, May. Nooit! Zo, en willen jullie me nu verontschuldigen.' Hij liep de kamer uit, in de wetenschap dat zijn baas hem zou volgen. En hij kreeg gelijk.

'Je verdomt het gewoon om een beetje tactvol te zijn, hè?'

Met een luchtig gebaar haalde Connor zijn schouders op. 'Wat zal ik zeggen? Ik ben nu eenmaal niet volmaakt.'

Langzaam schudde Rice zijn hoofd. 'Je bent een nagel aan mijn doodskist, maar je hebt te veel talent om thuis voor de televisie te zitten.'

'Ach, dat is soms verrassend interessant, weet je dat?'

De SAC dempte zijn stem. 'Hoe gaat het met je?'

'Goed.' Connor ontweek zijn blik, want het was een regelrechte leugen. De afgelopen maand was een nachtmerrie geweest. Alleen met zijn gedachten, zonder drank om de pijn te verdoven.

'Ik wil dat je terugkomt. Ik heb je nodig. Het Bureau heeft je nodig.'

'Maar?'

'Maar het is niet genoeg dat je nuchter bent. Ik wil dat je je weer voor honderd procent voor het Bureau inzet.'

'Je vraagt ook niet weinig, hè?'

Steve glimlachte vreugdeloos. 'Tja, zo ben ik nu eenmaal. Bel me wanneer je denkt dat je me dat kunt toezeggen.'

Connor keek hem na terwijl hij weer in de videokamer verdween. Toen wendde hij zich af. Hij wist dat hij niet zou bellen. Wat Rice vroeg, was onmogelijk. Nooit zou hij zich meer ergens voor honderd procent voor kunnen inzetten. Niet tot hij wist wat er met zijn zusje was gebeurd.

23

~~~

'Hé, Ash!' Melanie omhelsde haar zusje. 'Je bent de eerste. Kom binnen.'

'Niet echt een verrassing.' Ashley glimlachte wrang. 'In aanmerking genomen dat Mia haar hele leven nog nooit ergens op tijd is geweest.'

Melanie lachte vrolijk. De hele week had ze naar deze dag uitgekeken. 'Dat is waar, maar Veronica is nog erger! Terwijl je toch zou denken dat een advocaat zou moeten weten hoe belangrijk het is om op tijd te zijn.'

'Dus ik ga eindelijk de geweldige, geheimzinnige Veronica ontmoeten.'

'Zo geheimzinnig is ze niet. Je had haar al veel eerder kunnen ontmoeten, als je het niet zo druk had gehad.'

'Maar ze is wel geweldig, hè? De grootste ontdekking sinds het espressoapparaat.'

Een beetje verward door de scherpe klank in de stem van haar zus, keek Melanie haar aan. 'Wat bedoel je?'

Ashley schudde haar hoofd. 'Laat maar. Een misplaatst grapje van me. Waar is mijn kleine tijger?'

'Casey? O, die is bij zijn vader. Het is Stans weekend.' Vervolgens gebaarde Melanie naar de keuken. 'Ik was net bezig margarita's te maken. Misschien kun je me even helpen.'

Zwijgend liep Ashley met haar mee. Melanie had een schaal

rauwkost klaargezet, een pittige bonendip en tortillarolletjes. Bij het zien van de schaal, trok Ashley haar wenkbrauwen op. 'Toe maar! Wat een weelde. En dat zomaar voor ons viertjes?'

'Ik had gewoon zin in iets feestelijks.'

'Hmm.' Haar zus pikte een worteltje van de schaal en doopte het in de dipsaus. 'Waarom?'

'Moet ik daar een reden voor hebben?' Ze gooide de inhoud van een kan zo goed als bevroren citroenlimonade in de blender, gevolgd door tequila, sinaasappellikeur en ijs. Zodra ze de knop omdraaide, vulde de keuken zich met het geluid van ijs dat werd verpulverd. Toen de vloeistof de juiste samenstelling leek te hebben, zette ze het apparaat uit. 'Geef me eens twee glazen. Dan kunnen we vast proeven.' Nadat ze ze vol had geschonken, gaf ze er één aan haar zusje.

Ashley nam een slok en bromde goedkeurend. 'Perfect.'

'Waar heb je het zo druk mee gehad?' Melanie proefde eveneens. 'Ik heb je in minstens twee weken niet gezien.'

Onverschillig haalde Ashley haar schouders op. 'Ach, niets bijzonders. Bovendien ben ík volgens mij niet degene die het zo druk heeft gehad.'

Opnieuw bracht iets in Ashleys stem Melanie in verwarring. Het leek wel alsof ze boos was, of zich gepikeerd voelde. Voordat ze kon vragen wat er aan de hand was, veranderde Ashley echter van onderwerp.

'Ik heb begrepen dat Mia en Veronica erg veel tijd samen doorbrengen.'

'Geen idee. Ik weet alleen dat ze een paar keer zijn gaan winkelen en lunchen.'

'Opmerkelijk.'

Deze keer besloot Melanie de opmerking niet te laten passeren. Ze snoof geïrriteerd. Blijkbaar had Ashley weer een van haar buien. 'Wat bedoel je daar nu weer mee?'

'Denk nou eens na. Mia's huwelijk ligt op zijn gat, en wat doet ze? Lunchen en winkelen met haar nieuwe vriendin.'

'Zou je soms liever willen dat ze thuis zat te huilen? Bovendien, ik heb ze in de gaten gehouden. Boyd gedraagt zich de laatste tijd keurig.' Sinds Bobby en zij hem een bezoekje hadden gebracht, voegde ze er in gedachten aan toe. 'En wat onze zus betreft, haar stemmingen wisselen tussen pure wanhoop en een soort blijmoedig optimisme. Niet zo vreemd, gezien de omstandigheden.'

'Je zult wel gelijk hebben. Ik vind dat ze bij die hufter weg moet, maar mijn mening schijnt haar niet te interesseren.' Ze viste een tortillarolletje van de schaal. 'Vertel me nog eens hoe je Veronica hebt leren kennen.'

Dankbaar dat ze het over iets anders kon hebben dan het problematische huwelijk van hun zusje, deed Melanie wat ze vroeg. Ze begon met hun eerste ontmoeting in het kantoor van de officier van justitie, waarbij ze tot de ontdekking waren gekomen dat ze elkaar kenden van de koffiezaak, en eindigde met de avond waarop ze elkaar waren tegengekomen bij de *dojang*.

'Merkwaardig,' mompelde Ashley. 'Dat jullie naar dezelfde koffiezaak en dezelfde *dojang* bleken te gaan. Charlotte is een grote stad.'

'Dat valt wel mee. De Starbucks ligt centraal – dat is ook precies de reden waarom we hem hebben gekozen – en Mr. Browne is de enige taekwondoleraar in de wijde omgeving met nationale erkenning.'

Bij het zien van de wantrouwende uitdrukking op het gezicht van haar zusje, begon Melanie te lachen. Dit was typisch Ashley. Die zocht altijd overal iets achter. Melanie knuffelde haar even. 'Ik weet zeker dat je haar aardig vindt. Mia en zij konden het ook meteen geweldig goed met elkaar vinden.'

'O, gewéldig,' herhaalde Ashley. Plotseling verscheen er een glimlach om haar mond. 'Nou ja, dat zullen we nog wel eens zien.'

Even later kreeg ze haar kans toen Mia en Veronica gelijktijdig arriveerden.

Melanie wierp een bezorgde blik op het gezicht van haar zusje. Er lag een blos op Mia's wangen, en ze glimlachte stralend. Een beetje al te stralend, vond Melanie. Blijkbaar was de stemming die dag opgewekt. Nadat ze iedereen aan elkaar had voorgesteld, loodste ze haar gasten naar buiten met een drankje.

'Waar heb jij al die tijd gezeten, Ash?' Mia liet zich in een van de gemakkelijke stoelen vallen. 'Ik heb je gemist.'

'O ja?' Ashley keek naar Veronica, toen weer naar Mia. 'Ik sta anders gewoon in het telefoonboek.'

Hoofdschuddend nam Mia een slokje van haar glas. 'Ik wed dat die sexy politieman met wie je uitgaat je aardig bezig heeft gehouden.'

Ashley bloosde. 'Ik heb hem al een tijdje niet meer gezien. Dat weet je heel goed.'

'Dat weet ik helemaal niet. Bovendien schijn jij het heel normaal te vinden om af en toe dagen achter elkaar te verdwijnen –'

Op dat moment kwam Veronica tussenbeide. 'Nou ja, ik ben in elk geval blij dat ik eindelijk het derde zusje heb leren kennen.' Ze schonk Ashley een warme glimlach. 'Hoewel ik eigenlijk het gevoel heb dat ik je al ken. Melanie en Mia hebben het zo vaak over je gehad.'

'Ik vroeg me al af waarom mijn oren zo jeukten.'

'Verrukkelijk! Ik ben dol op margarita's.' Mia nam nog een slok van haar drankje. 'Die zouden we elke dag moeten drinken.'

'Dan stel ik een toost voor.' Veronica hief haar glas. 'Op goede vriendinnen en koude drankjes. Mogen ze altijd hand in hand gaan.'

De rest viel haar bij; de glazen werden geheven, en vanaf dat moment was elk gevoel van ongemakkelijkheid tussen de vier vrouwen verdwenen. Ze dronken, lachten, smulden en praatten over van alles en nog wat: het weer, de laatste mode, films.

Toen de conversatie even verslapte, boog Veronica zich opgewonden naar voren. 'Dat vergat ik je bijna te vertellen, Melanie. Ik heb goed nieuws. Ik heb met mijn vriendin gesproken. Die advocate over wie ik je heb verteld. Ze doet het.'

'Echt waar?' Opgelucht legde Melanie een hand op haar hart. 'De hemel zij dank. Ik begon me echt zorgen te maken. De advocaat van Stan belde deze week met de vraag wat ik had besloten.'

Veronica viste een visitekaartje uit haar tas en gaf het aan Melanie. 'Ze vroeg me je te zeggen dat je je geen zorgen hoefde te maken over haar honorarium. Daar komen jullie wel uit, zei ze.'

'O, Veronica! Ik weet gewoon niet hoe ik je moet bedanken.'

'Waar gaat het over?' Ashley keek van de een naar de ander en

fronste verward en bezorgd haar wenkbrauwen. 'Zijn er problemen, Mel?'

'Ja, het gebruikelijke probleem: Stan!'

'Mannen! Ellendelingen, dat zijn het.' Zuchtend legde Mia
haar hoofd tegen de rugleuning van de stoel, waarna ze naar de
met sterren bezaaide hemel keek. 'Je kunt wel van ze scheiden,
maar ontsnappen kun je niet.' Ze giechelde. 'Tenzij ze doodgaan,
natuurlijk.'

Ashley schonk haar een geërgerde blik en keek toen weer naar
Melanie. 'Waarom hoor ik dit nu pas?'

'Je hoort het helemaal niet nu pas,' zei Melanie, een tortillarolletje van de schaal vissend. 'Ik heb je toch verteld over die advocaat bij wie ik ben geweest? Die verschrikkelijke hufter? Toen ik
dat aan Veronica vertelde, heeft ze me een vriendin aanbevolen.
Die bovendien is gespecialiseerd in familierecht.' Glimlachend
keek ze Veronica aan. 'En ze heeft ervoor gezorgd dat zij mijn
zaak wil behandelen. O, Veronica, ik kan gewoon niet zeggen hoe
dankbaar ik je ben.'

Nijdig keek Ashley Veronica aan, toen wendde ze zich weer tot
haar zus. 'Ik had je ook wel een paar advocaten kunnen aanbeve-
len, Mel.'

Veronica keek van Melanie naar Ashley. 'Heb ik iets verkeerds
gedaan? Dat zou ik heel vervelend vinden.'

'Natuurlijk niet,' haastte Melanie zich te zeggen. 'Je hebt me
een enorm gunst bewezen.' Na deze woorden keerde ze zich
weer tot haar zus. 'Dit is geen wedstrijd, Ash.'

'Nee, Ash. Daar heeft ze gelijk in.' Mia leek zich totaal niet bewust van de spanning die er heerste. 'Sterker nog, ik zou willen
voorstellen Veronica officieel lid te maken van de Lane-drieling.'

'Een drieling zijn er drie,' zei Ashley venijnig. 'Geen vier.'

'Nou, dan worden we een vierling! Lijkt me enig!' Mia kwam
overeind. Het was duidelijk dat ze niet al te stevig op haar benen
stond. 'Barkeeper, nog een kan!'

Ook Melanie stond op. Hoewel ze vond dat Mia genoeg had gedronken, was ze dankbaar voor de onderbreking. Soms begreep
ze Ashley niet. Het was maar al te duidelijk dat ze op het eerste
gezicht een hekel aan Veronica had, hoewel Melanie geen flauw

idee had waarom. Veronica was iemand die altijd door iedereen aardig werd gevonden. En Ashley niet. Misschien was dat het probleem.

'Er komt een nieuwe voorraad aan,' zei ze.

'Ik help je wel.' Veronica pakte de schaal. 'Heb je nog meer tortilla's?'

'Reken maar. O, Ash, ik heb werkelijk verrukkelijke koekjes op de achterbank van mijn auto liggen. Zou jij die even willen pakken?'

Ash knikte; Mia kondigde aan dat ze naar het toilet moest, en Veronica volgde Melanie naar de keuken.

'Ik vind het erg vervelend zoals Ash zich gedraagt,' zei Melanie.

'Blijkbaar voelt ze zich door mij bedreigd, hoewel ik geen idee heb waarom.'

Melanie begreep het maar al te goed. Ondanks haar cynisme en bravoure was Ashley eigenlijk vreselijk onzeker en erg gevoelig. Veronica was daarentegen een toonbeeld van zelfverzekerdheid. Een intelligente, succesvolle vrouw. Die weliswaar ook het nodige had meegemaakt in haar leven.

Begrijpen was echter niet hetzelfde als goedpraten, en Melanie weigerde toe te geven aan Ashleys stemmingen. 'Ik ben blij dat we even alleen zijn,' zei ze. 'Er is iets wat ik met je wil bepraten.'

'O? Wat dan?'

'Weet je nog wat ik zei over de dood van Jim McMillian?'

'Natuurlijk.'

'Nou, ik heb iets ontdekt... Althans, ik dénk dat ik iets heb ontdekt, en ik wil graag weten wat jij daarvan denkt.'

Onderzoekend keek Veronica haar aan. 'Vertel!'

'Ik heb wat onderzoek gedaan en –'

'Is dit een besloten bijeenkomst? Of ben ik ook welkom?'

In de deuropening stond Ashley, met de doos koekjes in haar hand.

Melanie gebaarde haar binnen te komen. Ze veronderstelde dat het geen kwaad kon als ze haar theorie met haar zusjes deelde. Tenslotte was het nog niet meer dan dat. Een theorie. Bovendien, als bleek dat ze het bij het rechte eind had, zou het uiteindelijk toch op de voorpagina van de krant terechtkomen.

'Natuurlijk!' zei ze tegen haar zusje. 'Ik heb een theorie. Sterker nog, ik wil ook graag weten wat jij ervan vindt. Schuif een kruk bij.'

'Wat is er aan de hand?' Ook Mia kwam de keuken binnen, met gloeiende wangen van de drank.

'Onze grote zus heeft een theorie waarover ze onze mening wil horen.' Ashley keek Melanie aan. Alle spanning was uit haar gezicht verdwenen. 'Ik hoop dat het iets griezeligs is.'

Lachend keek Melanie haar aan. Dit was de Ashley die ze kende en van wie ze hiel – grappig, een beetje excentriek, wrang. 'Absoluut.'

'Te gek!' Vergenoegd wreef Ashley in haar handen.

'Kunnen we ondertussen ook iets te drinken krijgen?' vroeg Mia, terwijl ze op een kruk ging zitten.

'Zuiplap!'

'Zuurpruim!'

'Dames!' Melanie tikte met een lepel op de tegeltjes van de bar. 'Voordat ik begin, moet ik jullie waarschuwen dat het een nogal onwaarschijnlijke theorie is. Probeer hem zo objectief mogelijk te benaderen.' Na deze woorden haalde ze diep adem. 'Ik geloof dat er een seriemoordenaar aan het werk is in Charlotte en omgeving. Hij – of zij – kiest als doelwit mannen die hun vrouwen of hun vriendin mishandelen en die hetzij door de mazen van de wet zijn gekropen, hetzij op een andere manier aan de gerechtelijke arm hebben weten te ontsnappen.'

Veronica stikte bijna in haar drankje; Mia liet een blikje citroenlimonade vallen, en Ashley floot tussen haar tanden.

Toen werd het doodstil. Melanie keek de drie vrouwen één voor één aan. 'Ik zal jullie vertellen hoe ik tot die conclusie ben gekomen. Om te beginnen zijn er drie mannen overleden. Drie mannen van wie bekend was dat ze gewelddadig waren tegenover vrouwen.' Ze telde ze af op haar vingers. 'Jim McMillian, beschuldigd van verkrachting en seksueel misbruik. Komt voor de rechter, maar zijn advocaten weten vrijspraak af te dwingen, hoewel iedereen weet dat hij hartstikke schuldig is. Acht maanden later overlijdt hij door een bizarre speling van het lot.'

Ze stak een tweede vinger omhoog. 'Thomas Weiss. Ik kreeg met hem te maken toen hij zijn vriendin het ziekenhuis in had geslagen. We hebben niet genoeg om hem te veroordelen; dus hij gaat vrijuit. Een paar dagen later is hij dood –'

'Slachtoffer van een bizarre speling van het lot,' vulde Veronica aan, en ze vertelde het verhaal van de bijen en het auto-ongeluk.

'En nummer drie?' Mia's ogen straalden van nieuwsgierigheid.

'Samson Gold. Een cokesnuiver die zijn vriendin in elkaar sloeg. De politie deed niets, maar het lot wel. Hij is gestorven door een snuif cocaïne vermengd met pure heroïne.'

Verbaasd fronste Ashley haar wenkbrauwen. 'Waar heb je die vandaan?'

'Hoe bedoel je?'

'Hoe weet je dat allemaal? Over McMillian is veel in de pers geweest, en met Weiss kwam je in aanraking door je werk. Hoe kom je aan die informatie over Gold? Dankzij de overlijdensadvertenties?'

Melanie schudde haar hoofd. 'Dat doet er nu niet toe. Waar het om gaat, is dat er drie kerels dood zijn die gewelddadig waren tegenover vrouwen. Dat is er volgens mij één te veel om nog toevallig te zijn.'

'Geweldig!' Mia liet zich van haar kruk glijden en maakte de doos met koekjes open. 'Het lijkt wel een film. Wat ga je nu doen?'

'Ik weet het niet.' Ze keek naar Veronica. 'Heb jij een idee?'

Deze tuitte haar lippen. 'Het is een interessante theorie. Heb je iets wat deze drie mannen of de manier waarop ze om het leven zijn gekomen met elkaar verbindt?'

'Nee,' moest Melanie toegeven, 'maar ik weet gewoon zeker dat ik gelijk heb. Dat vóel ik.'

'Als ik jou was, zou ik heel voorzichtig te werk gaan,' zei Veronica. 'Heel voorzichtig. Ik heb al te vaak gezien dat een goede zaak – en een goede politieman of -vrouw – de mist in ging door gebrek aan bewijs. Je weet net zo goed als ik dat het niet mee zal vallen om anderen van je theorie te overtuigen.'

Veronica had gelijk, besefte Melanie, hoe frustrerend dat ook was. 'Vind je dat ik het moet vergeten?'

'Zou je dat kunnen?'

'Zonder 's nachts wakker te liggen?' Over die vraag dacht ze even na. 'Ik denk het niet.'

'Waarom niet?' Mia hief haar glas. 'Ik zou zeggen: daar zijn we mooi vanaf. Van dat stelletje klootzakken.'

Geschokt keek Melanie haar zusje aan. 'Dat meen je niet!'

'Natuurlijk meent ze het wel.' Ashley pakte een koekje uit de doos. 'Waarom zou ze het niet menen?'

'Precies. Waarom zou ik het niet menen?' herhaalde Mia met een dikke tong. 'Maak vooral geen haast, lieve zus. Als je die vent genoeg tijd geeft, komt hij misschien ook nog aan Boyd en Stan toe.'

'Je bent dronken, Mia.' Met gefronste wenkbrauwen keek Melanie haar zus aan.

Mia wankelde en klampte zich vast aan de bar. 'Moet ik dronken zijn om mijn man dood te wensen? Het is een klootzak! En ik haat hem!'

'Mia,' zei Melanie zacht en geduldig. 'Ik begrijp hoe je je voelt. Je maakt een moeilijke tijd door, maar moord is altijd verkeerd. Daar mag je zelfs geen grapjes over maken."

'Wie heeft het hier over grapjes?' vroeg Ashley. 'Volgens mij is Mia volkomen serieus.'

'Haat jij Stan dan niet?' vroeg Mia. 'Hij probeert je nota bene je zoon af te nemen? Hij heeft je voortdurend het leven zuur gemaakt, zodra hij maar de kans kreeg.'

'O, er zijn heus wel dagen dat ik zou willen dat hij van de aardbodem verdween, maar ik kan Stan heus wel aan, en ik kan niet verwachten dat de een of andere idioot hem voor me uit de weg ruimt.'

'O, en ik kan niet voor mezelf zorgen?' Er verscheen een gekwetste uitdrukking op Mia's gezicht. 'Omdat ik niet zo sterk ben als jij.'

'Dat bedoelde ik niet. Ik wilde alleen maar zeggen –'

'Schei toch uit!' Ashley gooide de kruimels van haar koekje in de prullenbak. 'Wees nou eens eerlijk, Melanie. Het gebeurt voortdurend dat misdadigers door de mazen van de wet glippen. Vooral het soort figuren dat vrouwen en kinderen het leven zuur maakt. Dat wordt blijkbaar nauwelijks als een misdrijf beschouwd, als je ziet hoeveel bescherming ze krijgen. Kijk maar eens naar Jim McMillian. Hij is hartstikke schuldig, maar een dure advocaat weet hem vrij te krijgen. Ik ben het met Mia eens. We mogen blij zijn dat we van die ellendelingen af zijn.'

'Ik ben advocaat,' mengde Veronica zich in de discussie, 'en het gebeurt regelmatig dat de onrechtvaardigheid van het systeem me aanvliegt. Dus ik begrijp jullie maar al te goed.' Ze schraapte haar keel. 'Maar de wet beschermt ons ook. Niemand kan worden veroordeeld zonder bewijs van zijn schuld. Daarom zijn huiselijk geweld en verkrachting zulke moeilijke aanklachten. Toch kan het niet anders. Onze wetten zijn erop gericht de onschuldigen te beschermen.'

Ashley snoof verachtelijk. 'Ik word doodziek van dat soort praatjes. Waar het op neerkomt, is dat het doorgaans het woord van de een tegen het woord van de ander is. Het woord van een mán tegen het woord van een vrouw of een kind. Nou, ik weet wel wie er dan aan het langste eind trekt!'

Ongelovig keek Melanie haar jongste zus aan. 'Dat meen je toch niet serieus?'

'O, wat zijn we het eens,' zei Ashley sarcastisch. Ze keek van Melanie naar Veronica. 'Misschien had jij de laatste van de drieling moeten zijn.'

Melanie verstijfde. 'Wat had je dan gedacht dat we zouden zeggen, Ash? Het handhaven van de wet is ons werk. Waar Mia en jij het over hebben, is eigen rechter spelen. Jullie keuren het goed dat burgers de wet in eigen handen nemen.'

'Precies!' zei Ashley heftig. 'Sommige mensen verdienen het niet te leven. Zoals onze vader.' Ze keek naar Mia, toen weer naar Melanie. 'Vraag je je nooit af hoe ons leven geweest zou zijn zonder hem? Of beter nog, met een echte vader in plaats van dat monster?'

Melanie stak haar hand uit. 'Zo moet je niet praten, Ash. Alsjeblieft niet.'

Ashley negeerde de uitgestoken hand van haar zus. 'Hij had opgesloten moeten worden voor wat hij ons heeft aangedaan. Voor wat hij... Mia heeft aangedaan, maar in plaats daarvan liep hij door de stad, als een illuster voorbeeld van een oppassende burger en een modelvader. De ellendeling.'

'Haat verteert je,' zei Veronica. 'Het heeft geen zin om achterom te kijken. Je kunt alleen maar vóóruit. Ik weet waar ik het over heb, Ashley. Ik –'

'Wat weet jij over mij!' Trillend van woede keerde Ashley zich tot Veronica. 'Wat Mia ook zegt, jij bent geen zusje van me. Sterker nog, je bent helemaal niets voor me! Niets! Dus waag het niet me te vertellen wat het beste voor me is!'

'Maar ze heeft gelijk, Ash.' Opnieuw stak Melanie een hand naar haar zusje uit, vervuld van medeleven. 'De enige die lijdt onder je haat, ben jezelf.'

Ashley keek naar haar uitgestoken hand met een gekwelde uitdrukking op haar gezicht. Toen sloeg ze haar ogen op. 'Ben ik jou nu ook al kwijt?' vroeg ze verslagen. 'Heb ik jullie allebei verloren? Aan háár?'

Langzaam schudde Melanie haar hoofd. 'Natuurlijk niet. Je bent ons zusje. Niemand zou ooit je plaats kunnen innemen. We houden toch van –'

'Gelul!' Ze greep haar tas van de bar, rende naar de achterdeur en keerde zich daar nog even om. 'Allemaal gelul!'

24

⋘⋙

Melanie mocht Pamela Barret, de advocaat die Veronica had aanbevolen, meteen graag. Ze had een brede glimlach, een stevige handdruk en een ongecompliceerde manier van doen die oprechtheid en een onwankelbaar zelfvertrouwen uitstraalde.

'Melanie!' zei ze. 'Wat leuk om je te ontmoeten. Kom binnen.' Vervolgens zei ze tegen haar secretaresse dat ze niet gestoord wilde worden en trok ze de deur van het kantoor achter zich dicht. Uitnodigend gebaarde ze naar de twee banken in een hoek van het vertrek. 'Ga zitten.'

Melanie ging op de tweepersoonsbank zitten, terwijl Pamela tegenover haar plaatsnam. 'Veronica praatte vol lof over je, maar ze zei ook dat je wanhopig was.'

Bij die formulering kromp Melanie ineen, maar ze kon niet anders dan toegeven dat het waar was. 'Ik ben zo blij dat je me al zo snel kon ontvangen. Veronica heeft gelijk. Ik wist me echt geen raad meer.'

Pamela vertelde iets over haar ervaring met familierecht en over haar succesvolle staat van dienst, maar bovendien bleek dat ook zij een gescheiden moeder was die had moeten vechten voor de voogdij over haar kinderen.

'Dus je begrijpt dat ik aan jouw kant sta en dat ik zal doen wat ik kan om ervoor te zorgen dat je je zoon niet kwijtraakt. Veronica heeft me summier iets over je situatie verteld. Misschien wil jij het wat uitgebreider doen. Begin maar waar jij denkt dat je moet beginnen.'

Dus vertelde Melanie haar waarom ze bij Stan was weggegaan, dat hij zich sindsdien voortdurend met haar leven had bemoeid en dat ze altijd bang was geweest dat hij zou proberen de voogdij over Casey van haar af te nemen. Bovendien deed ze gedetailleerd verslag van de gesprekken die ze daarover met Stan had gehad en van haar weinig succesvolle ontmoeting met John Peoples.

Pamela knikte en maakte aantekeningen.

Toen Melanie was uitgesproken, liet Pamela haar blik over haar notities gaan. Toen keek ze Melanie aan. 'Vertel me eens hoe een normale week voor Casey en jou eruitziet.'

Toen Melanie dat had gedaan, vroeg Pamela naar Stans werkrooster, naar zijn nieuwe vrouw en zijn tweede huwelijk. Ze wilde weten wat voor soort vader hij was en hoe zijn leven eruitzag. Ten slotte informeerde ze naar zowel haar als Stans familie en hun relatie met Casey. Uiteindelijk legde ze haar notitieblok terzijde.

Gespannen hield Melanie haar adem in. Pamela stond aan haar kant. Daarvan was ze overtuigd. Dus als ze maar half zo pessimistisch zou zijn als de vorige advocaat was geweest, zou ze zich geen raad weten.

'Om te beginnen kan ik je vertellen dat ik al eerder met John Peoples te maken heb gehad,' begon Pamela. 'Dit blijft tussen ons, maar ik vond hem slecht geïnformeerd en bovendien een vrouwenhater. Een windbuil. Vergeet alles wat hij heeft gezegd. Ik heb echter ook ervaring met de advocaat van je man. Hij is uitermate slim en gewiekst.'

'Het beste wat er voor geld te koop is,' zei Melanie verbitterd. Een gevoel van moedeloosheid maakte zich van haar meester.

Pamela Barret boog zich naar voren. Er lag een gretige, strijdlustige blik in haar ogen. 'Hij is goed, maar niet beter dan ik.' Even zweeg ze om dat te laten doordringen. Toen vervolgde ze: 'Naar aanleiding van wat je me hebt verteld, zie ik geen reden waarom een rechter Stan de voogdij zou geven. Sterker nog, je bent als ouder veel meer betrokken bij het welzijn van je kind dan je man. Vergeet het argument van je ex dat hij Casey meer luxe kan bieden. Dat zijn zíjn normen en waarden, niet die van de rechter.'

'Maar mijn werk dan? Volgens Peoples –'

'Ik heb je toch gezegd dat je alles moest vergeten wat hij heeft gezegd – maar dan ook werkelijk alles!' Ze sloeg haar benen over elkaar. 'De rechter zal jou, Stan, zijn vrouw en een reeks familieleden van weerskanten ondervragen. Dat nemen we van tevoren met elkaar door, maar ik kan je nu al zeggen dat ik wil dat je duidelijk laat merken hoeveel je van Casey houdt. En hoe toegewijd je bent aan je familie. Hoe hecht de band is met je zusjes en hoezeer zij aan jou en Casey hangen.' Met een glimlach voegde ze eraan toe: 'We laten niets van die dominante, materialistische ex van je heel. Let maar eens op.'

Melanie huilde bijna van opluchting. 'Dank je wel. O, dank je wel!'

'Graag gedaan.' Pamela stond op, om duidelijk te maken dat het gesprek afgelopen was. 'Ik neem contact op met de advocaat van je ex en laat over een paar dagen van me horen.'

Nadat Melanie haar nogmaals had bedankt, liepen ze naar de deur. Daar schudde Pamela haar de hand. 'Maak je geen zorgen, Melanie. Je bent in goede handen.'

'Daar ben ik van overtuigd.' Melanie wilde de deur al uit stappen, toen ze bleef staan. 'Is je eigen voogdijzaak succesvol verlopen?'

'Ja.'

'En was het daarmee afgelopen?'

Pamela slaakte een zucht van medeleven. Het was duidelijk dat ze zich bewust was van de angst die er achter haar vraag schuilging. De angst dat het nooit afgelopen zou zijn. Dat Stan het, zelfs als de rechter in haar voordeel besliste, opnieuw zou proberen. Telkens weer.

'Ik begrijp je bezorgdheid, Melanie, maar laat me je gerustellen. Tenzij er sprake is van misbruik of verwaarlozing, valt het niet mee om de beslissing van een rechter te laten herroepen. Voor je ex is dit zijn beste kans, en ik denk dat hij gaat verliezen.'

'Hoe ging dat bij jou? Heeft je ex de beslissing van de rechter geaccepteerd en is hij vervolgens van het toneel verdwenen?'

'Zo zou je het kunnen zeggen. Kort na de uitspraak is hij verhuisd. Het was erg naar voor de kinderen. Ik vond het afschuwelijk dat ze zonder hun vader in de buurt moesten opgroeien.'

Persoonlijk had ze zijn vertrek echter niet betreurd, dacht Melanie. Ze herinnerde zich de ruzie tussen haar zusjes en haar, een paar dagen eerder. Natuurlijk zou ze het afschuwelijk vinden als Casey zijn vader niet regelmatig zou kunnen zien, maar als ze eerlijk was, moest ze toegeven dat ze vooral opgelucht zou zijn als Stan van de aardbodem zou verdwijnen.

25

Terwijl Melanie het kantoor van Pamela Barrett verliet, had ze het gevoel dat ze op wolken liep. Voor het eerst sinds Stan met de rechter had gedreigd, had ze het gevoel dat alles goed zou komen. Sterker nog, ze voelde zich onverslaanbaar.

Halverwege de terugweg naar Charlotte ging haar pieper. Het hoofdbureau. Ze pakte haar mobiele telefoon. Bobby nam op.

'Collega! Had jij me gebeld?'

'Waar zit je?' vroeg hij.

'Een minuut of twintig, vijfentwintig buiten Charlotte. Wat is er aan de hand?'

'Ze gaan Jenkins confronteren met een getuige. Tussen een stel andere kerels. De baas wil dat we erbij zijn.'

'Wanneer?'

'Om vier uur.'

Ze keek op haar horloge. Lieve help! 'Oké, ik zie je daar.'

De confrontatie stond op het punt te beginnen toen Melanie arriveerde. Ze ging naast Bobby staan. 'Wat heb ik gemist?' vroeg ze op gedempte toon.

'Niet veel. De fotoconfrontatie van vanmorgen heeft niets beslissends opgeleverd, dus vandaar. Ze zijn net begonnen.'

Haastig liet ze haar blik door het vertrek gaan. Behalve de jongens van het CMPD en Bobby, ontdekte ze de hulpofficier van justitie die de zaak zou behandelen – dezelfde die bij de ondervraging van Jenkins aanwezig was geweest – en een onbekende van wie ze vermoedde dat hij de advocaat van de verdachte was. Connor Parks ontbrak. Ondanks zijn irritante manier van doen moest ze toegeven dat ze teleurgesteld was. Zijn aanwezigheid stimuleerde haar en zette haar aan het denken.

Ze richtte haar aandacht op het gebeuren. Pete Harrison gaf de mannen beurtelings opdracht een stap naar voren te doen en naar links en naar rechts te draaien. Vrijwel direct herkende ze Jenkins – nummer drie in de rij – van de ondervraging de vorige dag. Hij zag bleek, op zijn voorhoofd parelde zweet, en zo te zien, scheelde het niet veel of hij moest overgeven.

'Oké, Gayle,' zei Harrison tegen de getuige. 'Kijk goed. Herken je de man die je op de avond van de moord op het parkeerterrein Joli Andersen hebt zien aanspreken?'

De getuige zuchtte een beetje wanhopig. 'Ik weet het niet... althans, niet zeker. Ik –'

'Neem gerust de tijd,' zei de hulpofficier. 'We willen dat je absoluut zeker van je zaak bent.'

De getuige knikte, haalde diep adem en boog zich iets naar voren. 'Het was donker, maar... hij had de bouw van nummer drie en net zulk haar... nogal donker... en een beetje krullend, geloof ik.'

'Gelooft u?' vroeg de advocaat van de verdachte. 'Gelooft u? Had de persoon in kwestie net zulk haar als mijn cliënt, of niet?'

Nerveus keek ze naar Harrison. Toen richtte ze haar blik weer op het raam waarachter de mannen stonden. 'Ik, eh... Ja, dat geloof ik wel.'

'Is nummer drie de man die je hebt gezien?'

De hulpofficier schraapte waarschuwend haar keel. De getuige wrong haar handen. 'Ik zou het afschuwelijk vinden als ik me vergiste.'

'Inderdaad.'

Ze beet op haar lip. 'Kunt u nummer drie nog even een stap naar voren laten doen?'

Harrison deed wat ze vroeg, en ze bestudeerde hem aandachtig. 'Het zou hem kunnen zijn.'

De rechercheurs keken elkaar aan. 'Het zou hem kunnen

zijn?' herhaalde Harrison nadrukkelijk.

'Het zou kunnen.' Haar stem werd luider. 'Zoals ik al zei, het was donker, en ik had haast om bij mijn auto te komen.'

'Natuurlijk had u haast,' zei Jenkins' advocaat gladjes en op verzoenende toon. 'Het was tenslotte al erg laat.'

'Ja.' Ze keek opgelucht. 'Erg laat.'

'Bovendien had u gedronken.'

Ze wierp een snelle blik op de politiemannen. 'Een beetje.'

De moed zonk Melanie in de schoenen. Deze getuigenverklaring zou niet leiden tot een officiële aanklacht.

'Bedankt voor je komst, Gayle,' zei de hulpofficier. 'Dat waarderen we enorm.'

'Dat was het?'

De hulpofficier knikte, en de getuige stond op. 'Ik... Het spijt me dat ik u niet beter heb kunnen helpen.'

'Je hebt ons geweldig geholpen. Ik zal je even uitlaten.'

'Ik heb jullie toch gezegd dat jullie de verkeerde te pakken hadden?' zei Jenkins' advocaat zodra de deur achter hen was dichtgevallen.

'Waarom denk je dat we de verkeerde hebben?' vroeg Stemmons venijnig. 'We hebben de bevestiging van een ooggetuige dat je cliënt dezelfde bouw en dezelfde kleur haar had als de man die het laatst in gezelschap van Joli Andersen is gezien.'

De advocaat snoof geamuseerd. 'Inderdaad. "Een beetje krullend, geloof ik". Maar je hebt geen enkel concreet bewijs dat bewijst dat mijn cliënt op de plaats van het misdrijf is geweest. Niet eens een vingerafdruk. Jullie hebben helemaal niets.' Hij liep naar de deur. Eenmaal daar keek hij achterom. 'Laat hem gaan, of jullie krijgen een schadeclaim aan je broek waar de honden geen brood van lusten.'

Toen de deur achter hem dichtviel, slaakte Pete een verwensing. 'Die ellendeling is hartstikke schuldig.'

Verbaasd fronste Melanie haar wenkbrauwen. Ze was niet overtuigd. 'Ondanks al het bewijsmateriaal dat we op de plaats van het misdrijf hebben gevonden, hebben jullie niets wat op Jenkins wijst. Geen vingerafdruk. Geen haar. Geen draad van zijn kleding. Zit dat je niet dwars?'

'Reken maar dat het me dwarszit. Ik voel aan mijn water dat die klootzak het heeft gedaan.'

'Hij zag er in elk geval wel schuldig uit,' mompelde Bobby. 'Het verbaast me dat de getuige hem niet heeft aangewezen op basis van de hoeveelheid zweet op zijn voorhoofd.'

'Denk je niet dat haar getuigenis daardoor zelfs nog zwakker wordt?' vroeg Melanie. 'Hij zag er zó schuldig uit, en toch kon ze hem niet met zekerheid identificeren. Wat gebeurt er als we hem uiteindelijk in staat van beschuldiging weten te stellen, en hij verschijnt ijzig kalm voor de rechter? Dan wordt ze alleen maar nog onzekerder.'

Pete Harrison vloekte nogmaals. 'Verdraaid! Er klopt iets niet met die vent. Ik weet zeker dat er iets heel erg mis met hem is.'

Melanie was het niet met hem oneens, maar desondanks geloofde ze niet dat Jenkins de man was die ze zochten. Ze bleef terugkomen op het profiel dat Connor Parks had geschetst – en Ted Jenkins paste daar niet in. Dat zei ze ook.

'Parks kan naar de pomp lopen!' Het was voor het eerst sinds het vertrek van de advocaat dat Roger Stemmons zijn mond opendeed. 'Het is niet voor niets dat hij er vandaag niet bij is. Ik word doodziek van die vent.'

'Maar hij weet waar hij het over heeft.' Melanie keek van de ene rechercheur naar de andere. 'Hij was een van de beste mensen die ze bij het Bureau op gedragsstudies hadden. We zouden wel gek zijn als we niet ons voordeel deden met die ervaring.'

Tot haar verrassing was Pete het met haar eens. 'Toch vind ik dat we deze vent ondertussen ook onder druk moeten blijven zetten. Zonder ons iets aan te trekken van de dreigementen van zijn advocaat.'

Daarover waren ze het eens, en gevieren liepen ze het vertrek uit, de gang op. Toen ze eenmaal in de lift stonden, keek Melanie Pete Harrison aan. 'Heb jij destijds niet die zaak McMillian gedaan?' vroeg ze, in een poging nonchalant te klinken.

'Ja, hoezo?'

'Heb je gelezen dat hij dood is?'

Hij grijnsde. 'Zijn verdiende loon.'

'Ik maak geen grapje.' Ze voelde Bobby's waarschuwende blik

op zich gericht en ontweek die opzettelijk. Ze móest dit doen. 'Ik vond dat hij onder nogal merkwaardige omstandigheden is overleden.'

'In welk opzicht?'

Met een luchtig gebaar haalde ze haar schouders op, nog altijd pogend een nonchalante indruk te wekken. Het leek haar verstandiger de jongens van het CMPD eerst wat aan de tand te voelen, voordat ze haar vermoeden op tafel legde. 'Nou, het komt erop neer dat hij is vergiftigd door zijn eigen medicijn. Zijn hartaanval is veroorzaakt door een overdosis digitalis.'

'Nou en?' De lift stopte; de deuren schoven open, en ze stapten uit. 'Het gebeurt uiterst zelden, maar het is niet onmogelijk. Dat blijkt.'

'Precies, maar ik zit met een soortgelijk geval. Een tweede vent die zijn vriendin sloeg, is recent ook onder merkwaardige omstandigheden gestorven.'

Onderzoekend keek hij haar aan. 'En jij denkt dat er een verband bestaat tussen die twee zaken?'

'Dat heb ik niet gezegd. Ik vond het alleen wel erg toevallig. Dat is alles.' Ze keek op haar horloge, alsof het gesprek haar maar half interesseerde. 'Ken jij toevallig nog meer gevallen? Kerels die net als McMillian onverwacht om het leven zijn gekomen?'

'Reken maar.' Hij vertrok zijn mond in een geamuseerde, zelfgenoegzame grijns. 'Ze sterven als vliegen!'

'Kom mee, Mel.' Op dat moment gaf Bobby haar een por. 'De baas verwacht ons zo snel mogelijk terug.'

Ze negeerde hem. 'Ik zal het je nog sterker vertellen, Pete. Ik heb een derde slachtoffer ontdekt. Samson Gold. Hij snoof. Coke. Althans, dat dacht hij. Het bleek een mengsel van coke en pure heroïne te zijn.'

'Dat is inderdaad uitzonderlijk.' Roger grinnikte. 'Een junk die overlijdt aan een overdosis. Ik zou onmiddellijk de FBI inschakelen.'

'Je jaagt op niet-bestaande misdadigers, May,' zei Pete, haar op haar schouder kloppend.

Melanie verstijfde. Ze verdiende hun hoon, hun neerbuigendheid niet, maar omdat ze bij het bureau Whistlestop werkte, beschouwden ze alles wat ze zei als een grap.

'Weet je dat zeker?' vroeg ze. 'Net zo zeker als dat Connor Parks het bij het verkeerde eind had met zijn profiel? En net zo zeker als dat Jenkins de moordenaar is van Joli Andersen? Als jullie zo slim zijn, hoe komt het dan dat jullie hem nog altijd niet in staat van beschuldiging hebben kunnen stellen?'

Er verschenen twee vurige vlekken op de wangen van de rechercheur. 'In plaats van achter denkbeeldige moordenaars aan te gaan, zou je misschien eens wat meer aandacht moeten besteden aan wat er in je eigen achtertuin gebeurt, May.'

'Wat wil je daarmee zeggen?'

'Vraag dat maar aan je zwager.'

Harrison wilde al weglopen, maar ze hield hem tegen. 'Nee, nu wil ik het weten ook, want ik heb geen idee waarover je het hebt.'

Met een harde blik in zijn ogen keek hij haar aan. 'Met alle genoegen, May. Je zwager is hier een paar weken geleden geweest. Met de mededeling dat je hem had bedreigd. Hij had getuigen, zei hij.'

Ze wilde het al ontkennen, maar ineens wist ze het weer. Het ziekenhuis. Haar dreigement dat ze niet instond voor haar daden als hij haar zusje ooit nog met een vinger aanraakte. Ze voelde dat ze verbleekte en vervloekte zichzelf om haar drift.

'O, dat was niets,' zei ze toen. 'Een misverstand in de familie.'

'Daar dacht dokter Donaldson blijkbaar heel anders over.' Pete keek Bobby aan. 'Misschien zou je eens over een andere collega moeten gaan denken. Deze hier heeft zichzelf niet in de hand. Daar krijg je nog eens grote problemen mee.'

Terwijl de twee rechercheurs wegliepen, keerde Melanie zich naar Bobby, woedend over de manier waarop ze was behandeld. 'Hij vergist zich. Ik jaag niet op niet-bestaande moordenaars. Als het niet zo'n arrogante, ingedutte –'

'Hou erover op, Mel. Ik heb hier geen zin in.'

Toen pas zag ze dat de altijd meegaande Bobby boos was. Dat haar confrontatie met de rechercheur hem in verlegenheid had gebracht. Ze slaakte een spijtige zucht. 'Ik vond dat ik van deze kans moest profiteren, want ik dacht dat Harrison misschien –'

'Ja, wat dacht je precies?' vroeg hij, haar op gedempte toon in de rede vallend. 'Dat hij diep onder de indruk zou zijn van je speurderskwaliteiten? Dat hij je vermoeden niet alleen zou bevestigen, maar dat hij je bovendien zou smeken om te mogen meedoen met de jacht op Charlottes nieuwste seriemoordenaar?'

Even wendde hij zijn blik af, toen keek hij haar weer aan. 'Als je weer eens met de een of andere vergezochte theorie bij de jongens van het CMPD komt aankloppen – of bij wie dan ook – doe het dan alleen. Ik heb echt geen behoefte aan dit soort gênante toestanden.'

Ze deed een stap naar achteren, verrast door zijn sarcasme. Door de intensiteit van zijn woede. Het was duidelijk dat dit al een tijdje zat te broeien. 'Ik wist niet dat je zo over onze samenwerking dacht, Bobby,' zei ze stijfjes. 'Maar goed, ik weet het nu. Dus ik zal je dit niet nogmaals aandoen.'

Hij mompelde een verwensing. 'Hoor eens, Melanie. Ik mag je graag. Ik vind het plezierig om met je te werken. Je bent een goede agent, maar je... je bent soms te fanatiek. En dat fanatisme begint je parten te spelen.'

Daar moest ze even over nadenken. 'Wat bedoel je?' vroeg ze ten slotte. 'Bedoel je dat onze samenwerking eronder begint te lijden? Of mijn werk?'

'Een van de twee, allebei, de keus is aan jou.' Zijn gezicht verstrakte. 'Het wordt nooit echt dynamisch op het bureau Whistlestop. Nooit echt spannend of opwindend. Ik vind dat prima. Misschien zou je je eens moeten afvragen of dat ook voor jou geldt.'

26

Melanie lag naar het plafond te staren. Ze kon niet slapen. Er was inmiddels een week verstreken sinds de ruzie met Bobby. Een week sinds ze hem – en zichzelf – voor gek had gezet tegenover de jongens van het CMPD. Althans, in de ogen van Bobby.

In die week hadden de woorden van haar collega en van de twee rechercheurs zich als een splinter in haar vlees vastgezet. Als een voortdurende irritatie.

Dat was dan ook de oorzaak van het feit dat ze om vier uur 's ochtends wakker lag en haar slapeloosheid vervloekte. Voor de zevende achtereenvolgende nacht.

Omdat ze vermoedde dat deze nacht geen uitzondering zou zijn, klom ze uit bed en liep ze naar de keuken om koffie te zetten. Voorzichtig om Casey niet wakker te maken, zette ze de koffiepot aan. Toen leunde ze tegen de bar en keek ze toe terwijl de bruine vloeistof in de glazen kan druppelde. Ze gaapte. De geur van de koffie vulde haar hoofd en leek haar hersens met een schok aan het werk te zetten.

De oplossing voor haar probleem lag voor de hand: ze had hulp nodig. Ze had behoefte aan de steun van iemand die meer in zijn mars had dan een agent op een klein bureautje, want in deze zaak stond ze er helemaal alleen voor. Bobby had zijn positie maar al te duidelijk gemaakt, en hetzelfde gold voor het CMPD. Naar haar baas durfde ze niet te gaan. Als ze dat deed en hij zei dat ze het moest laten rusten, zou ze moeten gehoorzamen of haar loopbaan op het spel zetten.

De vraag was, hoe vond ze iemand die bereid was haar vermoeden serieus te nemen? Ze had meer bewijzen nodig. Ze moest iets zien te vinden wat de slachtoffers met elkaar verbond. Iets wat boven elke twijfel verheven was. Of te toevallig om te worden genegeerd.

Ze moest nog een slachtoffer zien te vinden!

Plotseling klaarwakker richtte ze zich op. Bij de eerste drie slachtoffers was het zo gemakkelijk gegaan. Eigenlijk puur toevallig, maar inmiddels wist ze waarnaar ze zocht. Naar mannen met een geschiedenis van geweld tegen vrouwen. Naar mannen die om het leven waren gekomen onder bizarre omstandigheden.

Dat kon toch niet zo moeilijk zijn.

Ze zou erachter komen dat ze zichdaarin danig had vergist. In de daaropvolgende weken besteedde ze elk vrij moment aan het vinden van de bewijzen die ze nodig had. Ze sliep nauwelijks en verwaarloosde Casey, die zich moest zien te vermaken met de televisie. Met haar zusjes had ze al twee weken nauwelijks·contact, op een paar haastige telefoongesprekken na. Op haar werk deed ze niet meer dan strikt noodzakelijk was. Ze werd volkomen geobsedeerd door haar streven haar gelijk te bewijzen.

De bibliotheek werd haar beste vriend. De weekends die Casey bij zijn vader was, kwam ze wanneer de deuren opengingen en ging ze pas weer weg wanneer ze sloten. De tijd daartussen bracht ze door met het nalezen van overlijdensadvertenties op microfilms van de Charlotte Observer.

Ze begon haar onderzoek anderhalfjaar terug, in de hoop nog meer mannen te vinden die onder bizarre omstandigheden waren overleden. Al snel kwam ze tot de conclusie dat op basis van de tekst van een overlijdensadvertentie bijna alles verdacht kon lijken. Moorden liet ze buiten beschouwing, evenals mannen die op erg jeugdige of erg hoge leeftijd waren overleden, of die waren bezweken na een lang ziekbed. Wel maakte ze notitie van een paar slachtoffers van een hartaanval.

Ze had gedacht dat het gemakkelijk zou zijn, maar in werkelijkheid leek het meer op het zoeken naar een speld in een hooiberg. Een bijna onmogelijke taak. Bij elk twijfelachtig sterfgeval noteerde ze de naam van het slachtoffer, zijn woonplaats, de namen van de nabestaanden, eventuele kerkdiensten die er waren gehouden en waar.

De lijst groeide. Haar enthousiasme begon te tanen, maar niet haar vastberadenheid.

's Avonds las ze publicaties over seriemoordenaars. Ted Bundy. Son of Sam. De kindermoordenaar van Atlanta. De Green River moordenaar. In verslagen van de speciale eenheid van de FBI die zich met seriemoordenaars bezighield, kwam ze diverse malen de naam Connor Parks tegen.

Haar onderzoek vertelde haar dat seriemoordenaars bijna altijd mannen waren. Dat ze zich bovendien doorgaans beperkten tot slachtoffers van één huidskleur en dat ze gedurende een lange periode in een bepaalde plaats of streek werkzaam waren. Hun moorden vertoonden een vast patroon of ritueel. Dat ritueel kon een bepaalde ontwikkeling doormaken, maar de kern bleef dezelfde. Daardoor liet elke moordenaar als het ware een handtekening achter waaraan de politie hem kon herkennen. Waardoor de politie als het ware een glimp opving van het brein van de moordenaar en daardoor een effectieve tactiek kon uitzetten om hem te pakken.

Zodra ze haar bewijs had, zou ze naar Connor Parks gaan!

De tekst die ze las, vervaagde voor haar ogen. Vermoeid wreef ze over haar voorhoofd, en ze moest vechten tegen een gevoel van wanhoop, van moedeloosheid.

Het was geen wonder dat ze zich gedeprimeerd voelde. De research was gruwelijk, angstaanjagend en bracht haar tot de vraag waardoor het innerlijk van een mens zodanig vervormd kon raken, dat hij in staat was tot dergelijke gruweldaden tegen zijn medemens. Wat bracht een mens op een punt waar zelfs moord geen bevrediging meer schonk? Een punt waarop er alleen nog genot kon worden geput uit de gekwelde kreten van een slachtoffer? Hoe ontstonden deze monsters? Waar kwamen ze vandaan? En hoe kon de wereld zich van hen ontdoen?

Melanie huiverde, en toen ze in de richting van Caseys slaapkamer keek, sloot de angst zich als een ijzige hand om haar hart. Haar ademhaling werd oppervlakkig; haar handen werden vochtig. Haastig liep ze naar de deur van zijn slaapkamer. Nadat ze deze voorzichtig had opengeduwd, gluurde ze de donkere kamer in.

De hemel zij dank! Hij lag in bed, veilig te slapen. Ze slaakte een beverige zucht en bleef nog lang in zijn deuropening staan, luisterend naar het troostende geluid van zijn zachte gesnurk. Hij sliep als een roos, op zijn buik, met zijn arm om zijn lievelingskonijn.

Wat werd hij al groot, dacht ze. En wat ging het snel. Het zou niet lang meer duren of hij zou zijn knuffelbeesten niet meer in zijn kamer willen – ongeveer tegelijk met het moment waarop hij haar niet meer zou zoenen waar zijn vriendjes bij waren.

Langzaam liep ze naar het bed. Zijn haar piekte alle kanten uit. Op zijn wangen lag een blos. Ze trok het dek over hem heen en stopte hem in. 'Ik hou van je,' fluisterde ze. Heel voorzichtig streek ze met haar mond over zijn wang. 'Slaap lekker.'

Zachtjes liep ze de kamer uit. Het kostte haar moeite zich van hem los te maken, maar ze was zich bewust van een hernieuwde vastberadenheid. Ze was hieraan begonnen, en ze zou het afmaken. Ook al zou het op niets anders uitlopen dan een teleurstelling.

Met een laatste blik op haar zoon liep ze naar haar eigen slaapkamer. Daar trok ze haastig haar pyjama aan. De volgende dag zou ze beginnen aan de volgende fase van haar onderzoek: ze zou de informatie gaan natrekken die ze uit de overlijdensadvertenties had verzameld.

Om praktische redenen had ze besloten te beginnen met de meest recente sterfgevallen en vervolgens in de tijd terug te werken. Ze liep naar de badkamer om haar tanden te poetsen. Hoe recenter de overlijdensadvertentie, hoe groter de kans dat de nabestaanden nog op hetzelfde adres woonden, redeneerde ze. Ze zou alle namen controleren in de politiecomputer, om te zien of de slachtoffers ooit in aanraking met de politie waren geweest. Vervolgens zou ze de nabestaanden bellen. Ze wist nog niet onder welk voorwendsel.

Geeuwend deed ze het badkamerlicht uit. Daar kon ze de volgende dag nog over nadenken.

Voor ze het wist, was het zover en had ze Casey afgezet bij de peuterzaal en zich op het bureau gemeld.

Tussen haar gewone werk door – er kwamen nog altijd tips binnen in de zaak Andersen die ze moest natrekken, en ze moest naar een warenhuis waar vandalen hadden huisgehouden – pleegde ze haar telefoontjes.

Ze gebruikte elke keer een ander verhaal, soms gebaseerd op informatie die ze aan de overlijdensadvertentie had ontleend, soms regelrecht uit haar duim gezogen. Ze was een oude vriendin uit de schooltijd van het slachtoffer, een vertegenwoordiger van een loterij, een lang vergeten familielid.

Bij het twaalfde telefoontje kon ze niet anders dan toegeven dat ze erg handig begon te worden in het improviseren. Ze had zichzelf nooit als een gladde leugenaar beschouwd, maar misschien had ze zichzelf onderschat. Of misschien had ze gewoon nooit zo'n goede motivatie gehad.

Tegen lunchtijd vroeg Bobby, die ongewoon zwijgzaam was geweest, wat ze aan het doen was.

Met de telefoon tussen haar schouder en haar oor geklemd, keek ze op. 'O, wat huiswerk.' Toen ze zag dat hij een wenkbrauw optrok, schudde ze haar hoofd. 'Vraag me maar niets. Je wilt het niet weten. Althans, niet officieel.'

In werkelijkheid wist hij natuurlijk allang waar ze mee bezig was. Ze zag het aan zijn gezicht, maar zolang zij niets zei, kon hij zich van de domme houden. Anders zou hij haar activiteiten bij de baas moeten melden. Of als hij bleef zwijgen, ook bij de zaak betrokken raken. En dat wilde ze niet. Dit was háár project, en als het uitliep op een gigantische mislukking, wilde ze niet dat iemand anders gewond raakte door rondvliegende granaatscherven.

Bobby keek over zijn schouder naar de gesloten deur van de baas en daarna weer naar haar. 'Je kunt het niet laten rusten, hè? Je moet gewoon gelijk hebben.'

Het deed pijn hem dat te horen zeggen. Ze verdrong de emotie. 'Nee, ik kan het niet laten rusten. Maar niet omdat ik gelijk wil hebben. Omdat ik wéét dat ik gelijk heb. Iemand is bezig deze kerels te vermoorden, Bobby. En dat kan ik niet laten gebeuren. Dat kan ik gewoon niet.'

'Weet je zeker dat je weet wat je doet? Dit zou het einde van je loopbaan kunnen betekenen.'

Hij sprak hardop uit wat zij even daarvoor had gedacht. Ze boog haar hoofd. 'Dat weet ik, en daarom wil ik niet dat jij erbij betrokken raakt.'

Nog even keek hij haar aan, waarna hij zich weer aan zijn werk wijdde, alsof hij wilde zeggen dat het onderwerp voor hem was afgesloten en dat hij haar zou steunen door zijn mond te houden.

'Bobby?' Hij keek op, en ze glimlachte, dankbaar voor zijn vriendschap. 'Bedankt.'

27

Veronica stak de schep in de zachte, zwarte aarde. Het was een warme zomerdag, met een stralend blauwe hemel. Bijna juli, dus eigenlijk te laat om nog eenjarigen te planten, maar ze had niet eerder de tijd kunnen vinden. Het ene proces had het andere opgevolgd, en ze hadden stuk voor stuk een lange voorbereiding gevergd.

Voldaan liet ze haar blik gaan over de dubbele rij veelkleurige vlijtige liesjes die ze had geplant. Er verscheen een glimlach op haar gezicht. Ze hield van tuinieren en vond het heerlijk om met haar handen in de grond te wroeten. Als ze geen gehoor had gegeven aan de roep van de wet, zou ze een kwekerij zijn begonnen. En ze had al besloten dat ze zich zou terugtrekken in een kas, als ze ooit genoeg kreeg van haar werk als openbaar aanklager.

Haar vader zou zich in zijn graf omdraaien. Zijn dochter als hovenier...

Haar glimlachte werd nog breder, en ze wijdde zich weer aan haar plantjes, goot wat voeding in de gaten die ze maakte, zette de plant erin en vulde het gat met aarde.

Toen er aan de deur werd gebeld, keek ze over haar schouder naar de voorkant van het huis. 'Ik ben hier!' riep ze. 'In de zijtuin.'

'Hallo, Veronica.'

Langzaam draaide ze zich om.

Mia stond aarzelend bij het tuinhek, met een hand boven haar ogen tegen de zon, de ander om het handvat van een mand, boordevol dikke, rode aardbeien.

Veronica glimlachte verrast. 'Mia! Wat brengt jou hier?'

'Ik was... in de buurt, dus ik dacht, ik kom even langs. Als ik tenminste niet stoor.'

Hoezeer Veronica ook van het gezelschap van andere mensen genoot, ze werd niet graag gestoord. Haar huis was haar privé-domein – een plek om haar wonden te likken, om nieuwe strategieën uit te werken en om haar geest op te laden. Vandaar dat ze niet van onverwacht bezoek hield.

Mia was echter een geval apart. Hoewel Veronica niet precies wist waarom, was het nu eenmaal zo. 'Natuurlijk stoor je niet. Kom binnen.'

'Ik heb iets voor je meegebracht.' Lachend hield Mia haar de mand met aardbeien voor. 'Ze zijn heerlijk zoet. Proef maar.'

Veronica keek naar de mand en toen weer naar Mia. Ze kon het niet over haar hart verkrijgen haar te vertellen dat ze allergisch was voor aardbeien. 'Ze zien er prachtig uit,' zei ze dan ook. 'Dank je wel.'

De glimlach om Mia's lippen vervulde Veronica met zo'n warm, krachtig gevoel van genegenheid, dat het haar bijna de adem benam. Uiteindelijk schraapte ze haar keel, beschaamd door de manier waarop ze Mia had staan aanstaren. 'Ik zal wat ijsthee voor ons inschenken.' Ze deed haar werkhandschoenen uit, streek de aarde van haar knieën en wenkte Mia. 'Deze kant uit.'

Zwijgend volgde Mia haar naar binnen.

Terwijl Veronica twee glazen ijsthee inschonk, met een schijfje citroen en een blaadje verse munt, voelde ze dat Mia haar blik taxerend door de zonnige keuken liet gaan, met zijn marineblauwe tegeltjes, zijn koperen kap boven het fornuis en zijn kastjes van cipressenhout. Ze vroeg zich af wat Mia vond van haar gerestaureerde, Victoriaanse bungalow.

Alsof ze Veronica's gedachten had geraden, mompelde Mia: 'Het is prachtig.'

Een beetje verlegen legde Veronica een onderzettertje voor

Mia op de bar. Toen reikte ze haar het theeglas aan.

'Ik ben dol op Dilworth,' vervolgde Mia, doelend op de wijk waar Veronica woonde, een van de oudste in Charlotte, 'maar Boyd wilde per se in een nieuwe wijk. En wat hij wil, dat krijgt hij ook.'

'Zal ik je de rest van het huis laten zien?'

Mia knikte enthousiast, en terwijl Veronica haar van kamer naar kamer leidde, babbelde ze opgewekt. Van die gelegenheid maakte Veronica gebruik haar gade te slaan. Ze vond het merkwaardig dat Mia en Melanie als eeneiige tweelingen zo ontzettend verschillend waren. Mia toonde zich vaak onzeker en leek voortdurend behoefte te hebben aan aandacht. Melanie wekte daarentegen de indruk alsof ze niemand nodig had. Hoewel Veronica haar zelfvertrouwen en haar wilskracht bewonderde, waren dat eigenschappen die haar persoonlijk niet zo aanspraken. Sterker nog, ze voelde zich soms zelfs een beetje overrompeld door de manier waarop Melanie in het leven stond.

Uiteindelijk besloten ze de rondleiding in Veronica's lichte slaapkamer.

'O, wat prachtig!' Mia liep naar het antieke hemelbed en streek over de gebloemde, Victoriaanse sprei.

'Dat is een van de voordelen van alleen wonen.' Veronica's wangen gloeiden. 'Ik kan mijn slaapkamer net zo vrouwelijk maken als ik zelf wil.'

Lachend liet Mia zich op het bed vallen en keek omhoog naar het plafond. 'Ik voel me weer net als vroeger, wanneer ik bij een vriendinnetje ging slapen.'

Veronica keek naar haar vriendin. Haar mond werd droog, en haar hart begon als een razende te kloppen. Mia was zo mooi, zo zacht...

'Deed jij dat vroeger ook?' vroeg Mia. 'Bij vriendinnetjes slapen?'

'Dat doen toch alle meisjes?'

'Eigenlijk was Melanie altijd mijn beste vriendin. En Ash.' Haar glimlach verdween, en ze richtte zich weer op. 'Heb jij Mel de laatste tijd nog gesproken?'

Veronica schudde haar hoofd. 'Nee, ik heb haar wel gebeld, maar –'

'Je krijgt haar niet te pakken.' Mia klonk gekwetst. 'Ze heeft het veel te druk met die stomme theorie van haar,' zei ze met een gefrustreerde zucht. 'Eerst vond ik het nog wel opwindend en vond ik dat ze er werk van moest maken, maar ik had niet gedacht dat ze daar alles voor opzij zou zetten. Dat vind ik ook niet goed. En jij?'

Veronica was het met haar eens. Ook zij was boos op Melanie, boos vanwege de geobsedeerdheid waarmee ze probeerde haar theorie te bewijzen, boos omdat ze in haar zoektocht naar gerechtigheid de mensen die van haar hielden tekortdeed. De mensen die haar loyaliteit verdienden. Onder wie zijzelf en Mia. 'Ze heeft nu eenmaal het gevoel dat ze het moet doen,' zei ze, aarzelend om haar werkelijke gevoelens met Mia te delen. 'Dat is duidelijk. En dat begrijp ik ook wel. Ik heb ook dingen in mijn leven waarbij ik me heel sterk betrokken voel.'

'En laat jij de mensen die je nodig hebben dan ook vallen? Vergeet je dan ook gewoon dat ze bestaan?'

'Nee.' Nu pas besefte Veronica hoe diep Mia gekwetst was, hoezeer ze zich door haar zusje in de steek gelaten voelde. Ze ging naast Mia op het bed zitten en legde troostend haar hand op de hare. 'Melanie heeft je niet laten vallen. Ze zou je nooit vergeten. Ze is gewoon... totaal geconcentreerd op die moordenaar, maar dat duurt niet lang. Of ze vindt iets, of het spoor loopt dood. En als ze iets vindt, wordt het een officieel onderzoek en deel van haar verantwoordelijkheden tussen negen en vijf.'

'En wat doe ik in die tussentijd?' vroeg Mia met hoge stem. 'Melanie was altijd degene bij wie ik steun kon vinden. Altijd.'

'Dan kom je gewoon bij mij.' Toen Mia haar verrast aankeek, bloosde Veronica verlegen, geschrokken van haar aanbod en van haar vurige verlangen dat Mia het zou aannemen. Onzeker schraapte ze haar keel. 'Ik bedoel, we zijn toch... vriendinnen. Dus als je dat wilt, ben ik er voor je.'

Even zweeg Mia, toen glimlachte ze, zodat haar gezicht en haar ogen begonnen te stralen. Alle melancholie leek als bij toverslag verdwenen. 'Vroeger als kinderen deden we altijd een spelletje. Wat is je liefste wens.'

'En? Wat was jouw liefste wens?'

'Ik kon nooit kiezen.' Bijna koket keek ze Veronica aan. 'Maar als ik dat nu eens aan jou vraag, wat zou je dan zeggen?'

Veronica's wangen begonnen nog meer te gloeien; haar hart ging nog sneller slaan, en ze voelde dat haar handen vochtig werden. Wat bezielde haar?

'Nou?' vroeg Mia uitdagend. 'Wat wordt het?'

'Als ik zou moeten zeggen wat mijn liefste wens is...' Ze hield haar hoofd schuin. 'Dan zou ik liefde wensen. Echte liefde, geen verliefdheid of begeerte. Iemand aan wie ik al mijn geheimen zou kunnen toevertrouwen. En iemand die mij op dezelfde manier vertrouwt. Iemand om mijn leven mee te delen en om voor te zorgen.' Er klonk duidelijk ontroering in haar stem door. 'Iemand die de eenzaamheid zou verjagen.' Geschokt door deze onthullingen lachte ze wat krampachtig. 'Ik lijk wel een puber.'

Mia reikte naar Veronica's hand. 'Daar hoef je je toch niet voor te generen? Dat is precies wat ik ook wil. En dat dacht ik ook te hebben gevonden toen ik trouwde, maar...' Haar ogen vulden zich met tranen.

Veronica slikte moeizaam. Ze voelde zich tot deze vrouw aangetrokken, zoals ze dat nooit eerder had ervaren. Haar vingers sloten zich om die van Mia. 'Het is je man, hè? Daarom ben je naar me toe gekomen. En daarom ben je zo ongelukkig.'

'Ja,' fluisterde Mia, Veronica's blik ontwijkend. 'Hoe wist je dat?'

'Ik vermoedde al dat er problemen waren door... nou ja, door dingen die je zei. Als je erover wilt praten, sta ik altijd voor je klaar.'

'Bedankt, maar...' Mia schudde haar hoofd. 'Daar kan ik jou toch niet mee lastigvallen?'

'Waarom niet? We zijn toch vriendinnen? En vriendinnen luisteren naar elkaars problemen en proberen elkaar te helpen.'

Toen Mia haar nog steeds niet aankeek, zei Veronica zachtjes haar naam.

Langzaam keek Mia op.

'We zijn toch vriendinnen?' herhaalde Veronica.

Met betraande ogen keek Mia haar aan. Toen knikte ze. 'Mijn man... heeft een ander. En toen ik hem daarmee confronteerde, werd hij woedend en heeft hij... me geslagen. Dat was niet de eerste keer dat hij dat deed...'

Veronica vocht tegen een woede die bezit van haar nam – zo vurig, zo sterk, dat het haar bijna verblindde. 'Dat hoef je niet te accepteren, Mia. En dat zou je ook niet moeten accepteren.'

'Dat zegt Melanie ook.' Met een verlegen glimlach veegde ze over haar ogen. 'En Ash zegt dat ik greep op mezelf moet zien te krijgen.'

Volgens Veronica was Ashley wel de laatste die zoiets mocht zeggen, maar dat hield ze wijselijk vóór zich.

'Er valt je niets te verwijten. Helemaal niets!' Veronica nam Mia's handen in de hare. 'Je bent niet bij hem weggegaan omdat je bang bent. Bang voor hem. Bang om bij hem weg te gaan. Omdat hij je heeft doen geloven dat je hem nodig hebt. Dat je niet slim of sterk genoeg bent om je alleen staande te houden.'

Met een gekwelde uitdrukking op haar gezicht schudde Mia haar hoofd. 'Je begrijpt het niet. En hoe zou je dat ook kunnen? Je hebt een goede baan, je bent intelligent, maar wat heb ik gedaan sinds mijn trouwen? Gewinkeld. Geluncht.'

'Hou op, Mia.' Bemoedigend drukte Veronica haar handen. 'Dat is precies wat hij wil dat je denkt. Hij vindt het heerlijk dat hij je onder controle heeft. Hij krijgt er een kick van dat hij je heeft veranderd in een bang, klein muisje. Omdat hij geestelijk ziek is.'

'Hoe weet je dat? Hoe zou jij dat kunnen weten?'

'Omdat ik net zo ben geweest als jij. Ooit was ik getrouwd met net zo'n man als de jouwe. Een man die me kleineerde en bekritiseerde. Die mijn zelfvertrouwen ondermijnde. Het kwam zelfs zo ver, dat ik geen enkel besluit meer durfde te nemen zonder hem te raadplegen. Wat ik moest eten, wat voor kleren ik moest kopen, hoe ik mijn haar moest doen. En hoe meer ik hem nodig had, hoe meer hij me kleineerde.' Haar stem trilde even. 'Ik heb hem alles gegeven. Mijn zelfrespect incluis. Hij bedroog me met een ander en lachte me uit toen ik hem daarmee confronteerde.'

Met grote, ongelovige ogen keek Mia haar aan. 'En toen?' vroeg ze met bevende stem. 'Hoe heb je toen de moed gevonden om bij hem weg te gaan?'

'Hij kreeg een ongeluk.' Veronica keek naar haar handen, die nog steeds Mia's vingers omklemden. Het viel haar op hoe zacht en blank Mia's handen waren. Ze slikte krampachtig. 'Dus je ziet, ik was helemaal niet zo moedig. Pas achteraf ben ik gaan inzien wat er met me was gebeurd. Wat hij me had aangedaan. Daarom begrijp ik zo goed hoe jij je voelt.'

Ze haalde diep adem en keek Mia recht in haar ogen. 'Je hebt hem niet nodig. Je zult het zien. Dat beloof ik je, want ik zal je helpen.'

28

~~~

Melanie bekeek haar lijst met potentiële slachtoffers. In de afgelopen week had ze met dertig nabestaanden gesproken. Geen van de sterfgevallen had op haar een verdachte indruk gemaakt. De volgende op haar lijst was Joshua Reynolds, overleden in januari, als gevolg van een brand. Op het moment van overlijden had hij in bed gelegen. Na het lezen van de overlijdensadvertentie had ze de brandweer gebeld. Uit de autopsie was gebleken dat de man stomdronken was geweest. Blijkbaar had hij een sigaret opgestoken en was vervolgens buiten westen geraakt. In het verleden had hij al vaker brandjes veroorzaakt door roken in bed.

Deze keer was hem dat echter fataal geworden. Zijn sigaret was in een volle prullenmand terechtgekomen, waarop het hele huis was afgebrand.

Reynolds liet een vrouw en twee kinderen na, die op het moment van de brand een weekend bij de moeder van Mrs. Reynolds in Asheville hadden gelogeerd.

In de computer vond ze het huidige adres van de vrouw en haar telefoonnummer. Nadat de telefoon vier keer was overgegaan, werd er opgenomen. 'Goedemorgen,' zei Melanie opgewekt. 'Spreek ik met Mrs. Rita Reynolds?'

De vrouw aarzelde even. 'Ja,' antwoordde ze ten slotte.

Melanie haalde diep adem. Zoals Bobby haar die dag al eerder had duidelijk gemaakt, zou de baas haar penning in beslag nemen, als hij erachter kwam waar ze mee bezig was en dat ze zichzelf onder een valse vlag presenteerde. 'U spreekt met De Nationale Loterij. Ik spreek toch met Mrs. Joshua Reynolds?'

'Dat klopt, maar als u me iets komt verkopen –'

'Ik ben zo blij dat ik u heb gevonden,' vervolgde Melanie vastberaden. 'Het zit namelijk zo. Uw man is een van onze prijswinnaars –'

'Met wie spreek ik?'

'Zoals ik al zei, ik bel u namens –'

'Daar trap ik niet in. U belt zeker weer namens de verzekeringsmaatschappij?'

Op de achtergrond hoorde Melanie kinderstemmen en een blaffende hond. Ze keek op haar horloge. Blijkbaar kwamen de kinderen Reynolds thuis uit school.

'Ik heb u al eerder gezegd dat ik niets met zijn dood te maken had,' vervolgde Mrs. Reynolds. 'Hoewel ik niet kan zeggen dat ik er rouwig om ben. Goeiemorgen.' Na deze woorden hing ze op.

Zonder aarzelen, draaide Melanie opnieuw haar nummer. Toen Rita Reynolds opnam, zei ze haastig: 'Mijn naam is May, Melanie May. Ik ben verbonden aan het politiebureau van Whistlestop en ben bezig met een onderzoek naar de mogelijkheid dat uw man is vermoord.'

'Ik heb al met jullie gesproken!' riep Rita Reynolds uit. 'En duizend-en-één vragen beantwoord. Ik heb een leugendetectortest gedaan, en ik heb nog steeds geen huis, omdat de verzekering niet wil betalen.'

'Mrs. Reynolds –'

'Ik heb hem niet vermoord! En laat me nu alsjeblieft met rust!'

'Wacht even! Hangt u alstublieft niet op! Ik beschuldig u nergens van. En als mijn vermoeden juist blijkt te zijn, zal de verzekering zeker uitbetalen.' Er werd niet opgehangen, en omdat ze vermoedde dat ze niet veel tijd had, kwam ze meteen terzake. 'Heeft uw man... u wel eens geslagen?'

Ze hoorde dat Mrs. Reynolds haar adem inhield. 'Wat is dat nou voor vraag? Waarom wilt u dat weten? Waarom laten jullie me niet gewoon met rust?'

'Ik weet dat dit erg moeilijk voor u moet zijn, Mrs. Reynolds, maar zou u alstublieft antwoord kunnen geven op mijn vraag?'

Het bleef lang stil, toen hoorde Melanie een zacht gesnik aan de andere kant van de lijn.

'Weet u wat moeilijk is?' vroeg Mrs. Reynolds met onvaste stem. 'Niet uw vraag. Helemaal niet. Mijn leven met Joshua, dát was moeilijk. Met zijn drank, zijn woedeaanvallen, zijn wreedheden, zijn...' Ze begon weer te snikken.

Melanie wachtte tot ze zichzelf weer onder controle had. 'Mrs. Reynolds,' begon ze zacht, uit alle macht haar opwinding onderdrukkend. 'Werd u door uw man geslagen?'

'Ja. Ik begrijp alleen niet wat u dat nog interesseert. Hij is dood. Toen hij nog leefde, was er niemand die zich ook maar ene sodemieter van me aantrok.'

Daarin vergiste ze zich. Er was iemand die zich haar lot had aangetrokken. Zo sterk zelfs, dat hij niet was teruggedeinsd voor moord. Ze had haar vierde slachtoffer!

'Ik onderzoek de mogelijkheid dat de dood van uw man verband houdt met de dood van verscheidene andere mannen zoals hij.'

'Dat begrijp ik niet.'

De kinderstemmen werden luider, en zo te horen was de hond door het dolle heen. 'Het spijt me,' zei Melanie. 'Op dit moment kan ik u niet meer zeggen, maar u kunt ervan verzekerd zijn dat we ervoor zullen zorgen dat het recht zijn loop krijgt als uw man inderdaad is vermoord.'

Mrs. Reynolds begon te lachen. Het klonk verbitterd. 'Het recht heeft zijn loop gehad, agent. Mijn kinderen kunnen eindelijk lachen, en ik kan gaan slapen zonder me af te vragen of ik de volgende morgen wel weer wakker word. De wereld is beter af zonder hem, en dat geldt ook voor mij.'

'Mrs. Reynolds –'

'Ik dank God nog elke dag op mijn blote knieën dat hij er niet meer is, maar als hij is vermoord, dan is er blijkbaar iemand anders die ik dankbaar moet zijn. Hoe dan ook, mijn kinderen zijn thuis. Dus ik kan niet langer praten. Goedemorgen!'

Voor de tweede keer hing ze op, maar deze keer belde Melanie haar niet terug. Met de hoorn nog tegen haar oor dacht ze na over wat Mrs. Reynolds had gezegd.

'Ik dank God nog elke dag op mijn blote knieën dat hij er niet meer is... Mijn kinderen kunnen eindelijk lachen.... Ik kan gaan slapen zonder me af te vragen of ik de volgende morgen wel weer wakker word...'

Langzaam legde ze de hoorn op de haak. Allerlei gedachten raasden door haar hoofd: flarden van gesprekken die ze tijdens haar onderzoek had gevoerd, herinneringen aan haar eigen jeugd. Hoe vaak hadden haar zusjes en zij niet tot God gebeden om hun vader in zijn slaap tot zich te nemen? Hoe vaak zouden de vrouwen en vriendinnen van Thomas Weiss, Samson Gold, Jim McMillian en Joshua Reynolds hetzelfde hebben gebeden? En hun gebeden waren beantwoord. Hun leven was aanzienlijk gelukkiger geworden.

Melanie sprong overeind en liep naar de kast met haar dossiers. Uit de onderste la viste ze de map van Thomas Weiss. Het bijenslachtoffer. De man die haar, als het ware, op dit spoor had gezet.

Met het dossier liep ze terug naar haar bureau. Daar koos ze het telefoonnummer van de vriendin van Weiss. Er werd echter niet opgenomen. Ongeduldig trommelde ze met haar vingers op haar bureau. Donna werkte 's avonds in de bar van de Blue Bayou; dus ze zou thuis moeten zijn.

Neem op, Donna. Ik moet met je praten!

Aan de andere kant van de lijn klonk een ademloze stem.

'Donna! Ik geloof dat ik je op een verkeerd moment bel. Neem me niet kwalijk.'

'Dat geeft niet. Ik kom net thuis van het joggen. Met wie spreek ik?'

'Melanie May. Politie Whistlestop. Ik was benieuwd hoe het met je ging. Tenslotte heb ik je niet meer gesproken sinds de begrafenis van Thomas.'

'Wat aardig dat u belt.' Ze lachte. 'Het gaat heel goed met me. Ik ben weer naar school gegaan, want ik heb altijd al dierenarts willen worden. En ik ben in therapie.'

'O?'

'Ja, om te voorkomen dat ik ooit weer zo'n fout maak als met Thomas. Er moet wel een steek aan me los hebben gezeten, en daar gaan we nu iets aan doen.'

Ook Melanie lachte. Ze had Donna Wells meteen graag gemogen, ondanks het feit dat ze bont en blauw had gezien en doodsbang was geweest. 'Daar ben ik blij om, Donna. Daar ben ik echt blij om.'

Donna dempte haar stem tot een eerbiedig gefluister. 'Weet je, Melanie, ik heb het gevoel alsof God me persoonlijk de helpende hand heeft toegestoken door het wonder van de bijen.'

Melanie schrok van deze woorden. Het gevoel dat eruit sprak, lag zo dicht bij de gevoelens die Rita Reynolds had geuit. 'Geloof je dat echt?'

'Absoluut. En om mijn dankbaarheid te tonen, kón ik gewoon niet anders dan mijn leven radicaal omgooien.'

Daarop mompelde Melanie iets instemmends. Voordat ze ophing, bedankte Donna haar nogmaals voor alles wat ze voor haar had willen doen. 'Uw handen waren gebonden door het systeem,' zei ze. 'U kon er ook niets aan doen.'

Wie kon er dan wel iets aan doen, vroeg Melanie zich enkele uren later voor de duizendste keer af. Ze maakte deel uit van een systeem dat was bedoeld om het gezag te handhaven. Hetzelfde systeem dat werd geacht de zwakkeren en de wet te beschermen. Soms leek het echter alsof die twee belangen met elkaar in strijd waren, alsof ze met het beschermen van de een de ander in de kou liet staan.

Even later stopte ze voor Caseys kleuterschool en zette de motor uit. Sinds haar gesprek met Donna was ze heen en weer geslingerd tussen euforie over wat ze had bereikt en twijfel of het wel juist was wat ze deed.

De mannen waren dood, maar hun vrouwen en kinderen waren een stuk beter af zonder hen. Ze waren gelukkiger, gezonder. Kinderen zoals Casey. Kinderen zoals zij en haar zusjes vroeger. Vrouwen zoals haar zusje Mia nu. Hun leven was gelukkiger geworden dankzij de daad van een onbekende. Of, zoals sommigen geloofden, door Gods rechtvaardige hand.

Melanie deed het portier van de auto open en stapte uit. Op het speelterrein klauterde Casey met een stel vriendjes in het klimrek. Ze ging bij het hek staan om naar haar zoon te kijken.

Toen Casey haar ontdekte, begon hij te zwaaien. Ze zwaaide terug, en even later kwam hij over het speelterrein naar haar toe rennen. Waarom liet ze de hele zaak niet rusten? Dan zouden er slachtoffers blijven vallen, maar de wereld zou een stuk veiliger zijn.

Was dat eigenlijk wel zo? De wet handhaafde de orde. De wet beschermde haar – en Casey. Hij beschermde iedereen, van arm tot rijk. Natuurlijk, het systeem was verre van volmaakt, maar dat gold voor de wereld in nog veel sterkere mate. Niemand had het recht de wet in eigen hand te nemen. Niemand had het recht voor God te spelen.

Glimlachend keek ze toe terwijl haar zoon naar haar toe kwam rennen. Voor het eerst sinds uren daalde er een vredig gevoel over haar neer. Want ze wist nu wat haar te doen stond.

29

Melanie besloot dat ze er het beste aan deed door Connor Parks persoonlijk op te zoeken, gewapend met een dossier met daarin de bijzonderheden van haar theorie, ondersteund door de gegevens die ze tot op dat moment had verzameld.

Hij was thuis, weggedoken onder de motorkap van een oude Corvette. Een rode Corvette met een witleren interieur. Het ding zag eruit alsof hij het ergens uit een oude schuur of een stal had gered. Hij had zijn T-shirt uitgetrokken, zodat ze zijn gespierde rug kon zien, die werd ontsierd door een reeks gruwelijk uitziende littekens. Hoewel het bewolkt was, glom zijn huid van het zweet. Haar blik volgde de lijn van zweetdruppeltjes die via zijn ruggengraat onder de band van zijn spijkerbroek verdween.

'Parks,' zei ze.

'Stuk,' zei hij zonder te voorschijn te komen. 'Dus je bent eindelijk tot de conclusie gekomen dat je niet zonder me kan.'

Ze trok een wenkbrauw op. 'In de klassieke droominterpretatie geldt de auto als een symbool van het zelf. Zie je jezelf als een verkrot scheurijzer, Parks? Een oude sportwagen die moet worden gerehabiliteerd?'

Hij stak een hand uit. 'Geef me die moersleutel eens aan.'

'Met alle plezier, als ik wist wat het was.'

'Zo'n grappig uitziend ding. Met een langwerpige, schachtvormige kop.'

'Weet je zeker dat je het niet over het gereedschap in je broek hebt?'

Gesmoord lachend, kwam hij onder de motorkap te voorschijn. 'Je bent wel een vrouwtje met pit.'

'En jij bent een irritante macho.'

Hij glimlachte, alsof hij haar woorden als de hoogste lof beschouwde. 'Als je niet voor mijn gespierde lichaam komt, wil je blijkbaar iets anders van me.'

'Ik heb je hulp nodig bij een zaak.'

'De zaak Andersen?'

'Nee.'

Na de moersleutel uit de gereedschapskist te hebben gepakt, verdween hij weer onder de motorkap. 'Hoe gaat het daar trouwens mee?'

'Slecht. Er zijn geen nieuwe aanwijzingen sinds de getuige Jenkins niet met zekerheid kon identificeren.'

Hij bromde afkeurend. 'Hebben ze nog iets met mijn profiel gedaan?'

'Ze hebben een paar weken geleden de prostituees uit de wijk ondervraagd, maar daar is ook niets uit gekomen.'

'Ik kan me precies voorstellen hoe dat is gegaan. Ze hebben ze natuurlijk als vee bij elkaar gedreven, onder hete lampen gezet, en dan verwachten ze nog dat die meiden bereidwillig alles vertellen wat ze weten. Stelletje stommelingen.'

'Daar kwam het wel op neer.' Ze bestudeerde de welving van zijn rug en kon tot geen andere conclusie komen dan dat deze er buitengewoon aantrekkelijk uitzag. 'Niet dat het uitzicht onplezierig is, maar ik zou graag tegen je gezicht willen praten.'

Hij gromde misnoegd, hoewel ze hem ervan verdacht dat hij genoot van het compliment. 'Dan zul je toch even moeten wachten. Er staat een kan koud water in de koelkast.'

Daarop keek ze naar het kleine, witgeschilderde houten huis. Met zijn donkergroene luiken zag het er gezellig uit. 'Oké,' mompelde ze, gedreven door nieuwsgierigheid. Ze ging naar binnen en kwam in een vrolijke, maar eenvoudige keuken.

Zoals hij had gezegd, stond er een kan water in de koelkast. Ze pakte een glas van het aanrecht, schonk het vol en zette de kan weer in de koelkast. De keuken was netjes, maar zonder enige opsmuk. Geen ingelijste familiekiekjes in de vensterbanken, geen bloemen op tafel, geen kindertekeningen op de koelkast.

Ze liep naar de deur van de woonkamer en keek om een hoekje. Daar zag het er al net zo netjes – en Spartaans – uit als in de keuken. Met twee uitzonderingen: op een tafeltje naast de bank stond een groepje ingelijste foto's, en aan de muur daartegenover hing een groot memobord.

Nog steeds nieuwsgierig liep ze naar binnen. Het bord hing vol met krantenknipsels, briefjes met aantekeningen en politiefoto's van de plek van het een of andere misdrijf. Bij het zien van de data, besefte ze met een schok dat sommige al meer dan vijf jaar oud waren.

'Dus je kon het niet laten?'

Betrapt draaide Melanie zich om. Hij stond in de deuropening zijn handen af te vegen aan een oude handdoek.

Enigszins ongemakkelijk keek ze hem aan, waarna ze haar blik weer op het memobord richtte. 'Waar gaat dit over?'

'Een onopgeloste moord. In de badkamer en de slaapkamer hangen net zulke borden.'

'Over andere misdrijven?'

'Nee, hetzelfde,' antwoordde hij tot haar verrassing. 'Je wilde me spreken over de een of andere zaak?'

'Ja.' Ze liep naar hem toe en gaf hem de map. 'Volgens mij is er een seriemoordenaar aan het werk in Charlotte en omgeving. Als doelwit kiest hij mannen die hun vrouw of hun vriendin slaan. Mannen die gewelddadig zijn tegenover vrouwen en daar om welke reden dan ook niet voor gestraft zijn.'

Terwijl ze praatte, bladerde Connor de map door. 'Ik kwam achter zijn bestaan naar aanleiding van de dood van Jim McMillian. Een paar weken geleden was er ook al een man plotseling gestorven die zijn vriendin mishandelde. Ze kwam bij mij omdat ze tegen hem wilde getuigen, maar daar is nooit een zaak van gekomen. De omstandigheden van zijn dood waren erg bizar, en het leek me allemaal te toevallig om het te negeren. Dus ik heb wat onderzoek gedaan.'

'Dat zie ik. Is het CMPD hier ook bij betrokken?'

'Nee. Helemaal niemand.'

Hij keek op. 'Niemand?'

'Alleen ik.'

'En daarom ben je hier? Je denkt dat je het voor elkaar hebt als je Connor Parks voor je karretje kunt spannen?'

'Zoiets, ja.'

'Heb je dan niet gehoord dat ik met gedwongen verlof ben gestuurd?' Hij hield haar de map voor. 'Ik ben wel de laatste om mee samen te werken, May. Vraag het aan Rice. Ik zou je alleen maar in de problemen brengen.'

In plaats van de map aan te pakken, stopte ze haar handen in haar zakken. 'Dat geloof ik niet. Je bent beter dan iedereen, en als jij het patroon ziet, weet ik dat ik een zaak heb.'

'Je laat je meeslepen door je verbeelding, stuk.'

'Heb je het nu over mijn geloof in je capaciteiten of over mijn theorie?'

Hij bleef ernstig. 'Neem dit maar weer mee. Ik kan je niet helpen.'

'Hou hem maar. Ik heb van alles kopieën.' Ze liep naar de keuken. 'Ik weet zeker dat ik het bij het rechte eind heb, en ik ga op zoek naar iemand die dat ook vindt.'

Hij volgde haar naar de deur. 'Er zijn meer dan genoeg echte moordenaars, May. Heus. je hoeft echt niet naar ze op zoek te gaan. Je komt ze vanzelf tegen.'

'Deze niet,' antwoordde ze. 'Deze is buitengewoon sluw. Slimmer dan de rest, en hij is geduldig.' Ze keek hem recht aan. 'Deze is ervan overtuigd dat hij een soort goddelijk instrument is.'

30

De McDonald's op de hoek van First Street en Lake Drive in Whistlestop had een uitgebreide speelhoek, compleet met glijbaan, toren en ballenbak. Het was toevallig ook de enige McDonald's in de stad, waardoor het een erg populaire plek was rond etenstijd. Vooral voor gezinnen met jonge kinderen.

Connor zette zijn auto op het laatste open plekje op het parkeerterrein, hetgeen hem een gefrustreerd getoeter van de Ford Taurus achter hem opleverde. Hij schonk de uitgeput ogende bestuurder een meelevende blik via zijn achteruitkijkspiegeltje en zette de motor uit.

Binnen in het restaurant heerste een soort georganiseerde chaos. Connor kreeg de indruk dat alle ouders van de kleine gemeenschap zonder uitzondering hadden besloten die avond bij McDonald's te gaan eten.

Hoewel alle kassa's open waren, strekte de rij voor de toonbank zich uit tot de toegang naar de speelhoek. Connor ging in een van de rijen staan en keek ondertussen uit naar Melanie May.

Toen hij haar niet zag, fronste hij zijn wenkbrauwen. Taggerty had hem verzekerd dat ze er zou zijn, en hij wilde haar spreken. Nu meteen. Ongeacht het feit dat hij de map die ze bij hem had achtergelaten, tweeëneenhalve dag onaangeroerd op de ontbijtbar had laten liggen. Geduld was nu eenmaal niet zijn sterkste kant. Wanneer hij eenmaal een beslissing had genomen, wilde hij meteen in actie kunnen komen. En hij had besloten dat hij die avond met Melanie wilde praten.

Toen hij aan de beurt was, bestelde hij een beker koffie. Over zijn schouder keek hij naar de ingang van de speelhoek. Hij wist bijna zeker dat ze daar was.

'Uw koffie.'

Hij keerde zich weer naar het meisje achter de toonbank en glimlachte. 'Bedankt.'

Met de beker in zijn hand liep hij naar de speelhoek. Zodra hij de deur opendeed, werd hij begroet door opgewonden kreten. Hij bleef staan, overmeesterd door herinneringen aan Jamey, bitterzoet en na al die tijd nog altijd schrijnend.

Toen hoorde hij Melanie, nog voordat hij haar zag. Ze riep naar haar zoontje, enthousiast over iets wat hij had gedaan. Het volgende moment ontdekte hij haar. Ze zat op een van de tafeltjes rond de klauterinstallatie, met de overblijfselen van een Happy Meal voor zich.

Glimlachend baande hij zich een weg naar haar toe, over uitgeschopte schoenen en wegduikend voor een paar onvoorspelbare peuters.

'May!'

Ze keek op. Verrassing maakte al snel plaats voor tevredenheid, zag hij.

'Hoe wist je dat ik hier was?'

'Van Taggerty.'

Glimlachend knikte ze. 'Ik had hem gezegd waar je me kon vinden, mocht je langskomen.'

'Ik was bijna niet gekomen.'

'Bijna telt niet.'

Hij ging op een van de vrolijk gekleurde krukjes zitten en voelde zich als een berg die zich in evenwicht probeerde te houden op een molshoop. Vervolgens keek hij naar het klautertoestel. 'Welke is van jou?'

Ze draaide zich om, haar blik ging rechtstreeks naar haar kind. 'Die.' Ze wees. 'Die blonde ragebol met dat knalblauwe T-Shirt. Dat is Casey.'

'Leuk kind.'

'Het allerleukste, allerslimste, allerliefste kind dat er is.' Met een verlegen glimlach vroeg ze: 'Ik klink toch niet al te bevooroordeeld, hè?'

'Het zou treurig zijn als je dat niet was.'

Ze nam een slok van haar beker. 'Heb jij kinderen?'

Even aarzelde hij. 'Nee.'

Vragend trok ze een wenkbrauw op.

Heimelijk slaakte hij een verwensing. Er was niet veel dat Melanie May ontging. 'Mijn ex-vrouw had een zoon. Toen we trouwden, was hij ongeveer van Caseys leeftijd.'

'O, ik begrijp het,' zei ze zacht, en hij had het gevoel dat ze het inderdaad begreep. Dat ze dwars door hem heen keek.

Toen schraapte hij zijn keel. 'Ik heb die map eens bekeken.'

Ze boog zich naar voren. Gretig. Hoopvol. Hij herinnerde zich dat er een tijd was geweest waarin hij ook nog zo gretig en hoopvol was geweest. Het leek inmiddels lang geleden.

'En?'

'En ik denk dat je gelijk hebt. Ik geloof dat we hier inderdaad met een seriemoordenaar te maken hebben.'

Van pure opluchting legde ze een hand op haar borst. 'Dus je denkt... Allemachtig! Dus ik had gelijk?'

'Volgens mij wel. Ik heb een voorlopig profiel van onze moordenaar opgesteld. Wil je het horen?'

'Natuurlijk!'

'Mammie! Kijk eens!'

Ze keken allebei. Casey stond aan de zijkant van de ballenbak, klaar om erin te springen. Nadat Melanie haar duim omhoog had gestoken, stortte hij zich in de zee van ballen. Even later kwam hij weer boven, benieuwd naar de reactie van zijn moeder.

Die reageerde, natuurlijk, enthousiast. En, natuurlijk, was één keer niet genoeg. Nadat hij zijn olympische sprong nog drie keer had laten zien, werd hij afgeleid door de capriolen van een stel andere kleine jongetjes en was hij de aandacht van zijn moeder even vergeten.

Melanie keerde zich weer naar Connor, met een verontschuldigend gezicht. 'Neem me niet kwalijk.'

'Natuurlijk niet! Daar hoef je je toch niet voor te verontschuldigen,' zei hij barser dan zijn bedoeling was geweest. 'Dit is jouw tijd met je zoon. Ik zou me moeten verontschuldigen, want daar maak ik inbreuk op. Ben je zover?'

Ze knikte.

'Om te beginnen, hebben we hier te maken met een vrouw.'

'Een vrouw?' Verbaasd fronste Melanie haar wenkbrauwen. 'Op de een of andere manier verbaast me dat niet, maar seriemoordenaars zijn zelden vrouwen.'

'Dat is waar, maar het komt voor. En als vrouwen een moord plegen, kiezen ze altijd een schone manier. Vergif. Verstikking. Dat soort dingen. Tenslotte zíjn ze het zwakke geslacht.'

Ze trok een gezicht, en hij vervolgde: 'Ik schat onze dader tussen de tweeëndertig en de vijfenveertig. Ze is blank, hoog opgeleid en financieel succesvol. Buitengewoon georganiseerd en zeer intelligent. Haar daden bereidt ze tot in de kleinste bijzonderheden voor.'

'Vandaar dat ze tot op dit moment nooit is ontdekt.'

'Tot jij haar in de gaten kreeg. Ze kent haar slachtoffers. Dat blijkt duidelijk uit haar op maat gesneden moordtactieken. Ik weet bijna zeker dat ze zelf ook een slachtoffer is van huiselijk geweld en dat ze met haar daden haar vader of haar broer probeert te straffen, of wie het dan ook is die haar heeft misbruikt. Verder weet ik zeker dat dit niet haar eerste moorden waren.'

Melanie schudde haar hoofd. Het was duidelijk dat ze niet overtuigd was. 'Waarom zou deze moordenaar geen man kunnen zijn? Bijvoorbeeld een man die heeft moeten aanzien hoe zijn moeder werd geslagen? Of hoe zijn zusje werd misbruikt? In de loop der jaren is zijn gevoel van machteloosheid omgeslagen in woede, die uiteindelijk een uitlaatklep heeft gezocht.'

Connor kneep zijn ogen tot spleetjes. Zijn respect voor Melanie May groeide. Ze had haar huiswerk goed gedaan.

Toch wist hij zeker dat hij het bij het rechte eind had. Misschien niet in alle aspecten die hij de moordenaar had toegedicht, maar wel waar het haar geslacht betrof.

Dat zei hij dan ook. Bij het zien van de gefrustreerde uitdrukking op haar gezicht, boog hij zich naar voren. 'Als deze moorden het werk van een man waren, zou hij zijn woede veel agressiever uiten: door zijn slachtoffers neer te schieten of dood te steken. In plaats daarvan zorgt de moordenaar dat ze bijna onopgemerkt komen te overlijden. We hebben hier te maken met een moordenaar die de zwakten van haar slachtoffers tegen ze gebruikt.' Hij keek haar aan. 'Ben je dat met me eens?'

'Ja.'

'Mooi. In het dagelijks leven is onze dader een toonbeeld van zelfvertrouwen en evenwichtigheid, hoewel de spanning haar misschien begint te verraden. Ik sluit niet uit dat haar masker de eerste barstjes begint te vertonen. Ze weet het nodige van de wet. Volgens mij werkt ze bij de politie of heeft ze daar in elk geval een persoonlijke relatie mee. Ze houdt contact met haar slachtoffers door hun graven of hun nabestaanden te bezoeken. Verder ben ik ervan overtuigd dat ze de kranten en de overige media nauwkeurig volgt om te zien of haar slachtoffers worden genoemd. Ze is ongetwijfeld verrukt over de enorme aandacht voor de dood van Jim McMillian, en ze zal het tot op zekere hoogte ook fantastisch vinden als dit verhaal in de pers komt. Daar heeft ze op gewacht. Want wat schiet je ermee op om voor God te spelen als niemand het merkt?'

Het bleef even stil. Een stilte die uiteindelijk werd verbroken door Caseys kreten dat zijn moeder naar hem moest kijken. Alsof Melanie ineens besefte hoe laat het was, keek ze op haar horloge. De meeste andere ouders hadden hun kinderen al bij elkaar geroepen en verlieten het speelgedeelte, zij het niet zonder gezeur of driftbuien van hun kroost.

'Je mag nog één keer van de glijbaan, Casey!' riep ze. 'Dan moeten we naar huis.' Een beetje schaapachtig keerde ze zich naar Connor. 'Ik vind het afschuwelijk om ons gesprek af te breken, maar hij moet morgen weer naar de kleuterschool.'

'Volgens mij zijn we klaar.' Hij stond op, en ze volgde zijn voorbeeld. 'Ik heb voor morgenochtend tien uur een afspraak voor ons gemaakt met Steve Rice, de Special Agent in Charge van het bureau Charlotte. Dan kun je het eerst nog met je baas bespreken.'

Ze stemde er onmiddellijk mee in. Toen ging ze Casey halen.

Hoewel Connor eigenlijk geen reden meer had om nog te blijven, deed hij het toch.

'Casey,' zei Melanie, 'dit is Mr. Parks. Mr. Parks en ik werken samen aan een zaak.'

Het kind nam hem taxerend op. Net als bij zijn moeder was er weinig dat hem ontging, vermoedde Connor.

'Gaan jullie boeven vangen?' vroeg Casey.

Connor glimlachte. 'Reken maar.'

Met een brede grijns liet Casey zich op de grond vallen om zijn gympjes aan te trekken. Connor keek toe terwijl Melanie zich als vanzelf op haar hurken liet zakken om zijn veters dicht te doen. Wat een behaaglijke routine, dacht hij. Knus. Geborgen. Hij miste dat.

Sterker nog, terwijl ze het restaurant verlieten, besefte hij dat er een heleboel was aan het ouderschap dat hij miste. Het plezier, de spontaniteit, de warmte en de manier waarop het leven van het ene moment op het andere van een totaal gekkenhuis kon veranderen in een heerlijke, volmaakte rust – en andersom.

Dankzij Jamey was hij boven zichzelf uitgestegen, besefte hij. Jamey had hem in staat gesteld alles te vergeten – Suzi, de grimmige werkelijkheid van zijn werk. Dat gold waarschijnlijk voor alle kinderen, vermoedde hij met een zijdelingse blik op Melanie en Casey. En dat was heerlijk.

Bij haar jeep gekomen, gespte Melanie Casey vast op de achterbank, toen keerde ze zich naar Connor. 'Je zei dat je bijna niet was gekomen. Wat heeft je uiteindelijk van gedachten doen veranderen?'

'Een paar dingen. Om te beginnen zei je dat je op zoek zou gaan naar iemand die je serieus zou nemen. Dus toen heb ik besloten dat ik die persoon dan maar moest zijn. Tenslotte heb ik niets te verliezen, dus ik kan het me permitteren met een zonderling te worden geassocieerd. Bovendien ben ik tot de conclusie gekomen dat deze zaak twee kanten uit kan gaan: of je blijkt slimmer te zijn dan iedereen, of je blijkt je te hebben laten meeslepen door je fantasie. Maar het leek me dat we hoe dan ook een leuke tijd zouden kunnen hebben.'

'Bedankt voor het vertrouwen.'

Hij boog zijn hoofd. Er verscheen een glimlach om zijn mond. 'Graag gedaan.'

'Er is nog een reden, hè?'

Zijn glimlach verdween. 'Ja. Je zei dat deze moordenaar het gevoel had een instrument van God te zijn. Dat heb ik eerder gezien. Dus ik weet dat ze niet zal stoppen voordat iemand haar daartoe dwingt.'

31

De volgende morgen om tien voor tien arriveerden Melanie en Connor gelijktijdig bij de parkeergarage onder het Wachovia-gebouw. Ze reden achter elkaar de garage binnen en parkeerden hun auto's naast elkaar. Het Wachovia-gebouw was een dertig verdiepingen tellende kantoortoren in een van de duurdere wijken van Charlotte. De FBI nam de achtste, negende en tiende verdieping in beslag.

Connor stapte als eerste uit zijn auto en liep naar de hare. Terwijl hij het portier van de jeep voor haar openhield, vroeg hij glimlachend: 'Klaar?'

'Reken maar!'

Samen liepen ze naar de lift. Hoewel het nog geen tien uur was, heerste er in de garage al een onaangename hitte en was de lucht zwaar van de uitlaatgassen.

'Ik neem aan dat je je baas hebt ingelicht,' zei Connor.

'Ja, en ik heb het nog overleefd ook. Hij was zo woedend, dat ik dacht dat hij zou ontploffen. Als ik het bureau ooit weer in opspraak bracht door op eigen houtje een onderzoek te beginnen, zou hij onmiddellijk mijn penning in beslag nemen, zei hij.'

Bij de lift gekomen drukten ze op de knop voor de begane grond. Tijdens de tocht omhoog keek ze naar hem op, met een glimlach om haar mond. 'Maar terwijl hij me de wind van voren gaf, glinsterden zijn ogen. Alsof hij het eigenlijk wel prachtig vond dat een van zijn agenten deze zaak had ontdekt.'

Connor grinnikte, maar zei niets. Eenmaal boven verwisselden ze van lift en stegen ze zwijgend op naar de negende verdieping. De deuren schoven open. Ze stapten uit de lift en liepen naar de dubbele glazen deuren met daarop het wit met blauwe zegel van de FBI.

'Zenuwachtig?' vroeg Connor.

'Opgewonden.' Ze haalde diep adem.

Connor hield de deur voor haar open. Het volgende moment betraden ze een kleine ontvangstruimte, met onopvallende videocamera's in de hoeken en een metaaldetector om te voorkomen dat bezoekers wapens mee naar binnen smokkelden. De receptioniste zat in een hokje van plexiglas. Ze begroette Connor en zei dat hij meteen door kon lopen.

Steve Rice zat al op hen te wachten. Toen Connor Melanie aan hem voorstelde, schudden ze elkaar de hand en erkenden dat ze elkaar al eerder hadden ontmoet. Daarna gingen ze zitten.

'En, wat hebben jullie?' Rice kwam meteen terzake.

Connor keek Melanie aan. 'Het lijkt me het beste dat je Steve vertelt hoe je tot je vermoeden bent gekomen dat de bewuste sterfgevallen het werk zijn van een seriemoordenaar. Daarna kun je verslag doen van het onderzoek dat je tot dusverre hebt gedaan.'

Melanie begon haar verhaal. Ze gaf Rice de map met de gegevens die ze tot op dat moment had verzameld. Zonder iets te zeggen, begon hij er op zijn gemak in te bladeren. Het was maar al te duidelijk dat hij niet besefte hoe gespannen ze was. Haar hart ging zo tekeer, dat het haar verbaasde dat de twee mannen het niet konden horen kloppen.

'Omdat ik het alleen moest doen, was het terrein dat ik kon onderzoeken op mogelijke slachtoffers natuurlijk maar heel klein. Het was mijn doel om er nog een te vinden, zodat mijn theorie wat meer gewicht zou krijgen. Zodra ik dat ene slachtoffer had gevonden, ben ik gestopt met zoeken. Dus ik heb geen idee hoeveel het er in totaal zijn. Op dit moment is de stand vier sterfgevallen in nog geen twaalf maanden. Een nogal verontrustend aantal.'

'Op dat punt kom ik in het spel,' zei Connor. 'Agent May benaderde mij met haar theorie. Ik was aanvankelijk nogal sceptisch, maar toen ik haar gegevens eenmaal had bestudeerd, zag ik het patroon. Het gaat om een vervloekt slimme moordenaar, Steve. Ik heb een profiel opgesteld.' Hij gaf Rice een map.

Zwijgend begon deze hem door te kijken. Al snel keek hij op. 'Dus je denkt dat de dader een vrouw is? Vrouwelijke seriemoordenaars zijn zeldzaam.'

'Maar ze bestaan wel. Blijkbaar is dit de uitzondering op de regel.'

Rice fronste zijn wenkbrauwen, en er verscheen een peinzende uitdrukking op zijn gezicht. Het was duidelijk dat hij erg veel vertrouwen had in Connor, maar ook in de statistieken. 'Is het mogelijk dat ze met een mannelijke partner werkt? Een minnaar? Of een broer?'

Vastbesloten schudde Connor zijn hoofd. 'Dit zijn geen simpele moorden. Onze dader heeft haar uiterste best gedaan om elke stap zorgvuldig voor te bereiden, zodat de indruk zou worden gewekt dat het om een ongeluk ging. Daarbij heeft ze een duidelijke handtekening achtergelaten. Alle aanwijzingen duiden op een blanke vrouw, die alleen werkt.'

Streng keek Rice hem aan. 'We kunnen ons geen vergissingen permitteren. Weet je absoluut zeker dat het om een vrouw gaat? Dat ze dat bij gedragsstudies met je eens zullen zijn?'

Connor toonde geen enkele twijfel. Hij kende verschillende mensen van de afdeling gedragsstudies. Tenslotte had hij er zelf gewerkt. 'Ik kan op beide vragen volmondig "ja" zeggen.'

Toen verplaatste Rice zijn blik naar Melanie. 'Ben jij net zo overtuigd? Tenslotte heb jij al het zoekwerk gedaan. Dit is jouw project.'

Haar project. Haar zaak. Een gevoel van verwondering nam bezit van haar. 'Ik ben het volledig met Parks eens.'

'Heel goed.' Rice sloot de map en legde die op zijn bureau. Vervolgens keek hij Melanie aan. 'Wat wil je van de FBI?'

Zijn vraag verraste haar. 'Hoe bedoelt u?'

'Vraag je als vertegenwoordiger van het bureau Whistlestop om assistentie van het Bureau?'

Ze hapte naar adem, nauwelijks in staat een woord over haar lippen te krijgen. Het kostte haar nog altijd moeite te geloven wat er gebeurde. 'Ja,' wist ze ten slotte uit te brengen.

'Dan moet ik daarvan een bevestiging hebben van je superieuren. Ik verwacht binnen twee uur van je baas te horen.'

Toen ze knikte, keerde hij zich weer naar Connor. 'En hoe zit het met jou, Parks? Doe je mee of niet?'

'Wat bedoel je?'

'Ik bedoel dat we nog steeds met die schorsing zitten. Doe je mee of niet?'

De twee mannen keken elkaar aan. Ten slotte slaakte Connor een gemompelde verwensing. 'Ik doe mee. Met mijn volledige inzet. Althans, met alles waartoe ik in dit leven in staat ben. Als dat niet genoeg is, kun je de boom in.'

Dat leverde hem een tevreden knikje van Rice op. 'Heel goed. Dan wil ik dat je contact opneemt met je ouwe makkers in Quantico. Stuur ze alles wat jullie tot dusverre hebben en vraag ze naar hun mening.'

'Daar wordt al aan gewerkt.'

Rice boog zijn hoofd. 'De volgende zet is aan jou. Wat ben je van plan?'

Snel keek Connor Melanie aan. Ze knikte, om duidelijk te maken dat hij moest antwoorden. 'Volgens mij moet onze volgende stap tweeledig zijn. We gaan op zoek naar verdere potentiële slachtoffers, maar tegelijkertijd proberen we een verband te leggen tussen de mannen. Want dat is de sleutel om haar te vinden. Ze plukt die kerels niet zomaar uit de lucht. Er moet iets zijn waardoor ze met ze in contact komt.'

Melanie viel hem bij. 'Omdat ik via officiële kanalen op de eerste drie slachtoffers ben gestuit, dacht ik dat het verband misschien een politiearchief zou zijn of iets dergelijks. Of welk archief dan ook waarin gewelddelicten worden gebundeld.'

'En?'

'Dat bleek niet te kloppen. Joshua Reynolds was brandschoon. Er is zelfs nog nooit een aanklacht tegen hem ingediend.'

'Heb je het simpelste verband gecontroleerd?' Rice keek op van de map. 'Geografische nabijheid?'

'Daar valt geen patroon in te ontdekken,' antwoordde Connor. 'De slachtoffers woonden en werkten stuk voor stuk in verschillende delen van Charlotte, maar misschien komt er een verband aan het licht als we meer slachtoffers ontdekken.'

'We zouden de buurten moeten controleren waar ze zijn opgegroeid,' zei Melanie. 'De scholen die ze hebben bezocht.'

'Mannenclubs,' opperde Steve. 'Sportscholen, dat soort instellingen.'

'Maar onze dader is een vrouw. Dus wat we zoeken, is een plek waar een vrouw mannen kan ontmoeten en –' Connor richtte zich op en keek Melanie aan. 'Misschien gaat ze met die kerels uit?'

Een rilling van opwinding liep over haar rug. 'Het is mogelijk,' mompelde ze. 'Op die manier leert ze hun geheimen en hun zwakheden kennen, en als ze genoeg weet, vermoordt ze ze. Het zou zelfs kunnen zijn dat ze met verscheidene mannen tegelijk uitgaat. Dat zou de frequentie van de moorden kunnen verklaren.'

Connor knikte. Zijn gezicht stond peinzend. 'Maar het geeft nog steeds geen antwoord op de vraag waar ze ze vindt.'

'Nee, dat is waar.' Melanie keek naar Rice, toen weer naar Connor. 'Maar het biedt wel meer mogelijkheden. Bars, nachtclubs, alle plekken waar mannen en vrouwen elkaar ontmoeten.'

'Zo te horen, zijn jullie goed op weg. Neem zo snel mogelijk contact op met het CMPD. En met andere plaatselijke politiebureaus. Je zult hun medewerking hard nodig hebben.' Na deze woorden stond Rice op.

Melanie en Connor volgden zijn voorbeeld.

'Goed werk, agent May,' zei Rice. 'Verdomd goed werk.'

Melanie wist dat ze straalde, maar ze kon er niets aan doen. 'Dank u wel.'

Vervolgens liepen ze naar de deur. Daar bleef Rice staan. 'Hou me op de hoogte.'

'Dat zal ik doen.'

'En, Con? Heb je al een naam voor haar bedacht?'

'Ja.' Connor keek naar Melanie. 'Ik had gedacht om haar de Zwarte Engel te noemen.'

32

Vanaf dat moment veranderde Melanies leven ingrijpend. Plotseling vormde ze de spil van een van de grootste zaken die zich ooit in de regio Charlotte hadden voorgedaan. Het was zeker de meest controversiële zaak.

In de eerste twee weken van het officiële onderzoek werden er nog vier potentiële slachtoffers gevonden, allemaal in het gebied rond Charleston. Dat bracht het totaal op acht, een substantieel en verontrustend aantal. Tot Melanie argwaan had gekregen, had de Zwarte Engel vrij spel gehad en ongestraft haar gang kunnen gaan, zonder de hete adem van de wet in haar nek.

Melanie werd dan ook uitbundig geprezen voor het feit dat ze het verband tussen de moorden had ontdekt. Door alle grote nieuwsmedia in het zuidoosten van het land werd ze geïnterviewd.

De pers had de zaak van de Zwarte Engel groot gebracht en speculeerde dagelijks over de achtergronden van de moordenaar en diens motief. Bovendien lokten de media een levendig debat uit tussen de inwoners van Charlotte door om individuele meningen te vragen. Burgers uit alle lagen van de bevolking, en van alle godsdienstige en politieke overtuigingen, spraken zich over de zaak uit. Zelfs de plaatselijke afdeling van de vrouwenbeweging mengde zich in de discussie.

Waar Melanie ook kwam, overal waren de moorden van de

Zwarte Engel onderwerp van gesprek. Sommigen beweerden dat de moorden een vorm van bijbelse gerechtigheid waren in een op hol geslagen wereld, anderen dat de maatschappij zodanig was veranderd, dat eigen rechter spelen een acceptabele, zelfs noodzakelijke manier was geworden voor wie iets wilde bereiken. En weer anderen, onder wie Melanie, beweerden dat het nemen van andermans leven, anders dan uit zelfverdediging, neerkwam op moord. Daarbij deden de motieven van de moordenaar er niet toe, evenmin als de misdrijven van het slachtoffer. Niemand had het recht de wet in eigen hand te nemen.

Wat Melanie het meest bevredigend vond, was de kans om deel te nemen aan een onderzoek met een omvang en een complexiteit als dit. Hoewel ze lange uren maakte, werd ze nooit moe. Zelfs de delen van het proces die zich in een slakkentempo voltrokken, vond ze fascinerend.

Tot haar verrassing vond ze het heerlijk om met Connor samen te werken. Ze was tot de conclusie gekomen dat ze hem graag mocht. Hij was slim, eerlijk, respectabel, maar hij stak zijn mening niet onder stoelen of banken, ook als deze niet politiek correct was.

Bovendien maakte hij er in geen enkele situatie een geheim van dat Melanie degene was geweest die de Zwarte Engel had ontdekt. Dat Melanie degene was geweest die al het voorbereidende werk had gedaan, en dat zij dan ook de leiding van het onderzoek moest hebben.

Dat waardeerde ze enorm. Met zijn indrukwekkende staat van dienst had hij heel gemakkelijk van de situatie kunnen profiteren en een deel van de roem kunnen opeisen.

Hij was echter niet uit op roem, en een hielenlikker was hij al helemaal niet. Sterker nog, het laatste waaraan hij behoefte scheen te hebben, was aandacht. Soms wekte hij de indruk alsof hij in het openbaar helemaal niet met de zaak geassocieerd wilde worden.

Melanie vond hem boeiend, een complexe mengeling van karaktertrekken die eigenlijk niet bij elkaar pasten, maar een prima combinatie vormden. Toch was het vooral zijn melancholieke uitstraling, die zich onder andere uitte in het feit dat zijn glimlach nooit zijn ogen bereikte, die haar het meest intrigeerde. Ze vroeg zich of hij zijn vermogen om te lachen had verloren door de wreedheden waarmee hij in zijn werk was geconfronteerd. Of kwam het door iets wat dichter bij huis lag?

De telefoon op haar bureau ging. 'Met May.'

'Hoe kón je?' fluisterde een vrouw met gedempte stem. 'Hoe kon je dat doen?'

Verbaasd fronste Melanie haar voorhoofd. 'U spreekt met Melanie May, politie Whistlestop. Met wie spreek ik?'

'Ik weet wie je bent,' zei de vrouwenstem opnieuw zacht, met een bittere ondertoon. 'Ik had gedacht dat uitgerekend jij aan onze kant zou staan. Verraadster!'

'Als u me vertelt met wie ik –'

De verbinding werd verbroken. Haastig drukte Melanie op *69. Toen dat alleen maar 'nummer onbekend' opleverde, legde ze de hoorn op de haak. Hoewel ze de stem niet had herkend, had deze wel een vertrouwde klank gehad. Iets in die stem had een bekende snaar bij haar geraakt. Blijkbaar had de vrouw gedoeld op de zaak van de Zwarte Engel. Maar wat had ze bedoeld met 'onze kant'?

'Kop op, Mel,' mompelde Bobby aan het bureau achter het hare. 'Storm op komst.'

Op het moment dat ze haar ogen opsloeg, zonk de moed haar in de schoenen. Haar ex liep met grote passen de afdeling over. Zijn gezicht stond op onweer. Ze stond op, niet van plan hem dreigend boven haar uit te laten torenen.

'Stan,' zei ze toen hij voor haar bleef staan. 'Wat brengt jou helemaal naar Whistlestop?'

'Deze zaak. Ik wil dat je ermee stopt.'

Achter haar schraapte Bobby zijn keel.

Ze stelde zich voor dat haar collega wegdook om dekking te zoeken. 'Pardon?'

'Je hebt me gehoord. Ik wil dat je stopt met die zaak van de Zwarte Engel.'

Rustig keek ze hem aan. 'Ik ben niet meer met je getrouwd, Stan. Dus je hebt niets meer over me te zeggen. Trouwens, we zijn hier op mijn werk. Ik stel het niet op prijs dat je hier een scène komt maken.'

'Als Caseys vader heb ik het volste recht –'

'Nee, dat heb je niet.' Ze stak haar kin naar voren en keek hem woedend aan. 'Als je je zorgen maakt over onze zoon, ben ik altijd bereid erover te praten, maar ik accepteer niet dat je naar mijn werk komt om me de wet voor te schrijven. Is dat duidelijk?'

Aan de uitdrukking op zijn gezicht zag ze dat haar reactie hem had verrast – en niet alleen hem. Zelf wist ze ook amper wat haar bezielde.

Stan deinsde iets terug. Ze zag dat het hem moeite kostte zijn evenwicht terug te vinden. Ten slotte schraapte hij zijn keel en vervolgde aanzienlijk redelijker: 'Je betrokkenheid bij deze zaak maakt Casey van streek.'

'Onzin. Hij heeft nergens last van.'

'Hij heeft nachtmerries.'

'Nachtmerries?' herhaalde ze met gefronste wenkbrauwen. 'Hij is een paar keer 's nachts wakker geworden, maar toen ik vroeg –'

'Hij wilde het tegen jou niet zeggen.' Stan aarzelde even. 'Hij is bang dat je wordt vermoord.'

Een kreet van ongeloof ontsnapte haar. 'Vermoord? Hoe komt hij op zulke krankzinnige ideeën? Ik heb hem niet eens verteld waar ik mee bezig ben. Waarom zou ik? Hij is pas vier.'

'Wat dacht je van de televisie? Of zijn vriendjes op de kleuterschool. Zijn juffen. Iedereen heeft het erover, en daarbij wordt jouw naam voortdurend genoemd.'

Casey was de laatste tijd wel stil geweest, besefte Melanie. Bijna gelaten. En hij huilde tegenwoordig ook weer wanneer ze hem afzette bij de kleuterschool. Dan klemde hij zich aan haar vast en smeekte haar niet weg te gaan. Ze had het toegeschreven aan het feit dat ze het erg druk had en daardoor weinig tijd aan hem besteedde. Blijkbaar had ze de plank enorm misgeslagen.

'Dat wist ik niet,' fluisterde ze met een brok in haar keel. 'Daar had ik geen idee van.'

'Je hebt hem er ook niet naar gevraagd, is het wel?' Stan boog zich naar haar toe, een en al gerechtvaardigde verontwaardiging.

'Daarom wilde ik niet dat je bij de politie ging.'

'Maar ik loop geen enkel gevaar, Stan! Het is gewoon een kwestie van –'

'Van een moeder die meer tijd besteedt aan haar werk dan aan haar gezin,' maakte hij haar zin af. 'Ik heb bij alles wat ik doe het belang van mijn zoon voor ogen. Kun jij hetzelfde zeggen?'

Die middag ging Melanie op tijd naar huis, erop gebrand Casey op te pikken en hem gerust te stellen dat hij niet bang hoefde te zijn dat ze werd vermoord. Na Stans vertrek was ze heen en weer geslingerd tussen de stellige overtuiging dat haar ex-man had overdreven en de zekerheid dat hij gelijk had gehad.

Het was die laatste gedachte waardoor ze als het ware uit elkaar werd gescheurd. Hoe kon ze zo blind zijn geweest voor de gevoelens van haar zoon? Wat was ze voor moeder?

Zodra Casey haar ontdekte, kwam hij met een luide juichkreet op haar af stormen. 'Mammie!' Hij sloeg zijn armen om haar benen. 'Wat fijn dat je er bent!'

Verteerd door schuldgevoel, tilde ze hem op. 'Natuurlijk ben ik er, tijger. Ik ben alleen een beetje vroeg.'

Hij sloeg zijn kleine beentjes om haar middel en klemde zich als een aapje aan haar vast. 'Ik heb je gemist, mammie.'

'Ik jou ook, lieverd,' zei ze, waarna ze hem een dikke kus gaf. 'Ga je mee? Dan gaan we naar huis.'

Hoewel ze dolgraag met hem over zijn gevoelens wilde praten, hield ze zich in. Ze moest wachten op een goed moment. Een moment van ontspanning en tevredenheid.

Bij wijze van traktatie maakten ze die avond zelf een pizza. Melanie deed een stapje naar achteren en keek toe, terwijl hij het deeg over de pizzapan verspreidde. Dat het hier en daar te dik was en dat er op andere plaatsen gaten in vielen, gaf niet. Terwijl hun creatie in de oven stond, deden ze een spelletje. Daarna picknickten ze in de woonkamer, op een oude lappendeken, die Melanie op de grond had gelegd.

Toen de pizza op was, hielp Casey haar de vaatwasser inruimen. Ondertussen kletste hij over zijn vriendjes, over de reusachtige tor die ze op het speelterrein hadden gevonden en over

Sarah die haar lunch van boterhammen met pindakaas en jam had uitgespuugd.

Glimlachend liet Melanie hem praten, gerustgesteld door zijn onafgebroken monoloog.

Toen de vaat was weggeruimd, gingen ze op de bank zitten. Casey kroop dicht tegen haar aan en legde zijn lievelingsboeken op haar schoot. Dit was het moment, besloot ze. 'Lieverdje,' begon ze. 'Wist je dat mammie aan een grote, belangrijke zaak werkt?'

Met een geschokte blik in zijn ogen keek hij op.

Een gevoel van moedeloosheid maakte zich van haar meester. 'Wist je dat, Casey?'

Zonder haar aan te kijken, knikte hij.

Dus Stan had gelijk gehad. Ze had niet voldoende aandacht aan hun zoon besteed. Om wat rustiger te worden, haalde ze eens diep adem. 'Waar heb je dat gehoord?'

'Op de televisie,' antwoordde hij fluisterend. Hij liet zijn hoofdje hangen alsof hij zich schaamde. 'Daar hadden ze het over je.'

Ze trok hem nog iets dichter tegen zich aan en deed haar best zo ontspannen mogelijk te lijken. 'Hoe voelde dat toen je mijn naam op de televisie hoorde?'

Schouderophalend antwoordde hij: 'O, dat vond ik wel leuk, maar toen ik het aan Timmy vertelde, toen zei hij... hij zei...' Hulpeloos keek hij naar haar op. Zijn kin begon te trillen, en er kwamen tranen in zijn ogen.

Snel legde Melanie de boeken weg en tilde hem op schoot.

Hij draaide zich om en drukte zijn gezicht tegen haar borst.

'Wat zei Timmy, lieverd?' drong ze voorzichtig aan. 'Je kunt het me rustig vertellen. Ik beloof je dat ik niet zal schrikken.'

Hij drukte zijn gezichtje nog dichter tegen haar borst. Toen hij begon te praten, klonk zijn stemmetje zo gesmoord, dat ze hem nauwelijks kon verstaan. 'Timmy zei... dat je achter een hele akelige boef aan zit. En dat je... nou, dat je misschien...'

Toen begon hij te huilen, en Melanie kon zich wel ongeveer voorstellen wat Timmy tegen Casey had gezegd. Dat zij ook vermoord kon worden. Een hulpeloze woede maakte zich van haar meester – op Caseys vriendje, op de media, maar vooral op zichzelf omdat ze niet had gemerkt wat er met haar zoon gebeurde.

'Lieverd,' zei ze zacht maar ferm. 'Zei Timmy soms dat die akelige boef mammie misschien kwaad zou doen?'

Hij knikte, zijn kleine lijfje schokte van verdriet. Haar hart brak terwijl ze hem in haar armen wiegde. 'Weet je nog dat we het wel eens hebben gehad over wat een politieagent doet? Dat hij, of zij, zorgt dat de mensen veilig zijn door de slechteriken in de gevangenis te stoppen?'

'Ja,' bracht hij snikkend uit.

'Dat doe ik ook. Ik zorg dat de mensen veilig zijn, en ik stop de slechteriken achter de tralies.' Met een tedere glimlach keek ze op hem neer. 'Ze pakken míj niet. Als ze me zien, lopen ze juist hard weg.'

Zwijgend keek hij haar aan, alsof hij zich afvroeg of hij haar moest geloven. 'Echt waar?'

'Echt waar.' Om haar woorden kracht bij te zetten stak ze twee vingers op. 'Dat beloof ik. Dat zweer ik.' Ze boog haar hoofd en wreef haar neus tegen de zijne. 'Nu moet jij mij ook iets beloven. Elke keer wanneer je iets denkt waar je bang van wordt, moet je het me vertellen. Want misschien is het wel helemaal niet waar wat je denkt. Wil je me dat beloven, Casey?'

Hij knikte en stak ook plechtig twee vingers op. Toen las ze hem zijn lievelingsverhaaltjes voor. Daarna trok ze hem zijn pyjamaatje aan, en het duurde niet lang of ze liep op haar tenen de kamer uit. Na een laatste blik op haar slapende zoon liep ze naar de telefoon om haar ex te bellen. Hij nam meteen op.

'Stan, met Melanie.' Ze gunde hem niet de tijd iets te zeggen, maar praatte meteen door. 'Ik wilde je... bedanken. Omdat je bij me bent gekomen vanwege die kwestie met Casey. We hebben gepraat, hij en ik, en –' Ze haalde diep adem. 'Je had gelijk. Een schoolvriendje had hem bang gemaakt. Alles is weer in orde, maar ik wilde je... gewoon bedanken.'

Het bleef even stil. Waarschijnlijk omdat hij verbijsterd was, dacht Melanie. En dat begreep ze maar al te goed. Ze kon zich niet herinneren wanneer ze voor het laatst een normaal gesprek hadden gevoerd, zonder openlijke vijandigheden. Laat staan wanneer ze hem voor het laatst ergens voor had bedankt.

'Graag gedaan,' zei hij ten slotte. Aan zijn stem was te horen dat hij geëmotioneerd was.

Even later hing ze glimlachend op. Want ze had voor het eerst sinds lange tijd een gevoel alsof Stan en zij in hetzelfde team speelden. En dat was een prettig gevoel.

33

Boven de drukbezette dansvloer hing een mist van rook. Boyd baande zich een weg tussen de sensueel bewegende dansers en liet zijn blik over de gezichten gaan. Zoekend. Hongerig.

Zweet parelde op zijn bovenlip. Hij was die morgen nerveus wakker geworden. Er was sinds de dag daarvoor niets veranderd, maar hij had het gevoel alsof hij bezig was weg te zakken in een zwart gat. Het was een gevoel dat zijn stempel drukte op alles wat hij dacht, alles wat hij deed.

Er waren inmiddels weken verstreken sinds zijn laatste ont-moeting. Weken sinds hij zichzelf had toegestaan zich over te ge-ven aan zijn zwakheid. Hij had de honger die diep van binnen aan hem vrat, op een afstand gehouden door in gedachten de laatste keer opnieuw te beleven. Door zijn ogen te sluiten en zichzelf te bevredigen terwijl hij zich overgaf aan zijn herinne-ringen.

Vurig had hij gebeden dat die herinneringen hem langer zou-den bevredigen dan de keer daarvoor. Zijn gebed was echter niet verhoord. De herinneringen deden hem niets meer. Ze waren dood.

Om zichzelf in de hand te houden, haalde hij diep adem door zijn neus. Weer liet hij zijn blik over de dansvloer gaan, van het ene paar ogen naar het andere, maar ze lieten hem allemaal koud. Deze vrouwen waren allemaal zoals de vorige. Zwak. Zonder de innerlijke kracht die hem zo'n intense bevrediging schonk. Pijn, daar ging het om. Totale dominantie. Vernedering.

Hij moest ermee ophouden. Met elke ontmoeting, elke nieuwe vrouw speelde hij Russische roulette met zijn leven. Ooit zou zijn geluk op raken. Zijn tijd begon op te raken. Hij voelde het heel diep van binnen.

Vóór hem weken de dansende lichamen uiteen, en toen zag hij haar. Ze liep over de dansvloer in de richting van de bar, volledig in het zwart gekleed – laarzen met hoge, dunne hakken, een leren broek, die strak om haar lichaam sloot, en een vest met veters waar haar borsten bovenuit puilden. Haar lange, hoogblonde haar was duidelijk een pruik, maar in combinatie met het zwarte leer zag het er ongelooflijk sexy uit.

Alsof ze zijn onderzoekende blik voelde, bleef ze staan. Hun blikken ontmoetten elkaar. Haar lippen waren donker wijnrood, haar ogen zwaar opgemaakt. Ze glimlachte. Alsof ze hem kende! Alsof ze zijn behoeften, zijn wanhopige verlangens kende. Alsof ze wist wat hem gelukkig maakte.

De muziek raakte op de achtergrond; het bloed raasde door zijn oren. Ze wenkte hem. Zijn mond werd kurkdroog, en zijn hart begon als een razende te slaan. Opgewonden bleef hij voor haar staan. Ze wenkte hem nog dichterbij en gebaarde dat hij moest bukken, zodat ze hem iets in zijn oor kon fluisteren.

Hij deed wat ze wilde. Hun lichamen beroerden elkaar, en ze liet een hand naar beneden glijden, naar zijn kruis. Vervolgens trok ze de rits van zijn broek open. Genietend, geschokt hield hij zijn adem in.

'Ik zal je laten sméken,' fluisterde ze. Haar stem klonk hees, rauw als schuurpapier. 'Je zult zo genieten, dat je zou willen dat je dood was.'

Terwijl hij de woorden tot zich liet doordringen, stak ze haar tong in zijn oor en sloten haar vingers zich om zijn lid. Het duurde niet lang of hij kwam in haar hand.

Een rauwe lach welde op uit haar keel. Ze ritste zijn gulp dicht en draaide zich om.

Terwijl hij haar nakeek, begon hij al te fantaseren over hun volgende ontmoeting.

34

Ongeduldig keek Veronica op haar horloge. Ze kon niet wáchten tot de bijeenkomst voorbij zou zijn en ze haar boodschappen kon controleren. Mia had beloofd te bellen zodra Boyd die ochtend naar het ziekenhuis was vertrokken, maar Veronica had nog niets van haar gehoord.

Opnieuw keek ze op haar horloge, terwijl om haar heen de gesprekken doorgingen. Bijna elf uur. Mia zou nu vast en zeker hebben gebeld.

In de maand die inmiddels was verstreken sinds Mia's onverwachte bezoek, waren ze dikke vriendinnen geworden. Onafscheidelijk zelfs. Ze winkelden samen, gingen samen lunchen en naar de film. Bovendien belden ze elkaar dagelijks. Elke ochtend en elke avond. Meteen na het opstaan en vlak voor het naar bed gaan.

Veronica sloeg haar benen over elkaar. Voortdurend moest ze aan Mia denken. Ze maakte zich zorgen over haar, verlangde ernaar haar te beschermen en voor haar te zorgen. De uren zonder Mia leken eindeloos te duren, maar de tijd van hen samen leek ondraaglijk kort.

In de loop der jaren had ze heel wat vriendinnen gehad. Vrouwen om wie ze erg veel had gegeven, van wie ze zelfs had gehouden. Toch had ze nog nooit voor een andere vrouw gevoeld wat ze nu voor Mia voelde. Het was alsof ze bezig was verliefd te worden op Mia Donaldson.

Bij die gedachte sloegen de vlammen haar uit. Ze had het gevoel dat ze geen lucht kon krijgen. Dat kon toch niet waar zijn! Zo was ze niet. Ze had nog nooit dat soort gevoelens gehad voor een vrouw. Tot ze Mia had leren kennen.

'Veronica, heb jij er nog iets aan toe te voegen?'

Verschrikt keek ze op, zonder ook maar het geringste vermoeden wat er zojuist was gezegd en door wie. 'Eh... nee, Rick,' zei ze tegen de voorzitter van de bijeenkomst.

Even aarzelde hij, toen knikte hij. 'Oké. Dan stel ik voor dat we weer aan het werk gaan.'

Veronica sprong overeind en zocht haastig haar spullen bij elkaar. Voordat ze de deur uit kon lopen, pakte Rick haar bij haar arm. 'Veronica, heb je even?'

Met moeite bedwong ze een aanvechting om weer op haar horloge te kijken. 'Natuurlijk,' antwoordde ze glimlachend. 'Wat is er aan de hand?'

'Dat zou ik aan jou willen vragen.'

'Ik begrijp niet wat je bedoelt.'

'Is er iets? Heb je misschien problemen waarvan ik zou moeten weten?'

Wat moest ze zeggen? Ik denk dat ik bezig ben verliefd te worden op een andere vrouw, en ik weet me geen raad? Ze dwong zichzelf nonchalant te glimlachen. 'Nee, hoezo?'

'Dat lijkt me duidelijk. De afgelopen weken ben je veranderd van mijn meest agressieve, uitgesproken aanklager in iemand die slechts lijfelijk bij onze besprekingen aanwezig is.' Toen ze hem niet-begrijpend aankeek, schudde hij zijn hoofd. 'Veronica, je hebt op niet één zaak commentaar geleverd. Niet één.'

Haar wangen begonnen te gloeien. Hij had gelijk. Ze had de hele bijeenkomst zitten dagdromen over Mia. Allemachtig, ze leek wel een puber! Haar baan was het belangrijkste in haar leven. Ze kon het zich niet permitteren te dagdromen tijdens besprekingen. 'Het spijt me, Rick. Ik heb... nou ja, ik voel me al een tijdje niet zo lekker, en... dat kost me erg veel energie. Ik slaap slecht en... nou ja, ik ben gewoon niet helemaal mezelf.'

Dat laatste was in elk geval waar.

Onzeker schraapte ze haar keel. 'Ik heb het steeds uitgesteld om naar een dokter te gaan, maar misschien moet ik dat toch maar doen.'

Hij glimlachte meelevend en wekte de indruk dat hij haar geloofde. 'Haal wat antibiotica, dan ben je gauw weer de oude. En dan heb ik mijn pitbull terug.'

'Een pitbull?' mompelde ze. 'Zie je me zo?'

Zijn glimlach vervaagde. 'Dat bedoel ik niet negatief, Veronica. Integendeel. Ik wil dat je blijft zoals je bent.'

'Maak je geen zorgen. Ik bijt nog steeds. Daar kun je op rekenen.'

Nadat ze nog wat hadden gepraat, gingen ze ieder hun eigen weg. Veronica liep langs de balie om haar boodschappenbriefjes op te halen. Eenmaal in haar eigen kantoor keek ze ze haastig door. Er zat geen boodschap bij van Mia. Waarom had ze niet gebeld? Ze keek ze nog eens door, om er zeker van te zijn dat ze niets over het hoofd had gezien.

Toen liet ze zich met gefronste wenkbrauwen in de stoel achter haar bureau vallen. Ze begon zich echt zorgen te maken. Mia was de vorige avond nogal van streek geweest. Nee, meer dan van streek. Ze was diep geschokt geweest. Bang.

Vermoeid wreef Veronica met haar hand over haar voorhoofd. Het had te maken gehad met Boyd, maar Mia had niet willen vertellen wat er was gebeurd. Ze hadden hun gesprek abrupt afgebroken toen Boyd was thuisgekomen. Voordat Mia had opgehangen, had Veronica haar laten beloven de volgende ochtend te bellen zodra Boyd de deur uit was. Maar ze had niet gebeld. Er was vast iets niet in orde.

Met bonzend hart pakte Veronica de telefoon en belde Mia's nummer. Ze kreeg het antwoordapparaat en liet een boodschap achter. Tien minuten later belde ze weer, en nog eens tien minuten later opnieuw. Haar paniek groeide.

Langzaam stond ze op. Allerlei gruwelijke scenario's spookten door haar hoofd. Na alles wat Mia haar had verteld, was Veronica bang dat haar man tot alles in staat was. Misschien had hij haar wel opgesloten, in een kast of op zolder. Misschien was ze gewond. Of erger nog.

In een laatste, wanhopige poging om een verklaring te vinden waarom haar vriendin nog niet had gebeld, vroeg ze zich af of Boyd die dag misschien niet naar zijn werk was gegaan. Of hij misschien ziek was of een dag vrij had genomen. Daar was gemakkelijk genoeg achter te komen.

Even later legde ze de telefoon weer neer. Boyd was die dag wel degelijk naar zijn werk gegaan. Sterker nog, hij stond op datzelfde moment te opereren.

Misselijk van angst belde ze Jen met de mededeling dat ze even weg moest. Toen pakte ze haar tas en verliet haastig haar kantoor.

In recordtijd reed ze naar Mia's huis, veel te hard en zonder acht te slaan op oranje verkeerslichten. Zodra de auto op het tuinpad tot stilstand was gekomen, sprong ze eruit en rende ze naar de voordeur.

Ze belde, bonsde, en ten slotte begon ze de naam van haar vriendin te roepen. Na wat haar een eeuwigheid leek, hoorde ze beweging aan de andere kant van de deur. De sleutel werd in het slot omgedraaid, en de deur ging open. Daar stond Mia. Met dikke, rode ogen en een vlekkerig gezicht, maar voor het overige ongedeerd.

'Mia!' Veronica werd overspoeld door opluchting. 'De hemel zij dank! Je zou me bellen. Ik werd helemaal gek van ongerustheid.'

Mia staarde haar alleen maar aan, met tranen in haar ogen. Zonder een woord te zeggen, draaide ze zich om en begon weg te lopen.

Verward staarde Veronica haar na. Bezorgd. Ze had gelijk gehad. Er was iets mis. Er was iets verschrikkelijk mis. Ze deed de deur achter zich dicht.

Mia stond aan het eind van de hal, met gebogen hoofd en haar rug naar de voordeur. Aan haar schokkende schouders was te zien dat ze huilde.

Haar hart brak. 'Mia?' fluisterde ze, terwijl ze achter haar vriendin ging staan. 'Wat is er gebeurd?' Liefkozend streek ze over Mia's blonde haar. Het was bijna ondraaglijk zacht. 'Ik was zo... bang. Na alles wat je over Boyd had verteld, dacht ik... Nou ja, ik stelde me het ergste voor.' Niet in staat zich te beheersen streelde ze opnieuw over Mia's haar.

Deze keer gaf Mia eraan toe, als een poes die met zijn hoofd tegen het been van zijn baasje wrijft.

Veronica hield huiverend haar adem in en sloot haar ogen. 'Ik was zo bang. Dat mag je nooit meer doen, Mia. Echt nooit meer.'

Mia slaakte een verloren geluidje. 'Ik wilde je bellen. Jij was de enige... aan wie ik dacht, maar ik... ik schaamde me zo. Ik kon je niet onder ogen komen; ik kon je zelfs niet bellen.'

Veronica legde haar handen op Mia's schouders. 'Wat is er dan gebeurd? Ik begrijp het niet.'

'Dat kun je ook niet begrijpen.' Langzaam schudde ze haar hoofd, alsof ze niet verder kon praten.

'Het zou je verbazen wat ik kan begrijpen.' Veronica draaide haar vriendin naar zich toe zodat ze haar in de ogen kon kijken. 'Wat is er, Mia? Je kunt me alles vertellen.'

'Ik verdien je vriendschap niet. Ik...' De tranen stroomden haar over de wangen. 'Als ik toelaat dat hij me zo'n pijn doet als gisteravond... dan verdien ik het niet om –'

'Heeft hij je pijn gedaan?' Veronica haalde diep adem om tot rust te komen. 'Waar? Wat heeft hij –'

'Ik wil er niet over praten.'

Ze probeerde zich los te rukken, maar Veronica verstrakte haar greep. 'Sluit me niet buiten! Alsjeblieft!'

'Ik zei toch dat ik er niet over wil praten!' Snikkend rukte Mia zich los, en ze rende de gang door.

Veronica liep achter haar aan en vond haar in de slaapkamer, op de rand van haar onopgemaakte bed. Een toonbeeld van verslagenheid. In de deuropening bleef ze staan. 'Mia?' fluisterde ze.

'Het was... verschrikkelijk.'

'Vertel het me alsjeblieft. Dan zal ik proberen je te helpen.' Ze ging voor Mia op haar knieën zitten, nam haar handen in de hare en drukte ze tegen haar wang. Ze waren nat van de tranen. 'Hoe kun je nou denken dat ik je niet zou begrijpen? Jouw pijn is mijn pijn, jouw verlangens, jouw dromen, jouw teleurstellingen zijn de mijne. O, Mia, ik hou van je!'

Terwijl ze het zei, was het alsof er diep binnen in haar iets openbloeide. Een stralend licht. Een vurige belofte. 'Ik zou alles voor je doen. Echt alles! Besef je dat dan niet?'

Mia sloeg haar ogen op.

'Dat meen ik echt,' zei Veronica, terwijl ze hun handen naar haar mond bracht.

Er biggelde een traan over Mia's wang. 'Hij... Hij heeft me gedwongen met hem te vrijen,' fluisterde ze zo zacht, dat Veronica zich moest inspannen om haar te verstaan. 'Ik wilde het niet, ik heb me verzet, maar hij...' Haar stem brak. 'Hij dwong me. Het deed pijn.'

Veronica sloot haar ogen tegen het beeld dat bij haar opkwam en tegen de woede die ze daardoor voelde. De gedachte dat hij Mia had gedwongen. Haar lieve, zachte Mia... 'Waar?' was alles wat ze wist uit te brengen. 'Waar heeft hij –'

Mia stond op, maakte haar broek los en liet hem naar beneden glijden. Ze was slank, haar lichaam bijna jongensachtig. Veronica's blik werd naar de donkere driehoek getrokken die door haar eenvoudige, witte slipje te zien was. Haar mond werd droog. Haar oren suisden. Ze voelde zich duizelig – en verlegen.

Toen zag ze de blauwe plekken. De eerste, op de binnenkant van Mia's linkerdij, was minstens zeven centimeter in doorsnee en akelig donkerpaars van kleur. De andere, op haar rechterdij, waren klein en rond – als vingerafdrukken. Een zucht van ongeloof en verontwaardiging ontsnapte haar. Heel voorzichtig streek ze met trillende vingers over de grootste blauwe plek.

Er kwam een zucht over Mia's lippen. Veronica keek op. Mia hield haar ogen gesloten. Op haar gezicht lag een uitdrukking van gespannen verwachting. Voorzichtig bewoog Veronica haar hand omhoog, steeds hoger, tot haar vingers over de warme, witte stof streken.

Opnieuw kwam er een zucht over Mia's lippen.

Gesterkt door het verlangen dat erin doorklonk, legde Veronica haar hand op het donkere driehoekje.

Heel voorzichtig begon ze Mia te strelen. Voor het eerst in haar leven liefkoosde ze een vrouw.

'Ik ben bang,' fluisterde Mia. Ze begon te beven. 'Dit... Dit kan helemaal niet!'

Zonder iets te zeggen, legde Veronica haar het zwijgen op.

Heel teder begon ze haar te verleiden. Te beminnen.

Met een zachte kreet legde Mia haar handen op Veronica's schouders, alsof ze houvast zocht. 'Je... Je mag niet bij me weggaan, Veronica. Alsjeblieft... zeg dat je nooit...'

'Ik ga nooit bij je weg, liefste. Dat zou ik niet kunnen.'

'O, ga alsjeblieft door... Ja, o...'

Plotseling spanden Mia's dijen zich en sloten ze zich strak om Veronica's hand. En terwijl ze haar rug hol trok, schreeuwde ze het uit van genot. Huilend liet ze zich op de grond zakken, in Veronica's armen. Die hield haar vast, terwijl ook bij haar de tranen over haar wangen stroomden.

Na een tijdje werden de tranen minder. Ze zeiden nog altijd geen woord en zaten roerloos in elkaars armen. Veronica durfde Mia niet los te laten, uit angst voor wat Mia zou zeggen. Uit angst hoe ze haar zou aankijken. Ze was bang en verlegen, maar tegelijkertijd zo vervuld van hoop, dat het pijn deed. Nog nooit in haar leven had ze zo het gevoel gehad dat het goed was wat ze deed, als deze laatste minuten met Mia. Als zij die gevoelens niet deelde, was ze bang dat ze het niet zou kunnen verdragen.

Ten slotte raapte ze al haar moed bij elkaar en keek ze Mia aan. In haar ogen zag ze haar eigen verwondering weerspiegeld. Haar eigen hoop, haar eigen twijfels. Huilend van blijdschap legde ze haar handen om Mia's gezicht, en ze kuste haar. Niet langer als vriendin, maar als minnares.

Toen hun lippen elkaar loslieten, streek Mia met trillende vingers over Veronica's gezicht. 'Wat moet ik toch beginnen met Boyd?' vroeg ze. 'Ik ben zo bang.'

'Je hoeft niet bang te zijn. Ik zal niet toestaan dat hij je nog eens pijn doet. Dat hij je ooit nog aanraakt. Dat zullen we niet laten gebeuren, jij en ik.'

'Nee,' viel Mia haar bij. 'Dat zullen we niet laten gebeuren.'

35

Haastig liep Melanie de kleedkamer van de *dojang* binnen. Zoals ze wel had verwacht, was Veronica er al. Ze zat op de bank met haar sporttas tussen haar benen, maar ze had zich nog niet verkleed. Hun vaste vrijdagavondafspraak bestond nog steeds, en als een van beiden niet kon, belden ze.

Sinds half juli, de officiële start van het onderzoek naar de Zwarte Engel, had Melanie het gevoel alsof ze zich voortdurend liep te haasten. Alsof ze zich voortdurend liep te verontschuldigen dat ze te laat was.

'Het spijt me.' Ze zette haar tas op de bank naast Veronica. 'Ik wilde net de deur uit gaan toen er een verslaggeefster belde van de Charlotte Observer.'

Veronica keek op. 'Ach, dus de Zwarte Engel gooide weer roet in het eten. Wie had dát nou kunnen denken?'

Melanies mond viel open bij de sarcastische toon van haar vriendin. 'Wat bedoel je?'

'Ach, het enige waaraan jij de laatste tijd nog kunt denken, is die vervloekte zaak. Je bent erdoor geobsedeerd.'

Melanie verstijfde, gekwetst en beledigd tegelijk. 'Het is een grote zaak, Veronica. Een belangrijke zaak. En ik heb de leiding van het onderzoek. Ik had verwacht dat uitgerekend jij het wel zou begrijpen.'

'Misschien begrijp ik het ook wel, maar wat dacht je van de andere mensen om je heen?' Melanie deed haar mond al open om antwoord te geven, maar Veronica kapte haar af. 'Het is niet goed om je zo volledig op een zaak te storten. Want er komt altijd weer een andere, die nog groter is, nog belangrijker.'

Melanie wist niet goed wat ze moest zeggen. Het commentaar van haar vriendin verraste haar, en ze voelde zich in verlegenheid gebracht, want ze besefte dat Veronica gelijk had.

In een ongemakkelijk stilzwijgen verkleedden ze zich. Terwijl Veronica haar tas in haar kastje deed, keek ze Melanie bijna ver- ontschuldigend aan. 'Hoe gaat het eigenlijk met de zaak?'

'We hebben inmiddels acht potentiële slachtoffers.'

'Acht? Dan is die Engel van je een druk baasje geweest.'

'Vrouwtje,' verbeterde Melanie haar automatisch.

'O ja. Heb je verder al aanwijzingen?'

'Nee, we hebben een reeks van slachtoffers, maar geen enkel concreet bewijs. Vanwege de aard van de moorden en de tijd die er in sommige gevallen al is verstreken, hebben we geen fysieke bewijzen waarmee we het verband tussen de slachtoffers zouden kunnen leggen.'

'Dat valt inderdaad niet mee. Ik neem aan dat het nu voorna- melijk een kwestie van wachten is.'

'Daar komt het wel op neer,' gaf Melanie toe, hoewel ze het een afschuwelijke gedachte vond dat ze zaten te wachten op een nieu- we moord. Toch was dat de enige manier om nieuwe aanwijzin- gen te krijgen, nieuw bewijsmateriaal.

Ze liepen naar de zaal. 'Dat wordt een smeuïge zaak als hij eenmaal voorkomt,' zei Veronica. 'Ik zou bijna wensen dat ik op moordzaken zat. Met mijn geschiedenis van dominante mannen stel ik me voor dat ik het gevoel zou hebben dat de rollen einde- lijk waren omgedraaid.'

Hoewel Melanie instemmend mompelde, voelde ze dat zelf niet zo. Voor haar ging het er niet om wie de Zwarte Engel had vermoord, alleen dát ze het had gedaan.

Zwijgend deden ze hun rekoefeningen en bereidden ze zich voor op het gevecht. Met het verstrijken van de tijd hadden ze een zekere routine opgebouwd, waardoor ze in overleg met Mr. Browne, hun leraar, hadden besloten geen lichaamsbeschermers meer te dragen. Taekwondo-slagen konden met ongelooflijk veel kracht worden toegebracht en ernstige schade toebrengen. Beide vrouwen waren echter ervaren genoeg om dat te voorkomen.

Bovendien waren ze elkaar volledig gaan vertrouwen en wisten ze wat ze aan elkaar hadden. Veronica was een geraffineerde aanvaller, die indirect en onverwacht uithaalde. Melanie was meer een stier met een rechtstreekse, methodische manier van aanvallen. Hoewel Melanie Veronica nog steeds niet had verslagen, had ze toch nog altijd de hoop dat het er ooit van zou komen.

Het leek erop dat het misschien die avond wel zou gebeuren. Veronica's timing was niet zuiver, en haar bewegingen misten hun gebruikelijke scherpte en focus. Soms vergat ze haar dekking, zodat Melanie haar een slag op haar voorhoofd wist toe te brengen. Toen Veronica verrast een stap naar achteren deed, wist Melanie haar een perfect geplaatste stoot tegen de zijkant van haar hoofd toe te brengen. Bij een officieel gevecht zou ze voor beide een punt hebben gekregen, en met drie punten zou ze de wedstrijd hebben gewonnen.

'Ik heb nog maar één punt nodig,' zei ze plagend. 'Weet je zeker dat je er klaar voor bent vanavond? Je maakt het me wel verschrikkelijk gemakkelijk.'

'Dat maakt allemaal deel uit van mijn plan. Zodra je denkt dat je de overwinning op zak hebt, kom ik met mijn dodelijke actie.'

Melanie lachte. 'Doe je best, zou ik zeggen.'

Veronica viel aan, maar Melanie blokkeerde haar stoot. Ze herhaalden de manoeuvre, en ineens, zonder waarschuwing, lanceerde Veronica een rechtstreekse trap tegen Melanies borstbeen. Verblind door pijn, vloog deze achteruit en viel op haar rug.

Toen ze haar ogen opendeed, was haar zicht aanvankelijk vertroebeld. Veronica stond over haar heen gebogen, met een glimlach om haar mond.

Dat kon niet waar zijn. Kreunend sloot Melanie haar ogen. Toen ze ze weer opendeed, keek ze in het gezicht van hun leraar.

'O, Mel. Het spijt me zo.' Met een geschokte uitdrukking op haar gezicht boog Veronica zich nog dieper over haar heen. 'Ik weet niet wat er gebeurde.'

Verbijsterd staarde Melanie haar aan, niet in staat een woord uit te brengen. Ze wilde rechtop gaan zitten, maar haar lichaam negeerde haar bevel. Ze deed haar mond open om Mr. Browne te vragen wat er aan de hand was, maar er kwam niet meer dan een jammerklacht over haar lippen.

'Stil blijven liggen.' Voorzichtig legde de leraar een hand op haar schouder. 'Niet praten. Doe je ogen dicht en probeer langzaam en diep adem te halen.'

Melanie deed wat hij zei.

'Heel goed. Concentreer je op de genezende werking van de zuurstof, terwijl je inademt. Goed zo. En als je uitademt, stel je je voor dat de pijn met je adem wordt uitgedreven.'

Opnieuw deed ze braaf wat hij zei, en geleidelijk aan klaarde haar hoofd op en keerde haar evenwicht terug, hoewel ze nog altijd een gruwelijke pijn in haar borst voelde.

'Ik geloof dat ik nu wel rechtop kan zitten,' fluisterde ze.

Veronica en hun leraar hielpen haar. Ondanks de pijn in haar borst, was er niets wat duidde op een gebroken rib. Melanie legde haar hand op de plek. Hij voelde gloeiend aan.

'Wat is er gebeurd?' vroeg Mr. Browne, met zijn blik op Veronica.

Ze verbleekte. 'Ik weet het niet. We waren aan het vechten en –'

'Je verloor je concentratie,' zei hij boos. 'Een dergelijke trap kan dodelijk zijn, dat weet je. Het had heel ernstig kunnen aflopen.'

Beschaamd boog Veronica haar hoofd.

'Van nu af aan wil ik dat jullie allebei weer lichaamsbeschermers gaan dragen.'

Zonder protest gingen de twee vrouwen akkoord. Sterker nog, Melanie vroeg zich af of ze ooit nog zonder beschermers zou willen vechten.

Veronica en Mr. Browne hielpen haar overeind. Even wankelde ze, toen stond ze redelijk stevig op haar benen. Veronica hielp haar naar de kleedkamer.

'Het spijt me verschrikkelijk, Melanie. Ik vind het echt afschuwelijk.'

In gedachten zag Melanie haar glimlachende gezicht weer voor zich, terwijl ze zich over haar heen had gebogen. 'O ja?'

Veronica werd vuurrood. 'Je wilt toch niet suggereren dat ik het met opzet heb gedaan?'

Lieve hemel, dat was precies wat ze wilde suggereren. Wat bezielde haar? Veronica was haar vriendin. Waarom zou ze zoiets doen? Ze slaakte een beverige zucht. Haar wangen begonnen te gloeien. 'Toen ik mijn ogen opendeed, zag ik... Nou ja, ik dacht dat je glimlachte...'

Gekwetst keek Veronica haar aan. 'Ik dacht dat we vriendinnen waren!'

Het laatste restje woede en argwaan verdween. Melanie stak een hand uit. 'Het spijt me. Ik ben gewoon een beetje van streek. Als je me iets verder naar rechts had geraakt, had mijn hart het kunnen begeven. Ik meende niet wat ik zei. Kun je me vergeven?'

Met een krampachtige glimlach knikte Veronica.

Desondanks vroeg Melanie zich, terwijl ze haar nakeek, angstig af of ze hun vriendschap permanente schade had toegebracht.

36

Ashley ging op zaterdagavond graag naar Dilworth Square. Het trendy winkelcentrum werd bezocht door een welvarende cliëntèle en bestond uit diverse boetiekjes, een aantal bistroachtige restaurants en een café met terras. Aangezien de winkels op zaterdagavond tot tien uur openbleven, was het er altijd gezellig druk. Te midden van het winkelende publiek voelde Ashley zich niet half zo eenzaam als thuis.

Ze liep langs een stelletje dat innig gearmd liep en wendde haar blik af. De laatste tijd drukte de stilte zwaar op haar. De nachten waren het ergst. Het gebeurde regelmatig dat ze midden in de nacht badend in het zweet wakker werd. Met het gevoel alsof ze stikte in de duisternis en de leegte om haar heen. Dan kwamen de herinneringen en was ze verloren.

Ze had haar zusjes nodig, wist ze. Hun armen, hun onvoorwaardelijke liefde, hun begrip. Ze wilde dat ze alles goed zouden maken, maar dat konden ze niet. Want ze begrepen het niet. Omdat ze het niet wisten. Ze had het hun nooit verteld. Ze waren er niet voor haar, alleen voor elkaar.

Even sloot Ashley haar ogen, zich voorhoudend dat het niet waar was. Dat haar zusjes van haar hielden. Dat zij net zo belangrijk was in hun leven als zij dat waren in het hare. De laatste tijd had ze hen weinig gezien. Melanie had het druk met haar werk, Mia met haar huwelijk, maar ze maakte zichzelf niets wijs.

Er was iets tussen hen gekomen. Of liever gezegd, iemand. Veronica Ford!

Alsof Ashleys gedachten haar hadden opgeroepen, stapte Veronica op dat moment plotseling een eindje vóór haar uit de Godiva bonbonwinkel. Haar gezicht verried dat ze in een uitstekende stemming was, terwijl ze zwaaide met een van de kleine, goudkleurige tasjes die het handelsmerk waren van de winkel. Volmaakt onbekommerd.

Pure haat nam bezit van Ashley. Wanneer ze de afgelopen weken langs Mia's huis was gereden, had Veronica's auto altijd op het tuinpad gestaan. En wanneer ze haar zusjes de laatste tijd had gezien, was Veronica er altijd bij geweest. Alsof ze een van hen was. De haat groeide. Ze was niet een van hen!

Uit de nieuwsgierige blikken van de mensen om haar heen begreep ze dat ze in zichzelf liep te praten. In verlegenheid gebracht streek ze met haar hand over haar voorhoofd. Ze transpireerde, hoewel het een milde avond was. Lieve hemel, wat gebeurde er toch met haar? Ze was bezig haar verstand te verliezen.

Ontkennend schudde ze haar hoofd. Nee, dat was niet waar. Veronica Ford was bezig haar zusjes tegen haar op te zetten. Ze probeerde hen uit elkaar te drijven.

Het was niet eerlijk. Niet na alles wat ze had gedaan om hen te beschermen. Niet na de manier waarop ze had geleden. Waarop ze nog steeds leed.

Voor haar ging Veronica een andere winkel binnen. Een lingeriezaak. Ashley volgde haar en bleef voor de etalage staan. Ze gluurde naar binnen en zag dat Veronica keurend langs de rekken liep. Ondertussen praatte ze met de verkoopster.

Ten slotte liep ze met een eenvoudig, champagnekleurig hemdje naar de toonbank. Terwijl ze betaalde, mengde Ashley zich in de menigte rond een groepje straatartiesten.

Zodra Veronica naar buiten kwam, begon ze haar echter weer op een veilige afstand te volgen. Regelmatig keek Veronica achterom, alsof ze iemand zocht, maar Ashley zag ze niet. Pas zodra ze een winkel binnen ging, waagde Ashley zich dichterbij.

Veronica ging achtereenvolgens naar een parfumerie, een boekhandel en een schoenenwinkel. En overal kocht ze iets. Ze gaf haar geld zorgeloos uit, zag Ashley. Blijkbaar hoefde ze niet zuinig te zijn. Ze keek nergens naar prijskaartjes. Als ze iets mooi vond, kocht ze het gewoon.

Toen Veronica uit de laatste winkel naar buiten kwam, zag Ashley dat ze een van de schaduwrijke laantjes in sloeg die naar de achterkant van de winkels leidden.

Ashley aarzelde even, toen begon ze sneller te lopen, omdat ze Veronica niet uit het oog wilde verliezen. Bij de ingang van het laantje gekomen, keek ze om zich heen. Aan de ene kant lagen de achtergevels van de winkels met hun leveranciersingangen, aan de andere kant stonden boompjes, versierd met kleine, witte lichtjes. Het laantje lag er verlaten bij. Waar was ze gebleven?

Ashley fronste haar wenkbrauwen en begon te lopen. Haar voetstappen weerkaatsten zacht tegen de muren. Achter haar hoorde ze de geluiden van het plein. Ze klonken bijna spookachtig. Ashley huiverde.

'Zoek je mij?'

Met een ruk draaide Ashley zich om. Een paar meter achter haar stond Veronica, met haar handen op haar heupen. Haar ogen schitterden van woede. Blijkbaar had ze beseft dat ze werd gevolgd en Ashley met opzet in de val laten lopen.

'Veronica!' Ashley deed alsof ze verrast was. 'Wat doe jij hier?'

'Waarom volg je me?' Het was duidelijk dat Veronica zich niet voor de gek liet houden.

'Wat bedoel je?' Ashley voelde dat haar wangen begonnen te gloeien. 'Waarom zou ik dat doen?'

'Dat zou ik ook wel eens willen weten.' Met een schuin hoofd nam Veronica haar aandachtig op. 'Je mag me niet zo erg, hè?'

Ashley keek haar recht aan. 'Ik mag je helemáál niet.'

'Wat heb ik je misdaan?' Vragend hief Veronica haar handen op. 'Ik probeer alleen maar een vriendin voor je te zijn.'

'Misschien wil ik je helemaal niet als vriendin. Misschien vertrouw ik je wel niet.' Terwijl ze het zei, besefte ze dat het waar was. Ze wist niet waarom, maar Veronica had iets slangachtigs. Iets stiekems.

Veronica snoof ongelovig. 'En dat zeg jij?'

'Precies.' Strijdlustig stak ze haar kin naar voren. 'En ik zal bewijzen dat ik gelijk heb.'

Met een medelijdende uitdrukking op haar gezicht schudde Veronica haar hoofd. 'Je hebt hulp nodig, Ashley, en ik hoop dat je die vindt, voordat je de mensen die van je houden nog meer pijn doet.' Na deze woorden draaide ze zich om en begon de steeg uit te lopen.

Ashley keek haar na, tot in het diepst van haar ziel getroffen door die laatste woorden. 'Wat weet jij van de mensen die van me houden?' riep ze haar met overslaande stem na. 'Wat weet je van mij?'

Veronica liep door, zonder achterom te kijken.

Beheerst door een machteloze woede, begon Ashley achter haar aan te rennen. 'Ik wil dat je uit mijn leven verdwijnt! En uit het leven van mijn zussen! Heb je me gehoord, Veronica Ford! Ik wil dat je verdwijnt!'

Toen bleef Veronica staan en draaide zich om. De uitdrukking op haar gezicht was veranderd. Het stond hard, koel. 'Dus dat is het? Het gaat om je zusjes. Je bent jaloers!'

Ja, ze was inderdaad jaloers, gaf Ashley stilzwijgend toe, maar haar gevoelens voor Veronica gingen dieper dan jaloezie. Ze kwamen uit een plek heel diep van binnen. Een plek die ze niet kon benoemen, maar die ze volledig vertrouwde. 'Ga terug naar Charleston en laat ons met rust! Ik wil dat je verdwijnt. We willen je hier niet!'

Meewarig schudde Veronica haar hoofd. 'Ik heb medelijden met je. En ik heb medelijden met Mia en Melanie, omdat ze zoveel van je houden.'

'Laat Mia en Melanie erbuiten!' riep Ashley gesmoord uit. 'Het gaat om jou.'

'Nee, het gaat om jou. Je kunt het niet uitstaan dat ze me aardig vinden. Je bent gewoon jaloers. Waarom geef je het niet toe? Misschien voel je je dan beter.'

'Hou op!' Woedend balde Ashley haar vuisten. Ze had het gevoel alsof er een gewicht op haar borst drukte dat haar dreigde te vermorzelen. 'H-hou op!'

'Je bent gewoon bang dat ze mij aardiger vinden dan jou. En zal ik je eens wat zeggen? Volgens mij is dat ook zo.'

Er kwamen tranen in haar ogen, waardoor haar zicht werd vertroebeld. 'Het zijn mijn zusjes! Míjn zusjes. Ik wil dat je ze met rust laat.'

'Het spijt me, Ashley, maar dat zal niet gaan.' Veronica draaide zich om en liep weg.

Terwijl Ashley haar nakeek, besefte ze dat ze haar haatte met
alles wat ze in zich had.

37

Connor bracht zijn Explorer tot stilstand voor Melanies huis, maar hij zette de motor niet uit. Het bescheiden huis had iets weg van een cottage en zag er goed onderhouden uit, merkte hij op. Het zat mooi in de verf; het gras was pas gemaaid, en de bloembedden lagen er verzorgd bij. Aan de grote esdoorn naast het tuinpad hing een schommel, en een fiets met oefenwieltjes stond in de open deur van de garage met daarin Melanies jeep.

Peinzend tikte Connor met zijn vingers op het stuur, twijfelend wat hij zou doen. Naar binnen gaan of doorrijden? Hij keek naar de dikke envelop op de stoel naast zich. De reden voor zijn komst. Althans, de verzonnen reden.

Hij vertrok zijn gezicht. Er was geen enkele reden waarom hij haar op dat moment zou moeten spreken. Alles wat hij te zeggen had, kon wachten of via fax en telefoon worden afgehandeld. Het onderzoek naar de Zwarte Engel was echter niet de reden waarom hij die ochtend langs het bureau Whistlestop was gereden. Het was niet de reden waarom hij het bureau gefrustreerd weer had verlaten, of waarom hij naar haar huis was gereden, nadat hij had gehoord dat ze die dag thuis was omdat Casey ziek was. Nee, de gevoelens die hem naar haar huis hadden gedreven, waren allesbehalve professioneel.

Melanie en hij werkten inmiddels een maand samen. In die tijd was hij tot de conclusie gekomen dat ze haar werk grondig en professioneel aanpakte. Ze was een goede agent, die een probleem methodisch benaderde, maar tegelijkertijd met een creativiteit die alleen de beste rechercheurs aan de dag legden. Ze was ongeduldig, maar liet zich daardoor nooit verleiden tot slordigheid. Ze was licht ontvlambaar, maar vriendelijk, direct en zich scherp bewust van goed en kwaad, en als ze uit haar tent werd gelokt, kon ze erg grappig uit de hoek komen. Bovendien was ze aantrekkelijker dan goed was voor zijn innerlijke rust.

Die laatste gedachte verdrong hij snel, terwijl hij weer naar het huis keek. Zijn blik viel op de rood-wit-blauwe krans op haar voordeur. Hij glimlachte. Het was al bijna september! Zou die krans daar al sinds vier juli hangen, nog van onafhankelijkheidsdag? En had ze het al die tijd te druk gehad om hem weg te halen, of had haar zoontje gewild dat het ding bleef hangen?

Zijn glimlach kreeg iets melancholieks. Het was een van de vele dingen die hij zich afvroeg over Melanie May en het leven dat ze leidde. Want ondanks alles wat hij inmiddels van haar wist, was ze nog steeds een raadsel voor hem. Hij wist dat ze gescheiden was, een vurig toegewijde moeder, maar met ambities die verder reikten dan bureau Whistlestop. Hij wilde echter meer over haar weten dan pure feitelijkheden. En het was lang geleden dat hij gevoelens had gekoesterd zoals nu voor Melanie.

Reden genoeg om door te rijden dus. Hij wilde de auto al in de versnelling zetten, maar in plaats daarvan zette hij de motor uit. Hij pakte de envelop van de stoel naast zich, sprong uit de auto en begon het tuinpad op te lopen, zonder zichzelf de kans te geven van gedachten te veranderen.

Nog voordat hij had aangebeld, deed ze al open. Hoewel het al over tienen was, zag ze eruit alsof ze net onder de douche vandaan kwam. In een oude spijkerbroek en een eenvoudig wit T-shirt, met vochtig haar en blote voeten. Eerder een student dan een politieagent, tevens gescheiden moeder van een kind van vier.

'Connor,' zei ze zacht en met een verraste uitdrukking op haar gezicht. 'Waaraan heb ik die eer te danken?'

'Hallo.' Hij verplaatste zijn gewicht van de ene voet naar de andere en voelde zich weer een onbeholpen puber in plaats van een man van achtendertig. 'Bobby zei dat je thuis was. Ik hoop niet dat ik stoor?'

'Natuurlijk niet. Casey slaapt.' Ze glimlachte. 'Wat is er aan de hand?'

Een verdachte kon hij recht in de ogen kijken en liegen alsof het gedrukt stond, maar bij Melanie ging dat niet op. Dat werd hem meteen duidelijk. Hij ontweek haar blik en schraapte zijn keel. 'We hebben vanmorgen een stel faxen ontvangen, een van het politiebureau in Asheville en een uit Columbia. Het gaat om potentiële slachtoffers van de Zwarte Engel. Dus ik kwam ze even langsbrengen.'

'Geweldig.' Ze deed een stap naar achteren om hem binnen te laten, maar hield een vinger op haar lippen. 'We moeten wel zachtjes praten. Casey slaapt erg licht.'

Eenmaal in de kleine, zonnige keuken deed ze de deur dicht. 'Ga zitten. Dan zet ik even koffie.'

Hij ging op een van de krukken aan de ontbijtbar zitten en legde de envelop voor zich neer. 'Je hoeft voor mij geen moeite te doen.'

'Het is geen moeite. We hebben hier een zware nacht achter de rug, en ik heb alleen nog maar een kop opgewarmde koffie van gisteren gehad.' Ze vertrok haar gezicht. 'Ik heb een hekel aan opgewarmde koffie.' Resoluut gooide ze de pot leeg in de gootsteen en vulde deze met water. 'Bobby's kinderen slapen desnoods dwars door een ontploffing heen, maar dat kun je bij Casey vergeten. Toen hij nog klein was, liep ik op mijn tenen door het huis, omdat ik dacht dat het zo hoorde. Omdat ik dacht dat hij dan beter zou slapen. Dus het is mijn eigen schuld dat hij zo snel wakker wordt.' Ze haalde haar schouders op. 'We doen ons best, maar wat weet je nou helemaal bij je eerste kind?'

Met zijn kin op zijn handen sloeg Connor haar soepele bewegingen gade. 'Hoe gaat het met Casey? Bobby zei dat hij ziek was.'

'Oorontsteking.' Ze zette het koffiezetapparaat aan. 'Daar heeft hij al last van sinds hij een baby was. Ik dacht dat hij eroverheen was gegroeid, maar helaas.' Ze boog zich over de koffiepot en ademde de geur van de pruttelende koffie in.

Op de een of andere manier vond hij die beweging sexy, op een heel natuurlijke manier. Of liever gezegd, hij vond alles aan haar sexy.

'Laat eens zien. Wat heb je voor me meegebracht?'

Verbaasd knipperde hij met zijn ogen. 'Hè?'

'Die faxen waarover je het had.'

'O, eh... ja.' Hij maakte de envelop open. Op de faxen stond een verslag van twee doodgelopen onderzoeken. 'Zoals ik al zei, ze zijn afkomstig van de plaatselijke politie. Beide sterfgevallen worden als verdacht beschouwd, maar de politie heeft nooit concrete aanwijzingen kunnen vinden waarop ze een moordonderzoek konden baseren. Hoewel ze niet echt passen in de werkwijze van onze Zwarte Engel, was van beide slachtoffers bekend dat ze hun vrouw sloegen. Dus ik ben benieuwd wat jij ervan vindt.'

De koffie was inmiddels klaar, en Melanie schonk twee mokken in. Toen ging ze tegenover hem zitten. 'Om wie gaat het?'

'Het eerste slachtoffer was een motorfanaat. Hij is van een bergweg af gedwongen en te pletter gevallen. Er zijn geen getuigen.'

'Hoe weten we dat hij van de weg af is gedwongen?'

'Bandensporen, plus de schade aan de overblijfselen van de motor.'

'Behoorlijk riskante manoeuvre. Erg zichtbaar ook. Toch riekt het naar moord.'

'Dat hoeft niet. Die bergwegen zijn smal. Het kan zijn dat het ongeluk is veroorzaakt door een inhaalmanoeuvre. Het was regenachtig, dus de weg was glibberig.'

Melanie liep om de bar heen om een blik op het rapport te werpen. Ze boog zich over zijn schouder, en terwijl ze dat deed, streken haar haren langs zijn wang. Het was zijdezacht en rook naar vruchtenshampoo. Hij moest zich tot het uiterste beheersen om niet een lok tussen zijn vingers te nemen.

'En nummer twee?'

Snel richtte Connor zijn aandacht weer op het rapport. 'Een jager. Bracht bijna elk weekend tijdens het jachtseizoen in de bossen door. Soms alleen, soms met een stel vrienden. Kwam om het leven bij een zogenaamd "jachtongeluk". Maar we hebben het hier niet over een verdwaalde kogel. Hij is van dichtbij in de borst geschoten en gevonden door een groep jagers. Dood.'

'Geen getuigen?'

'Nee. Dat weekend hadden al zijn vrienden afgezegd.'

'Dus hij was alleen en kwetsbaar? Zoals de Engel ze graag heeft?'

'Precies, hoewel geen van beide gevallen duidelijk in het patroon van onze Engel past. De gebruikte methode was directer en riskanter in termen van mogelijke ontdekking. Bovendien zijn beide mannen niet zozeer het slachtoffer geworden van hun zwakte, maar van hun hobby. Maar allebei sloegen ze hun vrouw, en ze zijn allebei dood aangetroffen als gevolg van een onverklaarbaar ongeluk.'

Ze zei niets. Connor kon haar bijna horen denken. 'Het zou het werk van de Engel kunnen zijn,' zei ze ten slotte. 'Het zou me tenminste niets verbazen.'

'Hoezo?' Nieuwsgierig boog hij zich naar haar toe, maar hij besefte onmiddellijk dat hij dat beter niet had kunnen doen. Daardoor bevond zijn gezicht zich nog slechts enkele centimeters van het hare. Hij slikte krampachtig en dwong zichzelf niet naar haar mond te kijken. Haar vollle, sexy, uitnodigende mond.

'Omdat ze risico's niet altijd kan vermijden.' Melanie trok een kruk bij en ging naast hem zitten. 'Ze kiest haar slachtoffer zorgvuldig. Ze bestudeert hem. Ze leert zijn gewoonten, zijn voor- en afkeuren, en ze ontdekt zijn zwakheden.'

'Dingen die hem kwetsbaar maken,' vulde Connor aan. 'Een hartafwijking. Een drankprobleem. Een ernstige allergie.'

'Precies.' Melanie stopte haar haren achter haar oor, maar een deel van de zijdezachte lokken viel weer terug.

Terwijl Connor de beweging met zijn ogen volgde, vervloekte hij zijn eigen zwakheid.

Melanie praatte echter door alsof ze zijn blik niet had opgemerkt. Alsof zijn nabijheid haar geen enkele erotische spanning bezorgde. 'Maar stel nou eens dat ze op een slachtoffer stuit dat geen zwakke plekken heeft waar ze gebruik van kan maken? Wat doet ze dan?'

'Dan zoekt ze een ander slachtoffer, of ze besluit het erop te wagen.'

'In dat laatste geval zal ze een andere manier moeten bedenken om hem uit de weg te ruimen.' Opgewonden liet ze zich van haar kruk glijden en liep ze naar het bureautje in een hoek van de keuken. Ze haalde een map tevoorschijn en kwam daarmee terug naar de bar. De map bleek een stapel papieren te bevatten. Op de bovenkant van elk vel papier was de naam van een slachtoffer geschreven, daaronder hoe en waar hij was gestorven, en haar persoonlijke commentaar op de zaak.

Ze legde de vellen één voor één op de bar, in twee rijen, en voegde de twee nieuwe slachtoffers toe. 'Ze zijn niet zo anders, Connor. Zodra ze het leven van haar slachtoffer is binnengedrongen, zoekt ze een kwetsbare plek. Iedereen heeft zo'n plek.' Doordringend keek ze hem aan. 'En dan slaat ze toe. Ze heeft al te veel in haar slachtoffers geïnvesteerd om ze te laten lopen.'

'Toch gebeurt het regelmatig dat een seriemoordenaar een ander slachtoffer zoekt.' Bewust speelde Connor advocaat van de duivel. 'Als hij het gevoel heeft dat het risico te groot is.'

'Maar zij is anders,' hield Melanie vol. 'Als onze theorie juist is, investeert ze emotioneel heel veel in haar slachtoffers. Ze –'

'Nee,' verbeterde hij haar, 'niet in haar slachtoffers. In de vrouwen die hún slachtoffer zijn.'

De woorden sloegen in als een bom. Dat was het. De vrouwen waren het verband. De Zwarte Engel doodde niet om het een of andere werelds onrecht ongedaan te maken. Ze doodde niet uit persoonlijke wraakgevoelens. Ze zette zich in voor vrouwen die in problemen verkeerden.

'Hoe heb ik zo stom kunnen zijn.' Connor kwam overeind. Het was ineens zo duidelijk. Zo eenvoudig. 'De vrouwen zijn het verband!' Geestdriftig keek hij Melanie aan. 'Ze sluit vriendschap met de vrouwen, nádat ze te weten is gekomen in welke situatie ze verkeren.'

'Maar hoe pakt ze dat aan?' Melanie was net zo opgewonden als hij. 'Waar leert ze hen kennen?'

'Op plekken waar vrouwen heen gaan. De kapper. De supermarkt.'

'Wacht even.' Melanie pakte een stuk papier en een pen. 'Vrouwengroepen. Ouderavonden.' Vol verwachting keek ze naar hem op.

Ze brainstormden nog wat verder en kwamen tot een lijst met twintig mogelijkheden, van wasserettes tot lunchrestaurants, van peuterspeelzalen tot sportscholen.

'We moeten de vrouwen van de slachtoffers en hun vriendinnen opnieuw ondervragen. Om erachter te komen waar ze regelmatig komen en wie hun vriendinnen zijn.'

'Als we geluk hebben, vinden we een plek waar veel van hen vaak heen gaan. Of een naam die regelmatig opduikt.'

Lachend klapte Melanie in haar handen. 'We hebben een doorbraak, Connor. Geweldig!'

Connor vond haar lach onweerstaanbaar – de manier waarop haar ogen straalden, de manier waarop ze haar hoofd schuin naar achteren hield. Ze had een leuke lach. En dat vertelde hij haar ook.

'Echt waar? Lieve hemel, Connor. Dat heeft nog nooit iemand tegen me gezegd. Dank je wel.'

Alsof ze ineens besefte dat hij het niet plagend had bedoeld, liet ze zich van haar kruk glijden. 'Wil je nog wat koffie?'

'Ik heb je toch niet in verlegenheid gebracht? Dat was niet mijn bedoeling.'

'Welnee.' Ze glimlachte geforceerd. 'Je hebt toch niets verkeerds gezegd? Of geprobeerd me te versieren? Het was gewoon aardig van je.'

'Gewoon aardig?'

In plaats van te lachen, slikte ze krampachtig. Hun ogen ontmoetten elkaar. Hij liet zich ook van zijn kruk glijden en deed een stap in haar richting. 'Wat zou je zeggen als ik iets verder ging dan... gewoon aardig?'

Even wendde ze haar blik af, toen keek ze hem weer aan. In haar ogen las hij onverholen verlangen.

'Dat hangt ervan af.'

Aarzelend deed hij nog een stap in haar richting? 'Waarvan?'

Ze hief haar gezicht naar hem op en bevochtigde haar lippen. 'Van wat je precies –'

De telefoon ging.

Ze keken er allebei naar. Na een korte aarzeling nam Melanie op.

Hevig teleurgesteld wendde Connor zich af. Hij haalde diep adem en probeerde de gedachte aan haar lippen op de zijne, haar lichaam tegen het zijne te verdringen.

Het zou stom zijn geweest! Melanie en hij moesten samenwerken. Het laatste waarop hij zat te wachten, was nog meer complicaties in zijn bestaan. Dus het was beter zo. Waarom zou hij degene aan de andere kant van de lijn dan toch het liefst willen vermoorden?

'Oorontsteking.'

Bij het horen van de kribbige klank in haar stem, draaide hij zich om. Ze stond kaarsrecht, met haar rug naar hem toe. Het was wel duidelijk dat ze allesbehalve aangenaam verrast was door het telefoontje.

'Nee, dat heeft hij niet van de kleuterschool. Een oorontsteking kríjg je niet van andere kinderen.' Ze zuchtte. 'We hebben het hier al eerder over gehad. En toen hebben we allebei besloten om geen buisjes in zijn oren te laten zetten, in de hoop dat hij eroverheen zou groeien.'

Haar ex, begreep Connor, die belde om te informeren hoe het met zijn zoon was en om Melanie lastig te vallen.

'Hoor eens, Stan. Ik heb hier nu geen tijd voor.' Ze luisterde even. 'Dat is jouw mening,' zei ze toen. 'Als je dat wilt, moet je de kinderarts maar bellen. Ik moet weer verder.'

Nadat ze had opgehangen, kwam ze terug naar de bar. 'Neem me niet kwalijk.'

'Het geeft niet.' Vluchtig keek hij haar aan. 'Problemen met je ex?'

'Ja, zoals gebruikelijk.' Ze probeerde te lachen, maar het klonk nogal gesmoord. 'Het spijt me echt. Zo gaat het altijd. Hij weet me altijd uit mijn evenwicht te brengen.'

'Kan ik iets doen?'

'Was het maar waar.' Ze haalde diep adem. 'Hij weigert gewoon te luisteren. Bovendien is hij ervan overtuigd dat alles wat ik doe schadelijk is voor onze zoon. Hij is van plan de voogdij voor zich op te eisen. Het komt binnenkort voor.'

'Wat ellendig voor je.'

'Ja.' Ze keek naar haar handen, toen sloeg ze haar ogen weer op. 'Het is ook ellendig, maar bovendien ben ik woedend! Dat hij mij dit aandoet, maar vooral dat hij het Casey aandoet! Alleen om mij het leven zuur te maken.'

'Omdat je bij hem weg bent gegaan?'

'Ja, en omdat ik het lef heb mijn eigen leven te leiden en te doen wat ík wil.'

'Wilde hij niet dat je bij de politie ging?'

'Dat is nog voorzichtig uitgedrukt. Hij heeft er zelfs voor gezorgd dat ik niet naar de academie van het CMPD kon.' Weer lachte ze, maar deze keer klonk het hard, boos. 'Soms kan ik zo kwaad worden, dat ik hem zou kunnen...' Blijkbaar besefte ze ineens wat ze wilde gaan zeggen en tegen wie, want ze slikte de woorden in. 'Maar ik loop me vooral af te vragen hoe het moet als ik Casey kwijtraak. Ik kan me mijn leven zonder hem niet voorstellen.'

'Wat zegt je advocaat?'

'O, die is ervan overtuigd dat we het wel redden. Dat Stan geen enkele reden heeft om Casey bij me weg te halen. Toch blijf ik erover tobben. Het zal wel een moederkwaal zijn.' Ze liep naar de koffiepot. 'Wil je nog wat?'

Hij keek op zijn horloge. Eigenlijk zou hij naar huis moeten gaan, maar er gaapte een enorme kloof tussen wat hij wilde en wat hij zou moeten. 'Graag,' antwoordde hij, haar zijn mok toe schuivend. 'Waarom ben je met hem getrouwd?'

'O, om allemaal verkeerde redenen, weet ik nu,' antwoordde ze, zijn mok volschenkend. 'Hij was ontzettend knap, maar bovendien straalde hij kracht uit. Bij hem voelde ik me veilig, beschermd.' Ze schoof hem zijn mok toe. 'Het duurde, natuurlijk, niet lang voordat ik besefte dat al die kracht niets anders was dan arrogantie en een enorme controlebehoefte. Ook kwam ik erachter dat hij me niet zozeer wilde beschermen als wel bezitten.'

Veilig? Beschermd? Connor fronste zijn wenkbrauwen. Dat paste helemaal niet bij de zelfverzekerde, onafhankelijke vrouw die hij had leren kennen, en dat zei hij ook.

'Dat weet ik.' Ook zij fronste haar wenkbrauwen, alsof ze terugging in haar herinnering. 'Ik ben erg veranderd. Ik heb geen gemakkelijke jeugd gehad. Mijn moeder overleed toen ik elf was, en mijn vader was niet echt... Nou ja, hij was gewoon geen goede vader. Trouwens, ook geen goede echtgenoot. We zijn erg vaak verhuisd. Nu ik erop terugkijk, begrijp ik mijn verlangen naar veiligheid maar al te goed. Naar een gevoel van geborgenheid.' Ze glimlachte verlegen. 'Dat klinkt erg naar psychologisch gezwam, hè?'

'Helemaal niet. Er zijn allerlei redenen waarom mensen een relatie aangaan.'

Ze nam een slok koffie. 'Genoeg gepraat over mij. Hoe zit het met jou? Waarom ben jij met je ex getrouwd?'

Hij vertrok zijn gezicht, maar besefte dat hij er niet onderuit kon.

'Ik ben met Trish getrouwd omdat ik dacht dat zij en haar zoon, Jamey, me mijn leven konden teruggeven. Ik dacht dat ze genoeg van ons hield voor ons allebei.'

'Ai.'

'Ja. Het was niet eerlijk tegenover haar, of tegenover haar zoontje.'

'Jamey. Je hield erg veel van hem, hè?'

'Te veel. De verwrongen situatie in aanmerking genomen.'

'Tja, zo gaat dat met kinderen.' Ze begon de papieren bij elkaar te leggen. 'Hoe wil je de vrouwen en vriendinnen verdelen?'

Hij gaf geen antwoord, maar in plaats daarvan zei hij zacht en vragend haar naam.

Verrast keek ze hem aan.

'Over daarnet, voordat de telefoon –'

'Laten we het maar vergeten.' Ze gebaarde nonchalant met haar rechterhand.

Dat was niet wat hij in gedachten had gehad. 'Hoezo, vergeten?' vroeg hij. 'Kun je dat?'

'O, jawel.' Ze stopte de papieren in de envelop en gaf hem deze, zonder hem aan te kijken. Er lag een blos op haar wangen.

'Ik niet,' zei hij zacht. Hij legde zijn hand tegen haar wang. Haar huid voelde warm en zacht aan onder zijn vingers, terwijl hij met zijn duim de lijn van haar jukbeen volgde.

Terwijl ze haar gezicht schuin hield en zich overgaf aan zijn liefkozing, slaakte ze een lichte, wanhopige zucht. 'Connor, ik... Dit is niet goed. We zijn –'

'Collega's,' mompelde hij. 'Dat besef ik, en dat heb ik mezelf al honderd keer voorgehouden. We werken samen aan een grote zaak. Een belangrijke zaak. Wanneer we aan een relatie zouden beginnen, zouden de gevolgen rampzalig kunnen zijn.'

'En dus?'

'En dus wil ik ondanks alles niets liever dan je in mijn armen nemen.'

Hulpeloos keek ze hem aan, en hij wist dat ze hetzelfde voelde; dat ze hier net zo naar had verlangd als hij. Dit zou nog erg gecompliceerd gaan worden.

'Connor, ik –'

Met zijn mond op de hare legde hij haar het zwijgen op. Haar lippen waren warm, licht uiteen geweken en zo verrukkelijk, dat het bijna meer was dan hij kon dragen. Hij streek met zijn mond over de hare en deinsde toen terug, geschokt door het effect van de voorzichtige liefkozing.

Hij slaakte gesmoord een verwensing. Ze had gelijk. Het was verkeerd wat ze deden. Verschrikkelijk verkeerd. Dat wilde hij tegen haar zeggen, maar ze gaf hem de kans niet. Deze keer was zij degene die het initiatief nam en vrijmoedig haar lippen op de zijne drukte.

'Mammie?'

Verschrikt lieten ze elkaar los. Met een vurige blos op haar gezicht draaide Melanie zich om naar de deur. 'Casey!'

Daar stond hij. Met blozende wangen, zijn goudblonde haar naar alle kanten en met zijn dierbare konijn tegen zijn borst gedrukt. 'Mijn oor doet pijn.'

Connor keek toe terwijl ze naar haar zoontje liep en hem in haar armen nam. Hij zag dat het kind zijn armpjes en beentjes om haar heen sloeg en zijn gezicht tegen haar hals drukte.

Gered, dacht hij. Op het laatste nippertje. Al voor de tweede keer. Hij kon zich niet aan de indruk onttrekken dat hun als het ware een boodschap was gestuurd en dat ze daar deze keer maar beter naar konden luisteren. Het leven gaf zelden twee waarschuwingen, en drie al helemaal nooit.

Dus pakte hij de envelop waarmee hij was gekomen en keek haar aan. De uitdrukking op haar gezicht was verlegen, beschaamd, onzeker. 'Melanie –'

'Connor –'

Ze hadden allebei tegelijk elkaars naam gezegd.

'Het spijt me,' zei hij. 'Ik had je niet moeten –'

'Je hoeft je niet te verontschuldigen. Het was net zo goed mijn schuld als de jouwe.'

Hij kon er niets aan doen dat er een vluchtige glimlach om zijn mond verscheen. Dat ze bereid was de schuld met hem te delen, betekende dat de aantrekkingskracht geheel wederzijds was. Natuurlijk had het inmiddels geen zin meer om zo te denken. Van nu af aan zouden ze hun verhouding strikt zakelijk houden.

Ze kuchte. 'Het lijkt me beter als Casey... Nou ja, het zou zo gecompliceerd zijn als we... Ach, je weet wel wat ik bedoel.'

Die laatste woorden – 'ach, je weet wel wat ik bedoel' – zouden hem die nacht uit zijn slaap houden. 'Akkoord.' Vervolgens liep hij naar de keukendeur. 'Ik kom er zelf wel uit. Jij hebt je armen vol.'

'Dank je wel.'

'Ik zal de vrouwen en vriendinnen van de slachtoffers vast bellen en wat afspraken maken om ze te ondervragen.'

'Laat het me maar weten.'

'Komt voor elkaar.' Hij draaide zich om en vertrok, maar ondertussen vroeg hij zich wanhopig af hoe hij zich aan de overeenkomst moest houden die ze zojuist hadden gesloten.

38

Na even diep adem te hebben gehaald, drukte Melanie op Ashleys voordeurbel. Haar handen trilden. Ze had net Veronica aan de telefoon gehad. Iemand die zich had voorgedaan als agent Melanie May, had de vorige dag een bezoekje gebracht aan het kantoor van de officier van justitie in Charleston. Ze had zich kunnen identificeren, was gekleed geweest in politie-uniform en had allerlei merkwaardige vragen gesteld over Veronica. Over haar vriendenkring, of ze geliefd was geweest, of ze er vreemde gewoonten op na hield. Veronica was woedend geweest en had het vermoeden geuit dat Ashley de schuldige was.

Dat kon niet waar zijn. Als het inderdaad Ashley was geweest, had ze niet alleen inbreuk gemaakt op Veronica's privacy, maar bovendien Melanies vertrouwen beschaamd. Als het inderdaad Ashley was geweest, zou dat bewijzen dat ze wanhopig was en dat ze elk contact met de werkelijkheid had verloren.

Aanvankelijk had Melanie Veronica's beschuldiging afgedaan als belachelijk. Waarom zou Ashley zoiets doen? Toen had Veronica haar echter verteld dat Ashley haar de zaterdag daarvoor had gevolgd en haar de meest krankzinnige beschuldigingen naar het hoofd had geslingerd. Inmiddels was Melanie dan ook niet meer zo zeker van de onschuld van haar zusje, en ze maakte zich bovendien grote zorgen over haar emotionele toestand.

Er bewoog niets in het appartement van haar zusje. De jaloezieën zaten potdicht; de brievenbus naast de deur zat propvol, en op de mat lag een hele stapel folders. De potten met planten boden een trieste aanblik. Hun ooit fleurige bloemen waren nog slechts een vage herinnering.

Verontrust fronste Melanie haar wenkbrauwen. Alles wekte de indruk alsof het appartement al een tijdje niet meer werd bewoond. Toch was haar zusje thuis. Melanie had haar auto op het parkeerterrein zien staan. Dus belde ze nogmaals. Toen er nog niets gebeurde, begon ze op de deur te tikken. Steeds ongeruster. Ten slotte klonk er achter de deur een soort geschuifel. De grendel werd weggeschoven, en de deur ging open.

Bij het zien van haar zusje, slaakte Melanie bijna een kreet van schrik. De anders zo bruisende, prachtige Ashley zag eruit als een levend lijk. Haar huid had een ongezonde kleur, en ze had grote, donkere kringen onder haar ogen.

'Mijn god, Ash, wat is er gebeurd?'

Verward knipperde Ashley met haar ogen. 'Ik ben net wakker.'

Melanie keek op haar horloge. Het was weliswaar zaterdag, maar al over tienen. 'Heb je een wilde nacht gehad?' vroeg ze.

Zwijgend deed Ashley een stap naar binnen om haar zusje binnen te laten. Ze droeg een korte broek en een T-shirt, en Melanie had de indruk dat ze daarin had geslapen.

Ze gaapte. 'Ik kon niet slapen, dus ik heb maar een pil genomen. Ik weet niet eens meer hoe laat. Laat, geloof ik.'

Melanie fronste haar wenkbrauwen. Een slaappil? Sinds wanneer slikte Ashley slaappillen? 'Gebeurt dat vaak, dat je niet kunt slapen?'

Onverschillig haalde Ashley haar schouders op, waarna ze nogmaals gaapte. 'Ik ben aan koffie toe.' Ze wenkte Melanie mee te komen.

Deze volgde haar zusje en merkte op dat alle gordijnen en jaloezieën in het appartement potdicht waren. Het leek wel een graftombe. Donker, zonder frisse lucht.

'Het is een prachtige dag,' zei ze toen ze in de keuken stonden. 'Zal ik eens een paar ramen openzetten om wat frisse lucht binnen te laten?'

'Ga je gang.'

Terwijl Ashley koffie ging zetten, trok Melanie de jaloezieën omhoog, schoof de gordijnen open en zette de ramen open. 'Zo. Dat is toch veel beter?'

Haar zusje gaf geen antwoord. Toen Melanie zich omdraaide, zag ze dat Ashley tegen het aanrecht leunde en nietsziend voor zich uit stond te staren. Voor haar stonden twee mokken en een pot instantkoffie. Verbaasd trok Melanie haar wenkbrauwen op. Ashley was net zo fanatiek als het om koffie ging als zij.

'Ash?'

Haar zusje sloeg haar ogen op.

'Je maakt toch geen instantkoffie?'

'Je hebt gelijk. Het is waardeloos, maar op dit moment kan ik dat gedoe met die bonen even niet aan. Dat is me veel te veel werk.'

Melanie schudde haar hoofd en zei haar zusje te gaan zitten. 'Ik doe het wel. Je hoeft me alleen maar te zeggen waar ik alles kan vinden.'

Uiteindelijk zette ze niet alleen koffie, maar ze maakte ook wat toast en sap voor haar zusje. Even later was de keuken gevuld met de rijke geur van verse koffie. Ashley leek een beetje tot leven te komen.

Nadat Melanie de toast en de mok voor haar had neergezet, ging ze tegenover haar zitten.

Zuchtend nam Ashley een slok koffie. 'De trouwe Melanie. Die altijd voor ons zorgde. Wat zouden we moeten beginnen zonder jou?'

'Laten we hopen dat je daar nooit achter komt.' Ze gebaarde met haar hoofd. 'Je moet wat eten. Zo te zien, kun je wel wat in je maag gebruiken.'

Ashley scheurde een stukje van haar brood en verkruimelde het tussen haar vingers.

Bezorgd schudde Melanie haar hoofd. 'Wat is er toch met je, Ash?'

'Niets. Ik voel me prima.'

'Dat is je aan te zien. Vandaar zeker dat je 's nachts slaappillen slikt.'

Ashley kreunde. 'Dat heb ik één keer gedaan. Maak er alsjeblieft geen drama van.'

'Heb je problemen op je werk?'

'Nee hoor, op mijn werk gaat alles prima.'

'Met een man dan?'

'Schei nou toch uit!'

'Wat is er dan?'

'Waarom denk je dat ik een probleem heb?'

'Kijk maar eens in de spiegel. Je ziet eruit als een wandelend lijk.'

Ashley hief haar koffiemok in een spottend saluut. 'Dank je, Mel. Ik hou ook van jou.'

Uit het feit dat haar zusje haar cynisme nog niet kwijt scheen te zijn, putte Melanie een beetje moed. 'Als ik niet van je hield, was ik hier niet.'

'Ja, wat kom je eigenlijk doen? Ik heb mijn twee tróuwe zussen de laatste tijd amper gezien.'

'Ik kan niet namens Mia spreken, maar dankzij de Zwarte Engel, Caseys oorontsteking en het proces met Stan heb ik het verschrikkelijk druk gehad.'

'Ik wel. Ik bedoel, ik kan wel namens Mia speken.'

'O?'

'Ze brengt erg veel tijd door met Veronica Ford.'

'En dat stoort je?'

'Ja, inderdaad.'

Melanie reikte over de tafel. 'Dat is toch niet nodig, Ash. Het zijn vriendinnen. En vriendinnen doen nu eenmaal dingen samen.'

'Zusjes ook.'

'Dat moet van twee kanten komen. Je hebt mij ook al in geen weken gebeld.'

'Alsof dat iets had uitgemaakt. Je hebt het immers zo verschríkkelijk druk?'

Melanie zuchtte geërgerd. 'Wat verwacht je nou van me? Dat ik je mijn verontschuldigingen aanbied? Moet ik zeggen dat het allemaal mijn schuld is? Goed. Bij dezen. Het is allemaal mijn schuld.'

'Ach, ga toch weg.' Ashley sprong overeind en liep naar het raam.

'Alsjeblieft, Ash! Zeg me nou toch wat er is!'

'Volgens mij vind je het niet eens onnatuurlijk dat Mia en Veronica zoveel tijd samen doorbrengen.'

'Nee, waarom zou ik? Het zijn vriendinnen.'

'Brengen vriendinnen samen de nacht door? Hoe laat ik 's avonds ook langs Mia's huis kom, Veronica's auto staat er altijd. En omgekeerd trouwens ook.'

Bezorgder dan ooit keek Melanie haar zusje aan. 'Het is pas onnatuurlijk om je zusje te bespioneren.'

Ashleys gezicht werd vuurrood. 'Ik wist wel dat je haar kant zou kiezen. Ik wist het!'

Toen sprong ook Melanie overeind. 'Het gaat hier niet om Mia! We hebben het over jou.'

'Nee.' Heftig schudde Ash haar hoofd. 'Het is al erg genoeg dat Mia en jij altijd twee handen op één buik waren toen we nog klein waren, maar nu doen jullie hetzelfde met Veronica.' Ze sloeg haar handen voor haar gezicht, en Melanie zag dat ze beefden. 'En dat na alles wat ik voor jullie heb gedaan!'

Het was inderdaad net zo erg als Veronica had gezegd. Het was zelfs nog erger. 'Dit is toch geen wedstrijd, Ash. Je bent mijn zusje, en ik hou van je.' Ze liep naar haar toe en nam teder haar handen van haar gezicht. 'Ik maak me zorgen over je.' Ze keek haar zusje recht in haar ogen.

'Ben je daarom hier? En omdat je van me houdt?'

'Ja.'

'Weet je zeker dat je niet om een andere reden hier bent?'

Even zweeg Melanie. Hoewel ze wist hoe Ashley zou reageren, wilde ze niet liegen. Dat deed ze nooit. 'Veronica heeft me iets over je verteld waar ik me ongerust over maak.' Terwijl ze sprak, verstrakte ze haar greep op de vingers van haar zus. 'Ze vertelde me dat je haar had gevolgd en dat je allerlei krankzinnige dingen tegen haar had gezegd.'

'Krankzinnige dingen?' herhaalde Ashley met trillende stem. 'Bedoel je soms dat ik tegen haar heb gezegd dat ik haar niet vertrouw? En dat ik wilde dat ze ons met rust zou laten en uit ons leven zou verdwijnen?'

'Ja,' zei Melanie verslagen, vervuld van medeleven met haar zusje. 'Dat bedoel ik.'

'Dat is niet krankzinnig. Het is gewoon waar.' Er kwam een wanhopige klank in Ashleys stem. 'Ze is echt niet te vertrouwen, maar jullie zien het niet.'

'Nee, want er valt niets te zien.'

Ashley trok haar handen los en deinsde achteruit. 'Ze is niet te vertrouwen, Mel. Ze heeft iets... Er is iets met haar. Iets wat niet klopt.'

Lieve hemel! Ashley had het gedaan. Veronica had gelijk gehad. Vastberaden om haar zusje het voordeel van de twijfel te geven, vroeg ze: 'Heb je gedaan alsof je mij was, Ash? Ben je naar het kantoor van de officier van justitie in Charleston gegaan, zogenaamd als politieagent met een officiële opdracht? En heb je vragen gesteld over Veronica's persoonlijke en zakelijke leven? Heb je dat gedaan?'

'Ik had het kunnen weten,' zei Ashley met trillende stem. 'Ik had kunnen weten dat je hier niet was omdat je van me hield. Dit gaat om háár!'

'O, Ash...' Melanie deed haar uiterste best om haar emoties onder controle te houden. 'Hoe kon je dat nou doen! Je hebt niet alleen Veronica's carrière en reputatie in gevaar gebracht, maar ook de mijne. Hoe kon je nou denken dat ze er niet achter zou komen? Helemaal na zaterdag begreep ze meteen dat jij het was geweest. Ze zou een aanklacht tegen je kunnen indienen. De enige reden waarom ze dat niet doet, is omdat ze je als haar vriendin beschouwt.'

Ashley sloeg haar handen voor haar gezicht en begon te huilen. Eerst zacht, toen steeds wanhopiger, tot haar schouders ervan schokten.

Melanie nam haar zusje in haar armen en trok haar tegen zich aan, mompelend dat alles goed zou komen. Daar zou zij wel voor zorgen.

'Ik hou zoveel van jullie,' fluisterde Ashley met gebroken stem. 'Van jou en Mia. Jullie hebben... geen idee... geen idee van alles... wat ik voor jullie heb gedaan.'

'Wat heb je dan voor ons gedaan?' vroeg Melanie zacht. 'Vertel me alsjeblieft waarom je zo ongelukkig bent. Ik zal er altijd voor je zijn, Ashley. Ik zal je helpen. Dat beloof ik.'

Ashley verstarde en maakte zich los uit haar armen. 'Onzin! Je bent er nooit voor me geweest. Alleen voor Mia.'

'Dat is niet waar, Ash. Je bent mijn zusje. Ik zou alles voor je –'

'Onzin!' zei ze weer, met een hysterische klank in haar stem. 'Ik heb gewacht, maar je... je kwam niet.'

'Waar kwam ik niet? Ashley, ik weet niet waar je het over hebt.' Het kostte Melanie de grootst mogelijke moeite om kalm te blijven. 'Vertel me nou alsjeblieft waarom je zo boos bent –'

'Dat zou je moeten weten, Melanie. Dat zou je moeten weten.' Ze keek haar recht aan. 'Ga weg, en laat me met rust.'

'Ash, toe nou.' Melanie strekte haar hand uit. 'Laten we erover praten. Toe nou, je bent mijn zusje.'

'Heb je me niet gehoord? Ik wil dat je weggaat!'

Ten einde raad wist Melanie niets anders te doen dan inderdaad weg te gaan.

39

Veronica nam Mia in haar armen. Ze lagen op Veronica's bed, naakt, bezweet, uitgeput van het vrijen. Inmiddels waren ze een paar weken samen, en Veronica was nog nooit zo gelukkig geweest. Nooit had ze geweten dat het leven zo uitbundig kon zijn, een relatie zo vernieuwend.

'Hij ging tekeer als een dolle stier,' mompelde Mia met gesmoorde stem. 'Hij rukte mijn kleren uit de kasten, keerde laden om. Toen hij was uitgeraasd, was de hele slaapkamer – mijn kleding incluis – vernield.'

'Arme Mia,' fluisterde Veronica, bevend van pure haat en minachting voor Boyd Donaldson.

'Ik was doodsbang. Dus ik... ik heb teruggeslagen. Ik heb gezegd dat ik zijn privé-leven openbaar zou maken, als hij me ooit nog met een vinger aanraakte.'

Veronica hees zich op een elleboog en keek bezorgd op Mia neer. 'Dat heb je toch niet echt gezegd?'

'Ja, dat heb ik gezegd. Hij werd doodsbleek. Zijn reputatie betekent alles voor hem. Ik geloof werkelijk dat hij... dat hij even bang was.'

'Allemachtig, Mia!'

'Maar hij sloeg terug, hoewel ik dat pas later heb gemerkt. Hij heeft mijn portefeuille leeggehaald, mijn creditcards geblokkeerd en onze gezamenlijke rekening geplunderd.' Haar stem trilde. 'Toen ik hem daarmee confronteerde, lachte hij me alleen maar uit. Als ik iets nodig had, al was het benzine voor de auto, zou ik hem erom moeten smeken, zei hij.' Haar stem werd verstikt door tranen. 'Het was zo vernederend. Ik had wel dood willen zijn.'

Een kreet van angst ontsnapte Veronica. Zo had haar moeder zich ook gevoeld, en ze had ernaar gehandeld. Het zou zo eenvoudig zijn. Een schot door haar hoofd. Een handvol pillen. Veel te eenvoudig.

Ze hield Mia een eindje van zich af, zodat ze in haar ogen kon kijken. 'Dat mag je niet zeggen, Mia. Dat mag je niet eens dénken! Hij zou zich vernederd moeten voelen. Hij zou moeten sterven.'

'Was het maar waar.' Haar ogen vulden zich met tranen. 'O, Veronica, ik haat hem zo!'

'Dat weet ik, liefste, en daarom haat ik hem ook.' Ze legde haar handen om Mia's gezicht. 'Ga toch bij hem weg. Wat kan jou dat geld schelen? Ik kan wel voor je zorgen. Ik heb geld genoeg voor ons allebei.'

'Nee, dat is niet eerlijk. Hij heeft meer dan genoeg, en wat van hem is, is ook van mij. Althans, dat zou het moeten zijn.' Mia keek haar aan. 'Hou je echt van me, Veronica? Genoeg om me al je geheimen te vertellen? Om je leven in mijn handen te leggen?'

Veronica kreeg een brok in haar keel, niet helemaal zeker waar Mia heen wilde. 'Ja, Mia. Dat zweer ik.'

'Ik hou net zoveel van jou.' Mia ging rechtop zitten. Het laken viel van haar af, en de zon, die door een kier in de gordijnen scheen, toverde een gouden gloed op haar huid. 'Ik heb iets bedacht. Een plan om hem te laten boeten voor wat hij me heeft aangedaan.'

Veronica's hart begon te bonzen; haar handen werden vochtig. 'Vertel.'

Mia keek haar diep in haar ogen. 'Ik weet alles, Veronica. Alles. Ik heb hem gevolgd. Op een van zijn afspraakjes. Hij ging naar een club die The Velvet Spike heet.'

The Velvet Spike? Veronica voelde dat het bloed uit haar gezicht wegtrok.

'Boyds reputatie betekent alles voor hem,' vervolgde Mia. 'Hij vindt het heerlijk de brave, oppassende, degelijke chirurg te spelen. Daarom is hij ook met mij getrouwd. Dat besef ik nu. Ik paste niet alleen in dat beeld, maar hij verwachtte bovendien dat ik me nooit zou verzetten. Daarin heeft hij zich vergist. Ik heb alleen jouw hulp nodig.'

Geschokt staarde Veronica haar aan. Lieve hemel, wat had haar bezield? Waarom had ze nooit met die mogelijkheid rekening gehouden? 'Je... Je bent toch niet naar binnengegaan? Er is daar al diverse keren een inval gedaan.'

'Wat maakt het uit? Niemand heeft me gezien.'

'Ja, maar –' Veronica deed haar uiterste best om kalm te blijven. 'Boyd is gewelddadig. Als hij je had gezien, of als hij je auto had herkend –'

'Dat is niet gebeurd.' Ze nam Veronica's handen in de hare. 'Ik heb je hulp nodig. Boyd houdt zich met vreemde dingen bezig. Dingen die een verschrikkelijke blamage voor hem zouden betekenen als ze bekend werden. Waardoor hij misschien zelfs zijn baan zou verliezen.'

Toen Veronica niets zei, vervolgde ze: 'Begrijp je dan niet waar ik heen wil? Zijn reputatie betekent alles voor hem. Dat kunnen we gebruiken om hem te dwingen me te geven waar ik recht op heb. We zorgen dat we foto's van hem krijgen als hij bezig is met die afschuwelijke dingen die hij zo wanhopig verborgen probeert te houden. Of misschien een videoband. We kunnen een privé-detective huren –'

Ze sloeg een hand voor haar mond. 'Nee, een privé-detective zou zich tegen ons kunnen keren. Bovendien kunnen we Boyd pas te grazen nemen, als hij er absoluut van overtuigd is dat verder níemand weet waar hij mee bezig is.' Ze keerde zich naar Veronica. 'Jou kent hij niet. Jij zou hem kunnen volgen, de foto's maken en –'

'Mia, zulke dingen moet je niet zeggen. Waar jij het over hebt, is chantage. Dat is een misdrijf. En ik ben officier van justitie. Dat zou me mijn baan kunnen kosten. We zouden in de gevangenis kunnen belanden. Dit soort plannen mislukt altijd.'

'Dit plan niet. Dat weet ik zeker.'

'Nee, Mia,' zei Veronica zacht, maar ferm. 'Neem nou maar van mij aan dat we dit niet moeten doen. We krijgen dit soort zaken regelmatig voor de rechter. En elke keer was de overtreder er heilig van overtuigd dat hij niet betrapt zou worden.'

Mia verstijfde. 'Je zei dat je van me hield. Dat je alles voor me zou doen.'

'Dat is ook zo, maar dit niet.' Veronica dempte haar stem. 'Dit plan moet je vergeten, Mia. Zet het uit je hoofd om Boyd te laten boeten. Uiteindelijk krijgt hij zijn straf heus wel. Zo gaat het altijd.'

'Dat is niet waar.' Mia klom uit bed, liep naar de badkamer, pakte Veronica's badjas en schoot die aan. 'Je vertrouwt me gewoon niet voldoende. Je gelooft niet in me.' Na deze woorden keerde ze Veronica de rug toe.

'Dat is niet waar.' Veronica klom ook uit bed en liep naar haar toe. Ze vond het onverdraaglijk als Mia boos op haar was. Of dacht dat ze niet van haar hield. Of erger nog, dat Mia misschien niet meer van haar hield! Van achteren sloeg ze haar armen om Mia heen, waarna ze haar gezicht in haar heerlijk geurende haar begroef. 'Begrijp je het dan niet? Ik zou het niet kunnen verdragen als je bezeerd raakte.'

'Ik bén al bezeerd. En dat gaat nog steeds door.' Mia draaide zich om en sloeg haar armen om Veronica heen. 'Jij hoeft verder niets te doen. Je moet alleen die foto's maken.'

Het was alsof er een knoop in Veronica's maag werd gelegd. Ze mocht Mia niet verliezen. Zonder haar liefde zou ze niet kunnen leven. 'Ik zorg dat alles goedkomt, Mia. Dat beloof ik. Maar je mag niet bij me weggaan. Je mag nooit bij me weggaan.'

'Dat zal ik ook nooit doen.' Zacht streek Mia met haar mond over Veronica's lippen, vol belofte. 'Dat zou ik niet kunnen. Want jij zorgt dat alles goedkomt.'

40

'Mrs. Barton?' Connor hield zijn penning omhoog. 'Connor Parks, FBI. Dit is agent Melanie May, politie Whistlestop. Bedankt dat u ons al op zo'n korte termijn wilde ontvangen. Mogen we binnenkomen?'

Mrs. Barton knikte en deed een stap naar achteren. 'Ik weet alleen niet of ik u kan helpen. Ik heb de politie alles al verteld over die avond dat Don stierf.' Ze ging hen voor naar de woonkamer met avocadogroen meubilair, dat eruitzag alsof het nog uit de jaren zeventig stamde. Ingelijste foto's stonden op de tafeltjes aan weerskanten van de banken en op de schoorsteenmantel. Ze gingen zitten.

'Hoe lang zijn uw man en u getrouwd geweest?' vroeg Melanie, met een blik op een foto van drie kleine meisjes in gesmokte jurkjes.

'Twintig jaar.' Ze knikte in de richting van de foto. 'Dat zijn onze dochters. Ellie, Sarah en Jayne.'

'Ze zijn schattig.'

'Ach, ja. Inmiddels zijn het volwassen vrouwen.' Glimlachend stond ze op en pakte een foto van de schoorsteenmantel. 'Deze is vorig jaar Kerstmis genomen. Het zijn lieve meiden.'

Melanie bekeek de foto. 'U zult wel erg trots op ze zijn.'

Terwijl Melanie Mrs. Barton op haar gemak stelde, deed Connor er het zwijgen toe. Tijdens hun gesprek schreef hij wat dingen op: de namen van haar dochters, waar ze woonden, of ze getrouwd waren...

'Hadden uw dochters een hechte band met hun vader?' vroeg hij.

Met een verrast gezicht keerde ze zich naar hem toe, alsof ze hem was vergeten. 'Nee, niet echt.'

'Waarom niet?'

Bij die vraag verbleekte ze.

'We weten wat voor man Don was, Mrs. Barton,' zei Melanie sussend. 'Daarom vermoeden we dat hij een van de slachtoffers is van de Zwarte Engel.'

Ze knikte en keek naar de foto in haar handen. Ten slotte zette ze hem weer terug op de schoorsteenmantel. Toen keek ze Melanie aan. 'Dan weet u ook waarom ze geen hechte band met hun vader hadden. Daarom zijn Ellie en Sarah hier ook weggegaan.'

'En uw dochter die hier in Charlotte woont?' vroeg Connor.

'Jayne? Ach, als ik haar niet had. Het is hem niet gelukt haar ook weg te jagen.'

Ze stelden nog wat vragen over Jayne en vroegen haar vervolgens naar haar dagelijkse gewoonten, plekken waar ze regelmatig kwam, naar haar vriendinnen en wie er allemaal op de hoogte waren geweest van het misbruik van haar man.

'Waarom vraagt u naar mijn vriendinnen?' Ze keek van de een naar de ander, duidelijk slecht op haar gemak. 'U denkt toch niet –'

'We denken helemaal niets, Mrs. Barton,' zei Connor. 'We zijn alleen maar op zoek naar aanwijzingen.'

'Waarom kunt u het niet gewoon laten rusten? Hij is dood. Laat het daarbij.'

Verbaasd trok Connor zijn wenkbrauwen op. 'Het zou kunnen zijn dat uw man is vermoord. U wilt toch niet beweren dat we zijn moordenaar vrij rond moeten laten lopen?'

Haar ogen vulden zich met tranen, en ze keek hulpeloos naar Melanie. 'U hebt Don niet gekend. U bent niet met hem getrouwd geweest. Maar ik ben voor het eerst niet meer bang.'

'Mrs. Barton,' zei Melanie. 'Ik begrijp hoe u zich voelt. Ik heb persoonlijke ervaring met het soort man dat uw echtgenoot was. Toch is moord altijd verkeerd. We kunnen niemand toestaan de wet in eigen hand te nemen.' Ze boog zich naar Mrs. Barton toe. 'Kunt u ons helpen?'

Uiteindelijk gaf Mrs. Barton hun een lijst met namen van alle vriendinnen die ze kon bedenken. Plus een lijst van de plekken waar ze met enige regelmaat kwam.

Er kwam geen enkele naam op voor die ze herkenden uit eerdere gesprekken, maar dat wilde niet zeggen dat die er niet waren. Ze zouden de lijst van Mrs. Barton samen met de resultaten van de andere gesprekken in de computer invoeren om eventuele duplicaten eruit te halen.

'We moeten praten met de dochter die nog in Charlotte woont,' zei Connor terwijl ze in zijn Explorer stapten.

'Ja, je zult wel gelijk hebben, maar ik verwacht er weinig van.' Ze zuchtte en keek uit het raampje. 'Misschien levert dit onderzoek wel helemaal niets op. Wat doen we dan?'

Hij keek haar aan. Toen richtte hij zijn aandacht op de weg. 'Dat gebeurt niet. Ik weet zeker dat we haar te pakken krijgen.'

'Je bent zo zeker van je zaak.'

'Ik heb het al eerder meegemaakt.'

'Dat zal best, maar in al die eerdere zaken had je kant-en-klare slachtoffers, je had een plek waar het misdrijf was gepleegd, je had bewijsmateriaal. Het enige wat we nu hebben, is een stel dode kerels die tijdens hun leven hun vrouw in elkaar sloegen.'

'Je zou verbaasd zijn als je wist wat voor zaken ik al heb gehad. Een kind verdwijnt. Je weet dat er een misdrijf in het spel is, maar je hebt geen lijk, geen plek waar het misdrijf is gepleegd. Je hebt niets anders dan de treurende ouders. Of je hebt een lichaam of een deel ervan, misschien alleen maar een paar botten of een skelet. Verder niets. Niet eens een theorie.' Met een glimlach keek hij haar aan. 'Daarom noemen ze het ook recherchewerk.'

'Met andere woorden: hou op met zeuren.' Ze boog zich naar hem toe. 'Maar... vraag jij je nooit af –' Ze zweeg abrupt en schudde haar hoofd. 'Laat maar.'

Hij stopte voor een verkeerslicht dat op oranje sprong en keek haar aan. 'We doen deze zaak samen. Dus ik moet weten wat je denkt.'

Even aarzelde ze, voor ze vroeg: 'Vraag jij je nooit af of deze doden misschien helemáál geen verband met elkaar hebben? Of ze misschien helemaal niet zijn vermoord, maar – zoals sommige mensen hebben gesuggereerd – het slachtoffer zijn geworden van een soort goddelijke gerechtigheid?' Ze wendde haar blik even af, toen keek ze hem weer aan. 'Misschien had ik het wel helemaal mis, Connor.'

'Nee, Melanie. Je had het niet mis.' Het licht sprong op groen, en de auto zette zich weer in beweging. 'Bovendien geloof ik niet in dat idee van een goddelijke gerechtigheid. Ik geloof niet dat een hogere macht vanuit de hemel zijn slachtoffers kiest. Het bestaat niet dat het zo werkt. Daarvoor is er te veel onrechtvaardigheid in de wereld.'

Toen ze niets zei, keek hij haar medelevend aan. 'Mrs. Barton heeft indruk gemaakt, hè?'

'Ik vond haar erg aardig.'

Dat was geen antwoord op zijn vraag. 'Over wie had je het, toen je zei dat je persoonlijk ervaring had met huiselijk geweld?'

'Over mijn vader.' Bijna uitdagend keek ze hem aan.

Hij richtte zijn aandacht weer op de weg. 'Wil je erover praten?'

'Niet echt. Nee.'

'Weet je dat zeker? Je bent anders behoorlijk pissig.'

'Ja, dat zal best,' zei ze met een diepe zucht. 'Rij nou maar gewoon, oké?'

Hij keek in zijn achteruitkijkspiegeltje, gaf een ruk aan het stuur en zette de auto langs de kant van de weg. De manoeuvre leverde hem luid getoeter op van een stel automobilisten achter hem.

Eenmaal langs de stoeprand zette hij de motor uit en keerde zich naar haar toe. 'Nee, het is niet oké.'

Ze balde haar vuisten. 'Laat me met rust, Parks. Ik ben gewoon nijdig.'

'Dat zeg ik net. Kun je me misschien vertellen waarom?'

'Nee, daar heb ik geen zin in. Dus misschien zou je zo vriendelijk willen zijn verder te rijden.'

'Ik weet waar dit over gaat.' Toen ze haar wenkbrauwen optrok, glimlachte hij. 'Het gaat over laatst. Over die kus.'

Met open mond keek ze hem aan. 'Daar heeft het niets mee te maken!'

'Natuurlijk wel.' Hij deed zijn uiterste best haar onbewogen te blijven aankijken. 'En ik begrijp het ook wel. Je loopt je sindsdien waarschijnlijk af te vragen wanneer ik het nog eens probeer. Om je te zoenen, bedoel ik.'

Ze werd vuurrood. 'Dat had je gedroomd!'

Nou, daar had ze gelijk in! 'Het valt ongetwijfeld niet mee om zo dicht bij me te zijn. Ik ben nu eenmaal een ongelooflijk stuk, en ik weet zeker dat die kus je wereld op zijn kop heeft gezet.'

'Jij een stuk?' Ze barstte in lachen uit. 'Mijn wereld op zijn kop? Ik hoop dat je een grapje maakt, Parks, want anders heb je echt professionele hulp nodig.'

Hij deed zijn best verslagen te kijken, maar dat lukte niet echt. 'Je hoeft niet zo hard te lachen. Zelfs ongelooflijke stukken zoals ik hebben gevoelens.'

Ze snoof geamuseerd. 'Sorry dat ik zo krengerig deed. Mrs. Barton heeft inderdaad indruk op me gemaakt, maar dat geldt voor alle vrouwen. Alles wat ze zeggen... dat herkén ik. Omdat ik het zelf heb meegemaakt.'

In een meelevend gebaar legde Connor zijn handen op de hare.

'Ik heb geen moment getreurd toen hij dood was.' Ze wendde haar blik af, verloren in haar herinneringen. 'Sterker nog, ik was dolblij dat hij weg was. Inwendig juichte ik.'

'Wat heeft hij... Wat heeft hij je gedaan?' Meteen had Connor spijt van zijn vraag. Niet omdat het niet zijn zaak was – ook al was het dat inderdaad niet – of omdat het hem niet kon schelen. Hij was bang dat het hem juist te veel kon schelen.

Na een lichte aarzeling keek ze hem aan. In haar ogen las hij dat ze, door het verleden onder woorden te brengen, haar angsten niet alleen opnieuw onder ogen zag, maar ze bovendien definitief overwon.

'Hij misbruikte mijn zusjes en mij verbaal en fysiek. Wat de politiek correcte manier is om te zeggen dat hij ons sloeg en kleineerde. Hij was een wrede man. Gemeen. Kwaadaardig. Echt een slecht mens. Ik ben ervan overtuigd dat hij genoot van zijn pogingen ons kapot te maken. Misschien was dat wel het enige plezier dat hij ooit heeft gehad in zijn leven.'

Ze slaakte een gesmoorde zucht en ploeterde verder, hoewel Connor duidelijk kon zien hoe pijnlijk ze het vond. 'Ik kwam er het gemakkelijkst af van ons drieën. Althans, voorzover het regelrecht lichamelijk geweld betrof. Het merendeel van zijn fysieke woedeaanvallen was tegen Mia gericht, hoewel ik nooit heb geweten waarom. Ik heb me wel eens afgevraagd of hij voelde dat zij de zwakste was van ons drieën, en dus het meest kwetsbaar.'

Woedend balde ze haar vuisten. 'Ik wou dat hij mij had genomen! Ik vond het afschuwelijk wat hij Mia en Ashley aandeed. Elke klap die hij hun gaf, voelde ik net zo hard. Elke hatelijke opmerking jegens hen raakte mij ook.' Er rolde een traan over haar wang.

Dat enkele, hulpeloze blijk van emotie vond Connor oneindig veel ontroerender dan een fikse huilbui. Hij moest zich tot het uiterste beheersen om haar niet in zijn armen te nemen. Om zich te verzetten tegen de overweldigende drang om haar te beschermen.

'Ik voelde me altijd zo... schuldig als hij weer eens een van de anderen treiterde.'

Zijn vingers verstrakten hun greep om de hare. 'Zie je het dan niet?' mompelde hij ontroerd. 'Dat wíst hij. De beste manier om jou te bezeren, was om hen pijn te doen. Dat wist hij. Een rechtstreekse aanval zou je niet breken, besefte hij. Jij zou alleen maar breken door hun pijn en je eigen schuldgevoel.'

Verrast keek ze hem aan. In haar ogen las hij dat ze het begon te begrijpen. Ze trok haar handen uit de zijne en sloeg ze voor haar mond. 'Ik heb nooit... Ik...'

De woorden bleven haar in de keel steken, en even bleef het stil. Toen ze opnieuw begon te praten, had haar stem een andere, harde klank gekregen. Een klank waarvan hij zeker wist dat ze hem zelf afschuwelijk zou vinden. 'Toen we dertien waren, begon hij... Mia seksueel lastig te vallen.'

'Allemachtig!'

'Maar dat heb ik hem afgeleerd. Toen hij dronken was, heb ik hem aan zijn bed vastgebonden, en bij het wakker worden had hij een mes op zijn keel. Ik heb hem gezegd dat ik hem zou vermoorden als hij Mia ooit nog met een vinger aanraakte. En ik meende het. Ik geloof oprecht dat ik het zou hebben gedaan.'

Haar lippen vormden een dunne lijn. 'Dus wie ben ik om de daden van de Zwarte Engel te veroordelen? Wie ben ik om haar achter slot en grendel te zetten? Hoe kan ik Mrs. Barton recht in de ogen kijken en een pleidooi houden voor orde en recht. Tenslotte had ik zelf bijna hetzelfde gedaan.'

'Je was nog maar een kind,' zei hij zacht, vol begrip over het innerlijke conflict waarmee ze worstelde. Sterker nog, hij begreep haar beter dan ze vermoedde. 'Je was bang en alleen. Je zusjes en jij hadden niemand op wie jullie een beroep konden doen. Degene die jullie had moeten beschermen, was juist degene tegen wie jullie bescherming zochten. En dus deed je wat je moest doen, om te zorgen voor de mensen van wie je hield. Dat maakt je een heldin, geen monster.'

'Daar ben ik nog niet zo zeker van.' Peinzend keek ze neer op haar handen. 'Een tijdje terug kreeg ik een telefoontje op het bureau, over de Zwarte Engel. Het was een vrouw die me ervan beschuldigde dat ik een verrader was. Ze zei dat ze me kende. "Hoe kon je"? vroeg ze. Soms weet ik het zelf ook niet meer.'

Hij richtte zich op. 'Wanneer was dat?'

'Niet zolang nadat we met het onderzoek zijn begonnen. Een week of twee geleden.'

'Waarom heb je het me niet verteld?'

'Omdat ik dacht dat het de een of andere zonderling was. De zaak was zo uitvoerig in het nieuws geweest, en ze heeft ook nooit meer teruggebeld.' Met een luchtig gebaar haalde ze haar schouders op. 'Het leek me, eerlijk gezegd, niet zo belangrijk.'

'Alles is belangrijk, Melanie. Elk detail, hoe onbeduidend het ook lijkt.' Met zijn vingers trommelde hij op het stuur. 'Ze zei dat ze je kende. Wat bedoelde ze daarmee volgens jou? Dat ze je persoonlijk kende?'

'Op dat moment dacht ik van niet. Haar stem kwam me niet bekend voor. Maar nu ik erover nadenk... Het leek inderdaad alsof ze me kende... Alsof ze op de hoogte was van mijn verleden.'

'Kan het de Zwarte Engel zijn geweest?'

Melanie werd ineens doodstil, toen slaakte ze zacht een verwensing. 'Ik weet het niet. Alles is mogelijk.' Ze keek op. 'Dat heb ik mooi verknald, hè?'

'Je moet jezelf niet te hard vallen, maar als ze weer belt, moet je proberen haar aan de lijn te houden. Om het nummer na te trekken.'

'Dat zal ik doen.'

Hun ogen ontmoetten elkaar. Seconden verstreken. Het interieur van de auto leek Connor plotseling te klein. Te benauwd. Hou hiermee op, Parks. Voordat je iets stoms doet.

Dus schraapte hij zijn keel en reikte naar de sleutel die nog in het contactslot stak. 'Nou, ik ben blij dat we dat hebben opgehelderd. Vooral dat je niet meer nijdig bent.'

Lachend keek ze hem aan. 'Hoe zou ik bij jou nijdig kunnen blijven. Je weet me altijd aan het lachen te krijgen.'

'Dan is het goed.' Hij keek over zijn schouder en voegde zich weer tussen het verkeer. 'Hoewel ik liever had gehoord dat ik je verschrikkelijk opwond. Nou ja, voorlopig ben ik al tevreden als ik je weer aan het lachen kan maken.'

Kreunend streek ze met een hand over haar ogen. 'Ben jij ooit serieus?'

'Altijd.'

'Connor?'

'Hm?'

'Over die kus −'

'Dat was verkeerd, hè?'

'Ja.'

'Dat dacht ik al. Maar je wereld stond er wel van op zijn kop?'

'Nou en of!'

'De hemel zij dank. Anders had mijn mannelijk ego een behoorlijke knauw opgelopen.' Hij nam de afslag naar de I-85. 'Zo, en zullen we nu eens wat namen in de computer gaan stoppen?'

41

⚜

Het stonk in de motelkamer naar sigaretten – de geur was overal in gedrongen, zelfs in de muren. Het stonk ook naar iets anders, een subtiele, zure lucht. Een lucht waarvan hij zich maar liever niet afvroeg waar deze vandaan kwam.

Boyd lag op de stinkende matras. Naakt. Zijn polsen en enkels waren met touwen aan het bed gebonden. Hij probeerde zich te bewegen, maar het ging niet. Alleen al de gedachte aan zijn boeien, aan zijn hulpeloosheid, maakte dat hij bijna een hoogtepunt bereikte.

'Stoute jongen,' mompelde ze, terwijl ze met haar lange nagels over zijn stijve penis streek. 'Je mag niet klaarkomen. Pas op, hoor! Als je het toch doet, krijg je straf.' Om haar woorden kracht bij te zetten, kneep ze hard in zijn ballen.

Kreunend welfde hij zijn rug, niet wetend wat hem meer opwond: de dreiging van straf of de pijnlijke druk op zijn ballen. Pijn. Onderwerping. Straf. Overheersing. Dat wond hem op.

Zijn in leer gehulde vriendin wist dat. Ze controleerde zijn boeien. Toen blinddoekte ze hem. 'Ik heb allerlei verrassingen voor je,' zei ze zacht. 'Heerlijke verrassingen. Je wordt er weerloos van, en duizelig, en helemaal van mij.'

Hij kreunde opnieuw en huiverde van extase, maar hij kende de regels. Terwijl ze samen waren, mocht hij niet praten. Dus hij kon niet zeggen wat hij lekker vond, of wat hij graag wilde. En hij probeerde ook nooit de leiding te nemen. Ongehoorzaamheid betekende straf. Snel en streng. De ergste straf was dat ze het spel onmiddellijk staakte.

Dat zou hij niet kunnen verdragen. Niet die avond. Want die avond zou hun laatste keer zijn, had hij zich voorgenomen. Vanwege Mia's dreigement. Bovendien wist hij dat hij hier niet mee kon doorgaan. Uiteindelijk zou hij worden ontdekt en – net als in Charleston – in alle stilte worden ontslagen.

Dat wil zeggen, als hij net zoveel geluk had als de vorige keer. Het ziekenhuis in Charleston had geen behoefte gehad aan een seksschandaal, waardoor de patiënten erachter zouden zijn gekomen door wie ze waren geopereerd. Daarom was er voor discretie gekozen, en hij was met een schitterende aanbevelingsbrief de laan uit gestuurd. Zelf was hij gekomen met het verhaal over de plotselinge dood van zijn vrouw en zijn behoefte aan een nieuwe start, in een nieuwe omgeving.

'Zo, hier komt je eerste verrassing.'

Hij hoorde een geluid dat hij herkende uit zijn jarenlange praktijk als chirurg: rubber handschoenen die werden aangetrokken. Benieuwd wat ze van plan was, keerde hij zijn hoofd in de richting van het geluid. Hij mocht er echter niet naar vragen. Diep van binnen voelde hij plotseling een zweem van angst. De angst wond hem echter op. Hij kreeg het er warm van, toen koud, en ten slotte begon hij te transpireren. De opwinding werd bijna ondraaglijk.

Het volgende geluid herkende hij niet, tot hij voelde dat ze iets over zijn mond plakte. Afplakband, vermoedde hij. Hij wilde protesteren, maar praten was inmiddels onmogelijk. Zijn angst groeide, kreeg iets wanhopigs. Het besef van zijn hachelijke positie, zijn totale hulpeloosheid wond hem op, maar greep hem ook naar de keel. Hij huiverde van verwachting. Van opwinding.

'Weet je nog,' fluisterde ze in zijn oor. 'Die avond dat we elkaar voor het eerst hebben ontmoet? Weet je nog dat ik tegen je zei dat het zo heerlijk zou zijn, dat je zou wensen dat je dood was? Vanavond krijg je je kans, lieveling.'

Even lag hij doodstil. De betekenis van haar woorden drong tot hem door en vermengde zich op een merkwaardige manier met zijn opwinding, zijn groeiende paniek, zijn zekerheid dat er op het punt stond iets verschrikkelijks te gaan gebeuren.

Het maakte deel uit van het spel, hield hij zich voor, hoewel zijn hart sneller begon te slaan. Het maakte deel uit van zijn fantasie. Het was een manier om hun genot te verhogen. Het was niet echt.

'Ik heb het stervensproces nauwkeurig bestudeerd,' zei ze zacht. 'Je bent tenslotte dokter, en ik wilde je niet teleurstellen. Ik wilde dat deze keer... onze laatste keer... de beste ervaring zou zijn die je ooit had gehad.'

Deels doodsbang, deels opgewonden luisterde hij naar haar. Verward. Had hij tegen haar gezegd dat dit hun laatste keer zou zijn? Blijkbaar. Hoe wist ze het anders?

'Geloof je in de hemel, Boyd? In de hel? In goddelijke vergelding voor aardse zonden?' Ze klom naast hem op het bed. 'Of geloof je dat er na de dood niets meer is? Alleen rotting en een gruwelijke stank?'

Lachend streek ze met haar in rubber gehulde nagels over zijn penis. 'Al dat gepraat over dood wind je op, hè? Of is het de wetenschap dat je volledig aan mijn genade bent overgeleverd? Het besef dat ik met je kan doen en laten wat ik wil?'

Haar vingers sloten zich om zijn erectie. Ze begon hem te strelen, tot hij op het punt stond klaar te komen. Toen kneep ze hem hard in zijn ballen.

Hij hijgde van pijn.

Ze klakte met haar tong. 'Terug naar ons gespreksonderwerp. Je naderende overlijden.' Ze trok het kussen onder zijn hoofd vandaan. 'Ik heb begrepen dat wat de terminale staat wordt genoemd, wordt bereikt na een opeenvolging van processen. Het hele gebeuren kan tussen de vijf en de dertig minuten in beslag nemen, afhankelijk van de oorzaak. De opeenvolging kan variëren, opnieuw afhankelijk van de oorzaak. Er treedt echter altijd verlies van bewustzijn op; het hart en de longen begeven het, en uiteindelijk raakt een mens hersendood.'

Ze boog zich over hem heen, zodat hij haar adem over zijn gezicht voelde strijken. 'Ik verveel je toch niet? Voor jou is het gesneden koek, maar ik vond het nogal fascinerend. Gruwelijk... maar fascinerend.'

Een wilde angst maakte zich van hem meester. Hij begon te beven en verzette zich tegen zijn boeien. Zijn fantasie wond hem niet langer op. Hij wilde dat ze hem losmaakte, dat ze hem geruststelde.

In plaats daarvan drukte ze het kussen op zijn gezicht en begon hardop te tellen. Tot tien. Tot twintig. Tot dertig.

Speldenknoppen van licht dansten achter zijn oogleden; zijn longen schreeuwden om zuurstof.

Toen ze het kussen weghaalde, zoog hij gretig zijn longen vol, bijna snikkend van opluchting.

'Ik ben benieuwd hoe het proces zich bij jou zal voltrekken, lieveling. Bij verstikking blijft het hart nog verscheidene minuten slaan, nadat iemand het bewustzijn heeft verloren als gevolg van hersenanoxie – het totale ontbreken van zuurstof.'

Opnieuw drukte ze het kussen op zijn gezicht. Na vijftien tellen haalde ze het weer weg. 'Geen wonder dat je dokter bent geworden. De menselijke machine is iets ongelooflijks. Het hart dat blijft doorslaan... Dat vond ik echt verbijsterend.' Ze zuchtte. 'Maar genoeg gepraat over wat ik vind. We zijn hier vanavond voor jou. Dit is jouw avond.'

Hij voelde dat ze zich bewoog, en uit angst dat ze het kussen opnieuw op zijn gezicht zou drukken, haalde hij diep adem. Ze ging echter alleen maar verzitten, en hij huiverde dankzij het respijt.

'Hoe zal het zijn?' vroeg ze. 'Voel je dat je organen het één voor één opgeven? Zie je je eigen dood, zoals je kijkt naar de nummertjes op het paneel in een lift, tot er geen verdiepingen meer over zijn?'

Zijn angst had hem inmiddels volledig in zijn bezit. Hij probeerde wanhopig niet in paniek te raken, wetend dat hij er niets mee opschoot als hij ging hyperventileren. Dit was een spel, hield hij zich voor. Spoedig was het voorbij. Dan zou hij dit nooit meer doen, beloofde hij zichzelf.

'Als je kon praten, wat zouden dan je laatste woorden zijn? Zou je je zonden belijden? En om vergiffenis vragen?' Haar stem kreeg een harde klank. 'Of zou je heel zelfzuchtig smeken om een tweede kans?'

Ineens ging ze over hem heen zitten. Haar leren kleding voelde koel aan tegen zijn koortsige huid. Met haar ene arm drukte ze het kussen weer op zijn gezicht, terwijl ze hem met haar andere hand begon af te trekken.

Het gevoel was ongelooflijk, duizelingwekkend. Binnen enkele ogenblikken begonnen zijn longen te branden en evenaarde de druk op zijn hersens die in zijn onderbuik. Een druk die steeds groeide, aanzwol, klaar om te exploderen.

Ze zou het kussen optillen. Nog even... Zijn hersens schreeuwden om zuurstof. Hij tilde zijn heupen van het bed en kwam klaar zoals hij nog nooit was klaargekomen.

Haal het kussen weg! Snel, voordat het te –

Toen pas besefte hij waarom ze zijn mond had dichtgeplakt. Om zijn kreten om hulp te smoren.

Toch schreeuwde hij. Zonder geluid. Met alleen een galmende echo in zijn hoofd.

42

Connors telefoontje was net binnengekomen toen Melanie op het politiebureau arriveerde. Er was weer een moord gepleegd. Hij verwachtte haar zo spoedig mogelijk op de plek van het misdrijf. Meer had hij niet willen zeggen.

Ze begreep nu waarom.

Vanuit de deuropening van de motelkamer keek ze als gefixeerd naar het bed, met daarop het lijk. Het gevoel van déjà vu was zo sterk, dat ze erdoor gedesoriënteerd raakte. Ze had precies ditzelfde al eerder gedaan, in een soortgelijke motelkamer, een paar maanden eerder.

Alleen had ze toen naar het lijk van een vrouw staan staren en was het slachtoffer toen een vreemde voor haar geweest.

Nee... Dit mocht niet waar zijn... Nee... De woorden maalden eindeloos – als een gebed – door haar hoofd. Dit soort dingen gebeurde niet met mensen die ze kende.

Connor legde zijn hand op haar arm. 'Gaat het een beetje?'

Hoofdschuddend keek ze hem aan, verstikt door emotie. 'Hij was mijn... zwager.'

'Dat weet ik. Ik herkende hem van een paar familiefoto's die ik bij jou thuis heb gezien.'

Melanie keerde het tafereel haar rug toe en probeerde wanhopig zichzelf weer onder controle te krijgen. Hoe moest ze dit aan Mia vertellen? Ze haalde nog één keer diep adem en voegde zich weer bij Connor, die bezig was het gebied rond het bed te onderzoeken. Met haar blik ontweek ze angstvallig de gedaante óp het bed.

'Voel je je al wat beter?' vroeg hij.

'Ja, ik ga niet flauwvallen of overgeven, als je dat bedoelt. Althans, nog even niet.'

Op dat moment kwam Pete Harrison aanlopen. 'May, volgens Parks kun jij onze levensgenieter hier met zekerheid identificeren.'

'Dat klopt.' Ze sloeg haar armen om haar middel. 'Zijn naam is Boyd Donaldson. Hoofd chirurgie van Queen's City Medical Center. Hij was mijn zwager.'

'O, verdomme.' Hij viste een notitieblokje uit zijn borstzak. 'Wist je dat hij aan dit soort bizarre toestanden deed?'

'Nee.'

'En je zus? Is zij ook –'

'Nee!'

'Weet je iets over hun huwelijk?'

'Ze hadden problemen. Mijn zusje vertelde me nog niet zo lang geleden dat hij een verhouding had.'

'Heeft ze ook een naam genoemd?'

'Nee.'

'En vond ze het erg dat hij vreemdging?'

'Ze was met hem getrouwd, dus wat denk je?'

Hij trok zijn wenkbrauwen op. 'Ik zie geen reden om zo pissig te reageren.'

'Ik wel. Terwijl jij je vragenspelletje doet, worstel ik niet alleen met het feit dat mijn zwager is vermoord, maar bovendien met de vraag hoe ik het mijn zus moet vertellen.'

Schaapachtig keek hij haar aan. 'Neem me niet kwalijk. Een paar vragen nog. Denk je dat je zus wist dat hij aan bondage deed?'

'Dat zul je haar zelf moeten vragen.'

'Wanneer heb je je zus voor het laatst gesproken?'

Melanie dacht even na. 'Ongeveer een week, anderhalve week geleden.'

'Is het normaal dat jullie elkaar zo lang niet spreken?'

'Nee. Meestal spreken we elkaar om de dag, maar ik ben erg

druk met het onderzoek naar de Zwarte Engel.'

Het klonk haar als een lamlendig excuus in de oren. Waarom hadden ze elkaar niet vaker gesproken? Wat was er gebeurd, waardoor ze in slechts enkele weken van onafscheidelijk afstandelijk waren geworden?

'We zullen met je zusje moeten praten. Hoe eerder hoe beter.'

'Natuurlijk.' Melanie keek naar Connor, die op zijn hurken naast het bed voor zich uit zat te staren. Inmiddels kende ze hem lang genoeg om te weten dat hij zat na te denken. Ten slotte keerde ze zich weer naar de rechercheur van het CMPD. 'Ik wil het mijn zusje graag zelf vertellen. Gezien de omstandigheden, lijkt me dat gepast.'

'Mee eens.' Hij wees op zijn collega, die aan de andere kant van de kamer bezig was bewijsmateriaal te verzamelen. 'Roger en ik gaan mee.'

Bij het horen van zijn naam, keek Stemmons op. Hij schonk Connor een meesmuilende grijns. 'Wat een meevaller, hè, Parks? Die hadden we hard nodig om de zaak nieuw leven in te blazen.'

Melanie wist dat hij met 'de zaak' doelde op de moord op Joli Andersen, waarin het spoor volledig was doodgelopen.

'Schijn bedriegt,' zei Connor, terwijl hij opstond. 'Ik zou de pers of Cleve Andersen nog maar niet waarschuwen.'

Er verscheen een blos op Stemmons' gezicht. 'Ik zal je eens wat zeggen, Parks. Het zit me echt tot hier, dat vage gelul van je.' Hij wees naar een punt boven zijn hoofd. 'Want daar zijn we tot dusverre niets mee opgeschoten. Dit is een exacte replica van het tafereel dat we bij Andersen aantroffen. De fles champagne incluis.'

'Precies,' mompelde Connor. 'Een replica.'

Verrast keek Melanie hem aan. 'Denk je dat de moordenaar die zaak heeft willen imiteren?'

De rechercheur negeerde haar en begon de overeenkomsten op zijn vingers af te tellen. 'Beide slachtoffers waren languit en wijdbeens aan het bed gebonden. Beide slachtoffers zijn door verstikking om het leven gebracht. De mond van beide slachtoffers was dichtgeplakt. En beide slachtoffers zijn postmortaal kunstmatig gepenetreerd.'

'Althans, dat neem je aan.'

'Dat lijkt me nogal duidelijk.'

'Heb je nog meer?' vroeg Connor. 'Want tot dusverre ben ik niet onder de indruk.'

'Reken maar dat ik nog veel meer heb. Beide moorden zijn gepleegd in een goedkoop motel rond middernacht. Dan hebben we nog het afplakband en de champagne, details die we niet aan de media hebben gemeld.'

'En de blinddoek?' vroeg Connor. 'Ik herinner me niet dat Joli Andersen was geblinddoekt.'

De blos op Stemmons' gezicht veranderde van roze in purper, en Pete legde sussend een hand op zijn arm. 'Zijn ritueel ontwikkelt zich,' zei hij. 'Dat zou uitgerekend jij toch moeten weten.'

Er kwam een agent naar hem toe. 'Ik heb met de receptionist van gisteravond gesproken. Hij heeft de kamer om vijf over half twaalf aan dokter Donaldson verhuurd. Rond één uur 's nachts heeft hij een auto het terrein zien verlaten. Er zat een blonde vrouw achter het stuur. Een kenteken heeft hij niet, maar het was een middenklasse auto, gewoon model, donkere kleur.'

Hij wierp een blik op zijn aantekeningen. 'Geen ouwe bak, maar ook geen nieuwe auto. Aldus de receptionist.'

Pete keerde zich naar Melanie. 'Is je zus blond, net als jij?'

Haar haren gingen overeind staan bij de implicatie van die vraag. 'Ze is net zo blond als ik.'

'Dan moesten we maar eens met haar gaan praten.'

43

Mia was thuis. Heimelijk had Melanie gehoopt dat ze er niet zou zijn, zodat ze het onvermijdelijke nog even kon uitstellen.

'Melanie?' De glimlach op Mia's gezicht bij het zien van haar zusje verbleekte. Haar blik ging heen en weer tussen Melanie, Connor en de twee rechercheurs. 'Wat is er aan de hand?'

Melanie strekte haar hand uit. 'Mia, lieverd, mogen we even binnenkomen?'

Ze schudde haar hoofd, alle kleur trok weg uit haar gezicht. 'Niet voordat je me hebt verteld –' Verschrikt sloeg ze een hand voor haar mond. 'Is er iets... met Ashley?'

'Nee, Mia, het is Boyd. Hij is dood.'

Nietsziend staarde ze Melanie aan; haar bleke gezicht werd grauwwit. 'Dood?' Ze wankelde even. 'Maar hoe... Dat kan niet... Ik begrijp het niet.'

'Mia, hij –' Melanie haalde diep adem. 'Hij is vannacht vermoord.'

Mia wankelde en slaakte een hoge, ademloze kreet.

Snel deed Connor een stap naar voren om haar te ondersteunen.

'Het gaat wel,' fluisterde ze. 'Ik... Kom binnen.'

Ze ging hen voor naar de woonkamer, waar ze hen gebaarde plaats te nemen en zelf op de witte bank ging zitten. Melanie ging naast haar zitten, de twee rechercheurs tegenover haar. Connor bleef staan.

'Hoe is het gebeurd?' Mia keek Melanie aan. 'En wie...'

In een beschermend gebaar legde Melanie haar hand op de krampachtig gevouwen handen van haar zusje. Ze waren koud als ijs. 'We weten nog niet wie het heeft gedaan,' zei ze, de eerste vraag van haar zusje negerend. 'De politie heeft wat vragen voor je. Denk je dat je in staat bent die te beantwoorden?'

Toen Mia knikte, stelde Melanie haar voor aan Connor en de twee rechercheurs van het CMPD.

Zodra ze dat had gedaan, nam Pete het over.

'Mrs. Donaldson, het spijt me dat ik u op een moment als dit moet lastigvallen, maar bij een moordzaak is tijd erg kostbaar.'

'Dat begrijp ik. Wat kan ik voor u doen?'

De rechercheur haalde zijn notitieblokje uit zijn borstzak. 'Wanneer hebt u uw man voor het laatst gezien, Mrs. Donaldson?'

'Gisterochtend, voordat hij naar zijn werk ging.'

'En sindsdien niet meer?'

'Nee.' Ze schraapte haar keel. 'Maar dat had ik ook niet verwacht. Hij moest gisteravond naar een bijeenkomst van hartchirurgen in Columbia, en aangezien die besprekingen vaak pas laat afgelopen zijn, zou hij daar blijven slapen. Maar overdag heb ik hem nog wel gesproken.'

'Hoe laat was dat?'

Ze fronste haar wenkbrauwen. 'Om een uur of vier 's middags. Hij belde om me eraan te herinneren dat hij vannacht niet thuis zou komen.'

De rechercheur maakte een aantekening in zijn boekje. 'Had uw man wel vaker dit soort besprekingen? Waarvoor hij lang van huis was?'

Even keek Mia haar zus aan, toen richtte ze haar blik weer op de rechercheur. 'Ja.'

'Was hij dan de hele nacht weg?'

'Nee, meestal niet, maar het werd altijd wel heel laat.'

'Zou u uw huwelijk als gelukkig willen omschrijven, Mrs. Donaldson?'

Melanie verstijfde, wetend dat Pete Mia op een leugen probeerde te betrappen. Hoewel dat een standaardpraktijk bij on-

dervragingen was, ging het hier om haar zusje! Geen echte verdachte. Geen crimineel.

Verslagen boog Mia haar hoofd. 'Nee,' fluisterde ze.

'Hoe bedoelt u, nee?'

Toen ze opkeek, zag Melanie tranen in haar ogen schitteren.
'Nee, ons huwelijk was niet gelukkig. Hij had... Ik geloof dat hij
een verhouding had.'

De twee rechercheurs keken elkaar aan, alsof ze zojuist belangrijke informatie hadden gehoord. Melanie haalde diep adem
en verbeet de hatelijke opmerking die ze had willen maken. Toen
ze een snelle blik op Connor wierp, zag ze dat hij afwezig door de
kamer liep, ogenschijnlijk zonder aandacht voor de ondervraging.

'U weet dat niet zeker?' vroeg Pete.

'Hij heeft het nooit... toegegeven, maar ik... Een vrouw wéét
zoiets, agent.'

'Ik begrijp het.' De rechercheur schraapte zijn keel. 'Als u zegt
dat hij die verhouding nooit heeft toegegeven, betekent dat dan
dat u hem met uw vermoeden hebt geconfronteerd?'

'Ja.'

'En wat was zijn reactie?'

Vragend keek ze Melanie aan. Deze knikte vluchtig, waarop ze
vervolgde: 'Hij werd woedend en... sloeg me.'

Connor, die de ingelijste foto's op het deksel van de vleugel
stond te bekijken, keek over zijn schouder hun kant uit. De twee
rechercheurs wierpen elkaar een veelbetekenende blik toe.

Melanie ging verzitten. Ze voelde zich slecht op haar gemak
en vernederd namens haar zusje.

'Hij sloeg u? Deed hij dat wel vaker?'

'Ik... nee, hij...' Ze begon te trillen. 'Mijn man is vermoord!'
riep ze uit. 'Waarom vraagt u me dit? Waarom is dat belangrijk?'

'We hebben het gevoel dat het relevant is voor ons onderzoek,
Mrs. Donaldson.' De rechercheur glimlachte bemoedigend.
'Nog maar een paar vragen. Weet u ook met wie uw man een ver-
houding had? Of hebt u een vermoeden?'

'Nee.'

'Waar was u gisteravond?'

'Ik?' Er verscheen een verraste uitdrukking op haar gezicht. 'Thuis.'

'Alleen?'

'Ja.'

Melanie kende het klappen van de zweep. Mia zou een hoofdverdachte zijn, omdat statistieken aantoonden dat de meeste moorden werden gepleegd door daders die dicht bij het slachtoffer stonden – familie, vrienden, zakelijke collega's.

'Wist u dat uw man aan bizarre seks deed?'

Al het bloed trok weg uit haar gezicht. 'Het spijt me, maar ik weet niet goed wat u bedoelt...'

'Bizarre seks. SM, bondage, dat soort dingen?'

'Nee.' Ze schudde haar hoofd. 'Nee.'

'U deed samen niet –'

'Lieve hemel, nee!' riep ze vervuld van afschuw uit.

'Is er iemand die kan getuigen waar u gisteravond bent geweest?'

'Nee, ik zei toch dat ik alleen thuis was.' Er kwam een hysterische klank in haar stem. Ze keerde zich naar Melanie. 'Je gelooft me toch wel?'

'Natuurlijk geloof ik je.' Woedend keek ze de rechercheur aan. Toen keerde ze zich weer naar haar zusje. Afhankelijk van haar volgende antwoord overwoog Melanie voor te stellen een eind aan de ondervraging te maken tot Mia de kans had gehad een advocaat te raadplegen. 'Denk eens goed na, Mia. Is er niemand die je heeft gebeld? Of is er misschien iemand langs geweest of –'

'O, natuurlijk!' Mia sloeg haar hand voor haar mond. 'Ik heb een vriendin gesproken. Veronica Ford. Twee keer zelfs.'

'Weet je nog hoe laat dat was?' vroeg Melanie, wetend dat Pete het anders zou vragen.

Mia dacht even na. 'Ze belde rond een uur of tien. En toen weer om... Ik weet het niet meer. Rond half een.'

'Om half een? Op een doordeweekse avond?' Roger, die tot op dat moment niets had gezegd, mengde zich in het gesprek. 'Is dat niet een beetje laat?'

'Laat?' Verward keek Mia hem aan. 'Veronica wist dat ik nog

wakker zou zijn, omdat ik... Nou ja, ik was van streek. Ze maakte zich zorgen over me.'

'Waarom?'

Even keek ze hem niet-begrijpend aan, toen schudde ze haar hoofd. 'Mijn man had een verhouding... Hij was een nacht van huis... Dus ik haalde me van alles in mijn hoofd.'

'Dat hij de nacht bij die andere vrouw zou doorbrengen?'

Ze knikte.

'Maar u hebt hem niet gecontroleerd?'

Ze liet zich achterover tegen de kussens vallen, alsof ze het plotseling niet meer aankon. 'Nee,' fluisterde ze met gesloten ogen. 'Het zou toch geen verschil hebben gemaakt.'

Melanie kon het niet langer aanzien. 'Ik denk dat mijn zusje voor dit moment genoeg vragen heeft beantwoord. Dus waarom stoppen we er niet mee?'

Pete liet zijn blik over zijn aantekeningen gaan. 'Goed. Nog even voor de zekerheid: u hebt gisteravond met uw vriendin gesproken –'

'Veronica Ford, hulpofficier van justitie,' zei Melanie, wetend dat die vriendschap in het voordeel van haar zusje zou werken.

'Aha.' Hij schraapte zijn keel, en Roger ging verzitten. Connor keek Melanie aan en grijnsde. 'Hebt u verder nog iemand gezien of gesproken?'

'Nee, ik –' Mia zweeg abrupt en ging weer rechtop zitten. 'Ja, natuurlijk! Ik heb mijn buurvrouw gezien. Mrs. Whitman. Dat was om ongeveer kwart over twaalf. Ze riep haar kat binnen toen ik op de veranda een sigaret zat te roken.'

Wat is het toch een zegen dat sommige mensen er zulke vaste gewoonten op nahouden, dacht Melanie. De telefoontjes en Mrs. Whitman met haar kat verschaften Mia een alibi.

'Nog een laatste vraag, Mrs. Donaldson. Hield u van uw man?'

'Allemachtig!' Woedend schoot Melanie overeind. Dit ging veel verder dan een simpele ondervraging. 'Wat is dat voor vraag –'

'Het geeft niet, Mel,' viel Mia haar in de rede. Ze keek de rechercheur recht aan. 'Ja, ik hield erg veel van mijn man.'

Pete klapte het notitieblok dicht en stopte het in zijn zak. Toen stond hij op, gevolgd door Roger. 'Bedankt voor uw medewerking, Mrs. Donaldson. U hoort nog van ons.'

'Wacht even!' Ook Mia kwam overeind. 'Hoe is hij... U hebt nog niet gezegd hoe hij...'

'Is gestorven?'

'Ja.'

Mia vouwde zo krampachtig haar handen, dat haar knokkels wit werden, zag Melanie. Troostend legde ze een hand op Mia's schouder.

'Hij is door verstikking om het leven gebracht, Mrs. Donaldson. In een situatie waaraan hij zich vrijwillig had onderworpen.'

44

Tegen de tijd dat Melanie die dag naar huis ging, was het over zevenen en begon het al donker te worden. Ze was tot het eind van de middag bij Mia gebleven. Toen had Veronica haar afgelost. Haar aarzeling om Mia aan de zorgen van Veronica toe te vertrouwen, was verdwenen toen ze had gezien hoe haar zusje op haar had gereageerd. Het was maar al te duidelijk dat ze blij was met Veronica's komst en dat ze haar aanwezigheid als een troost ervoer.

Met de belofte later nog te bellen – wat ze al diverse keren had gedaan – was Melanie naar het hoofdbureau van het CMPD gereden voor het laatste nieuws over het onderzoek. Nadat Harrison en Stemmons haar verrassend bereidwillig hadden bijgepraat, was ze naar het bureau in Whistlestop gegaan. Na één blik op haar had haar baas haar naar huis gestuurd. Toen ze had geprotesteerd, had hij gezegd dat hij haar gezicht de eerstvolgende zesendertig uur niet wilde zien.

Zelfs Stan had zich verzoenlijk getoond. Hij had gehoord wat er met Boyd was gebeurd en gebeld met het aanbod om Casey van de kleuterschool te halen en hem die nacht mee naar huis te nemen. Of desnoods voor een week, als ze daar behoefte aan had.

Met het vermoeden dat zijn motivatie allesbehalve onzelfzuchtig was, had ze zijn aanbod om Casey die nacht mee te nemen geaccepteerd, maar hem verzekerd dat ze zich uitstekend kon redden.

Was dat maar waar! Het scheelde niet veel of ze stortte volledig in. Ze snakte naar een lang, heet bad, en dan een glas wijn en een broodje. Tegen die tijd was ze weer de oude.

Bij die gedachte omklemde ze het stuur nog strakker. Natuurlijk zou ze dan weer de oude zijn, zolang ze maar nooit meer haar ogen dichtdeed. Want elke keer als ze dat deed, zag ze Boyd voor zich, uitgestrekt in een perverse X, zijn huid grauwgrijs in de dood. De waarheid was dat ze nooit meer de oude zou zijn.

Vervolgens dacht ze aan Connor, aan alles wat die moest hebben gezien in zijn tijd bij het Bureau. Ze dacht van zichzelf altijd dat ze gehard was; dat ze het allemaal wel aankon, maar na deze dag wist ze wel beter.

Hoe kwam Connor in het reine met alle wreedheden die hij had gezien, vroeg ze zich af. Had hij een manier gevonden om ze ergens diep weg te stoppen? Dat moest hij haar dan ook maar leren.

Ze had het nog niet gedacht, of ze zag hem! Hij zat op de treden van de veranda, met een pizzadoos en een fles wijn. Toen ze het tuinpad op reed, ging hij staan. Met een glimlach op zijn gezicht.

Een gevoel van dankbaarheid en geluk overspoelde haar, en even vergat ze alle gruwelijke ervaringen van die dag. In dat korte moment besefte ze dat ze nog nooit zo blij was geweest om iemand te zien.

Het besef verraste haar, maar dat duurde niet lang. In de afgelopen weken had Connor Parks opgehouden alleen maar een goede collega te zijn. Hij was een vriend voor haar geworden.

Langzaam kwam hij naar de jeep toe slenteren. 'Hallo.' Hij hield het portier voor haar open. 'Ik dacht dat je wel honger zou hebben, maar te moe zou zijn om iets anders te maken dan een boterham met pindakaas.'

Melanie sprong uit de jeep en keek hem grijnzend aan. 'Dat heb je goed gedacht. Alleen de pindakaas is op, dus het zou een boterham met jam zijn geworden.'

Hij vertrok zijn gezicht. 'Dan is het maar goed dat ik er ben.'

'Ik ben je innig dankbaar.'

Terwijl ze de voordeur opendeed, pakte hij de pizzadozen – het waren er twee, zag ze, een grote en een kleine – en de wijn.

'Is Casey bij zijn vader?'

Ze knipte het licht aan. 'Ja, na alles wat er vandaag is gebeurd, leek me dat het beste.'

'Ik had een kaaspizza voor hem meegebracht. Kinderen kunnen soms erg kieskeurig zijn als het om eten gaat.'

'Dat geldt zeker voor Casey.' Melanie glimlachte, geroerd omdat hij aan Casey had gedacht.

'Voor ons heb ik de allergrootste pizza genomen die ze hadden.'

'Heerlijk.' Melanie wilde de dozen en de fles van hem aanpakken. 'Ga zitten, dan maak ik alles klaar.'

'Helemaal niet,' zei hij, naar de bank wijzend. 'Jij gaat zitten. Met je voeten omhoog. Ik zorg voor het eten.'

'Maar –'

'Geen gemaar.' Hij pakte een tijdschrift uit de mand, legde het op de koffietafel en zette de pizzadozen erop.

Nieuwsgierig sloeg ze hem gade.

Toen hij dat merkte, trok hij zijn wenkbrauwen op. 'Je vindt het toch wel goed om hier te eten?'

'Natuurlijk vind ik dat goed. Wat dacht jij nou? Ik heb een kind van vier!'

'Ga zitten dan. En hou op me zo dreigend aan te kijken. Ik red me wel.'

Ze gaf het op, liet zich op de bank vallen en leunde achterover tegen de dikke kussens. Toen ze haar ogen sloot, zag ze Boyd echter weer voor zich. Haastig deed ze haar ogen weer open. Zou ze zich ooit nog kunnen ontspannen?

Op dat moment verscheen Connor in de deuropening naar de keuken. 'Heb je een kurkentrekker?'

'In de la onder de telefoon.'

Even later verscheen hij opnieuw, met een wijnglas en de open fles. Nadat het glas had ingeschonken, zette hij het voor haar neer.

Ze fronste haar wenkbrauwen. 'Ik wou dat ik je mocht helpen.'

'Dat zal niet gaan.' Hij wees op de wijn. 'Proef eens. Als hij niet lekker is, doe ik de verkoper iets aan. Hij bezwoer me dat je hem verrukkelijk zou vinden.'

Braaf deed ze wat hij zei, waarna ze genietend zuchtte. 'Verrukkelijk!'

'Mooi zo. Ik ben zo terug.'

Even later kwam hij terug met borden, servetten, bestek en een glas cola voor zichzelf. Hij gaf hun allebei een stuk pizza, inderdaad de grootste die ze ooit had gezien, met alles erop en eraan. Gulzig begon ze te eten.

Terwijl ze aten, bleef het even stil. Dankzij het eten en de wijn voelde Melanie zich bijna onmiddellijk weer tot leven komen en had ze het gevoel dat de sluier van ongeloof en wanhoop begon op te trekken.

Toen ze haar pizza ophad, leunde ze achterover, met haar glas in haar hand. 'Bedankt. Dit had ik meer nodig dan ik besefte.'

Hij nam nog een stuk pizza. 'Dat had ik wel gedacht.'

'Want je hebt het al vaker meegemaakt?'

'De keren zijn niet meer te tellen.'

Weer zwegen ze. Melanie leunde achterover, genietend van haar wijn en van de aanblik die hij bood terwijl hij zat te eten.

'Hoe is het met Mia?' vroeg hij ten slotte, zijn mond afvegend met een papieren servet.

'Gezien de omstandigheden redelijk. Veronica heeft aangeboden bij haar te blijven. Ze heeft mij afgelost. De dokter heeft haar slaappillen voorgeschreven.' Ze viste een stukje worst tussen de kruimels op haar bord vandaan. 'Je was erg stil vandaag. Vooral bij mijn zusje.'

'Ja.'

'Waarom?'

'Ach, dat is mijn manier. Ik vind het prettig mijn omgeving in me op te nemen. Wat er wordt gezegd... De lichaamstaal van mensen...'

Ze verstijfde. 'Mia heeft niets te maken met de moord op Boyd.' Uitdagend keek ze hem aan.

'Nee, en de moord op Boyd had ook niets te maken met de moord op Joli. We hebben hier met twee verschillende moordenaars te maken. Daar twijfel ik niet aan.'

'Denk je nog steeds dat de moordenaar heeft geprobeerd de moord op Joli te imiteren?'

'Ja, en dat was knap werk.' Hij duwde zijn bord weg. 'Maar dit soort misdaden heeft bijna altijd een seksuele motivatie en beperkt zich tot één geslacht. Bundy vermoordde studentes. Dahmer jonge, homoseksuele mannen. En zo kan ik er nog meer noemen. Waarom zou deze moordenaar plotseling een slachtoffer van een ander geslacht kiezen?'

Daar viel niets tegenin te brengen. Melanie had het zich in het motel wel even vluchtig afgevraagd, maar daarna had ze zich weer met andere dingen moeten bezighouden. 'En dat afplakband dan, en die champagne?'

'Het was een heel ander etiket. Joli's moordenaar zou precies dezelfde champagne hebben genomen. Bij dit soort moorden is het ritueel altijd heel specifiek.' Connor zweeg even. 'Nee, deze moord is volledig in scène gezet,' vervolgde hij toen. 'De moordenaar van Joli Andersen was een chaoot. De kamer lag bezaaid met allerlei soorten bewijsmateriaal. De moordenaar van Boyd is daarentegen uiterst zorgvuldig te werk gegaan. De kamer was zo steriel als een ziekenhuiskamer. Ik durf te wedden dat ze niets vinden.'

'En die postmortale penetratie van het lichaam?'

'Die stelt niet echt iets voor en was alleen maar voor de schijn. Ik twijfel er niet aan of de lijkschouwer zal mijn vermoeden bevestigen.'

Melanie dacht na over wat hij had gezegd. Als ze daar ook nog de blinddoek aan toevoegde, begonnen de verschillen de overeenkomsten plotseling te verdringen. 'Maar waarom zou iemand de moord op Joli Andersen willen imiteren?' vroeg ze, waarna ze een slok wijn nam. 'En waarom met mijn zwager als slachtoffer?'

'Dat wist ik aanvankelijk ook niet. En ik wist ook niet wie het had gedaan. Tot we bij je zusje waren.'

Ongelovig keek ze hem aan. 'Je weet wie het gedaan heeft?'

'Denk nou eens goed na, Mel.' Hij boog zich naar haar toe. 'Jij weet het ook.'

Ze deed haar mond al open om dat te ontkennen. Om te zeggen dat ze niet zo'n scherp observatievermogen had als het zijne.

Maar ze deed haar mond weer dicht, want ineens wist ze het. 'O, mijn god,' fluisterde ze. 'Natuurlijk. De Zwarte Engel.'

'Bingo. Boyd sloeg zijn vrouw, en hij is net zo gestorven als de anderen – als slachtoffer van zijn zwakheden.'

'Waarom heb ik dat niet meteen gezien?' Met bevende handen zette ze haar glas op tafel. 'Ik had het meteen moeten zien!'

'Val jezelf niet te hard, Melanie. Je was vandaag meer dan alleen maar agent.'

Ze leunde achterover en liet de gebeurtenissen van die dag nogmaals de revue passeren, samen met de feiten die verband hielden met de moord en de bewijzen die ze tot dusverre had verzameld. 'Je denkt toch niet... dat Boyd door mij tot doelwit is gekozen?' Ze sloeg haar hand voor haar mond. 'Ik ben tenslotte een van de voornaamste onderzoekers in deze zaak, en mijn naam is regelmatig in de media verschenen. Hoe merkwaardig is het dat ze toeslaat in mijn familie?'

'Dat heb ik me ook afgevraagd, maar ik geloof niet dat je je daar ongerust over hoeft te maken. Gezien de manier waarop ze te werk gaat, en de tijd die ze nodig heeft om vertrouwd te raken met haar slachtoffer, denk ik dat onze Engel Boyd al lang als doelwit had gekozen, toen jij de zaak in de openbaarheid bracht.'

Hij boog zich naar voren. 'Reken maar na. Eerst moet ze haar slachtoffer leren kennen; ze moet achter zijn zwakke plek zien te komen en zich een rol weten aan te meten in zijn leven. In dit geval moest ze zijn vertrouwen zien te winnen. Boyd was tenslotte chirurg in een gerenommeerd ziekenhuis. Dus hij zou zijn zieke spelletjes niet zomaar met de eerste de beste hebben gespeeld. Ik vermoed dat hij daarbij uiterst voorzichtig te werk ging. En dat gold ook voor haar. We zijn inmiddels zes weken met de zaak bezig. In het geval van Boyd moet ze meer tijd nodig hebben gehad.'

Melanie dacht hierover na en probeerde de stukken in elkaar te passen. Toen sloeg ze haar hand voor haar mond. 'O, mijn god, ik besef ineens... Als we gelijk hebben over de motivatie van de Engel –'

'Dan kent Mia de moordenaar.'

Er liep onwillekeurig een huivering over haar rug. 'De jongens van het CMPD zullen er ongetwijfeld niets in zien.'

'Aanvankelijk niet. Omdat ze dat niet willen, maar de verschillen tussen deze zaak en de zaak Andersen zullen uiteindelijk te opvallend zijn om ze te negeren.'

'We hebben een nieuw slachtoffer!'

'Het spijt me.'

Ze sloeg haar ogen naar hem op. 'Ik heb hem nooit gemogen. Ik heb altijd gedacht dat er iets niet helemaal klopte bij hem, als je begrijpt wat ik bedoel. Maar hij was Mia's keuze, niet de mijne.'

Na deze woorden wendde ze haar blik af. Het voelde niet goed om zo over Boyd te praten. Per slot van rekening was hij vermoord. Toch was dat wat ze voelde, en ze had er behoefte aan het uit te spreken. Om het uit te spreken tegenover Connor. 'Hij heeft mijn zusje bezeerd. En daarom haatte ik hem. Ik ben een paar keer zo kwaad geweest, dat ik dacht... dat ik hem iets had kunnen aandoen, maar ondanks dat... de manier waarop hij is gestorven...' Haar stem brak. 'Nee, dat is echt afschuwelijk.'

Troostend omhelsde Connor haar. Ze sloeg haar armen om zijn middel en legde haar hoofd op zijn borst. Getroost, zonder te huilen, hoewel een deel van haar dat wel zou willen.

'Ik wou dat ik iets voor je kon doen om het gemakkelijker te maken,' zei hij na een tijdje.

'Dat weet ik. Dank je wel.' Melanie hief haar hoofd op en keek hem aan. 'Hoe doe je dat?' vroeg ze zacht. 'Hoe verwerk je al die dingen die je hebt gezien... Hoe hou je alles in perspectief?' Ze kreeg een brok in haar keel. 'Hoe lukt het je om je ogen dicht te doen zonder ze telkens weer voor je te zien... de slachtoffers?'

'Het wordt steeds gemakkelijker,' zei hij zacht. 'Je raakt afgestompt. Met een beetje geluk slaap je ooit weer zonder ervan te dromen.' Hij streek haar haren uit haar gezicht en masseerde haar hoofd.

Het was een heerlijk gevoel. Connor gaf haar gewoon altijd een heerlijk gevoel. 'Ik bewonder je,' zei ze uit de grond van haar hart. 'Om wat je doet. En om de manier waarop –'

Hij lachte verbitterd. 'Je hoeft me echt niet te bewonderen, Melanie. De meeste dagen hou ik me maar amper staande en kost het me de grootste moeite om het Bureau niet in verlegenheid te brengen, om niet te drinken, om niet weg te zinken in een kuil van cynisme en zelfmedelijden.'

Dat was niet waar. Hij was sterk en goed. Een gevoelige man. Misschien wel te gevoelig. Ze legde haar handen om zijn gezicht en keek hem onderzoekend aan, zoekend naar de schaduwen, naar het verlangen achter zijn ogen. Naar kameraadschap. Naar een band tussen twee mensen, naar een vonk die zou ontbranden en misschien – heel misschien – de kou zou verjagen. Ze wilde bij hem zijn. Ze wilde dat hij die nacht bij haar bleef. Ze wilde met hem vrijen.

Dat besef vervulde haar met een gevoel van verwondering. Ongeloof. Verrukking. Het was zo lang geleden dat ze naar een man had verlangd. Het was zo lang geleden dat ze had gesnakt naar het intiemste contact dat tussen twee mensen mogelijk was. Sterker nog, ze had zich regelmatig afgevraagd of dat verlangen ooit zou terugkeren.

Haar handen gleden over zijn schouders, zijn armen, naar zijn handen. Ze trok hem overeind. Zonder iets te vragen, zonder iets uit te leggen en zonder twijfels nam ze hem mee naar haar slaapkamer, naar haar bed.

Daar aarzelde hij even. 'Weet je zeker dat je dit wilt? Ik wil niet dat je –'

Ze legde haar vingers op zijn mond. 'Ja,' zei ze. 'Ik ben nog nooit ergens zo zeker van geweest.'

Toen lieten ze zich op het bed vallen. Ze hielden elkaar vast, kusten elkaar, ontdekten elkaar. Er werd geen woord gesproken. Hij kleedde haar uit, zij hem, zonder een spoor van het ongemakkelijke gevoel dat vaak bij een eerste keer hoort. Zonder een zweem onzekerheid.

Melanie dacht aan niets anders dan het genot dat zijn handen en zijn mond haar zouden geven, aan de extase om zijn lichaam op het hare te voelen. In het hare. Het was volmaakt. Hij was volmaakt.

Achteraf lagen ze op hun zij, in lepeltjeshouding, met bonzend hart. Melanie gaapte, en ze voelde dat hij achter haar glimlachte.

'Ik moet eigenlijk naar huis,' zei hij zacht.

'Nee.' Ze kroop nog dichter tegen hem aan. 'Blijf alsjeblieft.'

'Weet je het zeker?'

Nu was zij degene die glimlachte. 'Dat heb je vanavond al eerder gevraagd. Mijn antwoord is nog niet veranderd.'

'Goed dan.' Hij drukte zijn gezicht tegen de welving van haar hals en haalde diep adem. 'Ga maar slapen. Ik hou de wacht.'

Langzaam draaide ze zich naar hem om. 'Waartegen?'

'De nachtmerries.'

Er kwam een brok in haar keel. Ze kon geen woord uitbrengen. Dus legde ze haar hoofd op het kussen, en toen ze haar ogen sloot, bleven de gruwelijke beelden weg.

45

Met een ruk deed Melanie haar ogen open. Hoewel ze meteen klaarwakker was, bleef ze roerloos liggen, met bonzend hart, luisterend naar de stilte. Ze werd zich bewust van verscheidene dingen tegelijk – dat het nog lang geen licht was, dat de temperatuur gedurende de nacht ingrijpend was gedaald en dat ze alleen was.

Langzaam keerde ze haar hoofd naar het kussen naast zich. De indruk van Connors hoofd was nog te zien. Ze strekte haar hand uit. Zijn plek was koud.

Ze sloot haar ogen tegen de pijn die haar overspoelde. Tegen het verraad. Hij had gezegd dat hij zou blijven, dat hij de wacht zou houden. In plaats daarvan was hij stilletjes weggegaan toen ze eenmaal sliep. Ze keerde haar gezicht naar het plafond. Was ze daar wakker van geworden? Van de klik van de voordeur die in het slot viel? Van het plotselinge besef dat ze alleen was? Of was het iets anders geweest? Iets duisters en angstaanjagends?

Haar gedachten gingen naar de gebeurtenissen van de vorige dag. Als dia's werden ze op haar gesloten oogleden geprojecteerd – Boyd uitgestrekt op het bed, Mia's geschokte reactie, Connors tederheid... Ashleys afwezigheid.

Ashley. Melanie fronste haar wenkbrauwen. Sinds de ruzie van de vorige zaterdag hadden ze elkaar niet meer gesproken. Melanie had elke dag gebeld, en elke dag had ze een boodschap op het antwoordapparaat van haar zusje achtergelaten. Een smeekbede om haar terug te bellen, maar Ashley had niet gebeld.

De vorige dag had Melanie het opnieuw geprobeerd. En opnieuw had ze een boodschap achtergelaten – zowel op Ashleys antwoordapparaat als op de voicemail van haar mobiele telefoon – maar weer had Ashley niet teruggebeld.

Toch moest ze hebben gehoord dat Boyd was vermoord, dacht Melanie. Ongeacht waar Ashley op dat moment was voor haar werk, moest het televisienieuws ermee hebben geopend. Hoe krankzinnig haar zusje zich ook had gedragen en hoe woedend en jaloers ze ook was geweest over de manier waarop Veronica zich in hun leven had 'gedrongen', bij het horen van dat nieuws, zou ze hebben gebeld. De man van haar zusje was dood! Vermoord!

Er was iets niet in orde. Ashley was in problemen.

Kreunend rolde Melanie op haar zij en trok ze Connors kussen tegen zich aan. Het rook nog naar hem en overspoelde haar zintuigen terwijl het beeld van de geblinddoekte, tot zwijgen gebrachte Boyd opnieuw voor haar geestesoog opdoemde. Ze verdrong het beeld en dacht aan Mia. Terwijl ze op de wekker naast haar bed keek, vroeg ze zich af of haar zusje had kunnen slapen. Ze had haar voor het naar bed gaan nog even willen bellen, maar dat was er niet van gekomen. Want ze had andere dingen aan haar hoofd gehad.

Connor!

Opnieuw keek ze op de wekker, bezeerd en met een gevoel van dwaasheid. Een fraaie zus was ze. Terwijl haar zusje in de grootste nood had verkeerd, was zij het bed in gedoken met een man die niet voldoende om haar gaf om fatsoenlijk afscheid te nemen.

Ondanks haar schuldgevoel hield ze zich voor dat Mia in goede handen was. Veronica had immers beloofd de hele avond en nacht bij haar te blijven.

Melanie fronste haar wenkbrauwen bij de herinnering aan de manier waarop de twee vrouwen zich aan elkaar hadden vastgeklampt. Niet zozeer verdrietig en geschokt, maar op een andere manier. Een manier die haar merkwaardig misplaatst voorkwam.

Lieve hemel! Melanie ging rechtop zitten en gooide Connors kussen van zich af. Ze liet zich meeslepen door haar fantasie. Eerst met Ashley, nu met Mia en Veronica. Ze was gewoon moe en gedeprimeerd, en ze had het gevoel dat ze zich volkomen belachelijk had gemaakt tegenover Connor.

Lieve help! Hoe moest ze hem ooit weer onder ogen komen? Verontrust klom ze uit bed. Ze greep haar oude badjas en besloot dat een kop kamillethee haar goed zou doen. Met de detective waarin ze bezig was.

Toen ze het boek uit de woonkamer ging halen, slaakte ze een zachte kreet van verrassing. Connor stond roerloos voor het raam, met zijn rug naar haar toe. Het maanlicht viel over zijn slechts gedeeltelijk geklede gestalte en creëerde schaduwvlekken, waardoor hij er eerder uitzag als een standbeeld dan als een man van vlees en bloed.

Toen hij zich langzaam naar haar omdraaide, zag ze bij het licht dat door het raam over zijn gezicht viel, dat hij huilde.

Hij had aangeboden haar nachtmerries op een afstand te houden, terwijl hij er zelf ook door werd gekweld!

Ze kreeg een brok in haar keel. Hij had niet gewild dat ze hem zo zou zien. Dat zag ze aan de manier waarop hij verstijfde. Aan de manier waarop hij zich voor haar leek af te sluiten.

'Het spijt me dat ik je wakker heb gemaakt,' mompelde hij stijfjes.

'Dat geeft niet.' Hulpeloos hief ze een hand op, maar ze liet hem direct weer langs haar lichaam vallen. 'Ik dacht dat je weg was.'

'Dat zou ik nooit doen. Niet zonder afscheid te nemen.' Hij keerde zich weer naar het raam. 'Ik moet steeds denken aan wat je me hebt verteld over je vader en over Mia, en wat je hebt gedaan om haar te beschermen.' Hij zweeg, en de stilte leek zich eindeloos uit te strekken.

'Wat is er, Connor?' vroeg ze ten slotte gesmoord. 'Na alles wat jij hebt meegemaakt, is mijn verhaal –'

'Het gaat om jou, Melanie. Jij zou alles doen om je familie te beschermen. En ik ben tekortgeschoten.'

Hoewel het haar moeite kostte, zei ze niets. Want ze voelde dat hij de stilte nodig had.

'Ik had een zusje.' Er speelde een vluchtige glimlach om zijn mond. 'Suzi. Mijn enige familie.' Zijn stem werd zachter. Warmer. 'Suzi was een schat. Zo'n kind dat altijd zwerfdieren mee naar huis neemt en iedereen wil helpen die in de narigheid zit. Ik was twaalf jaar ouder dan zij, en toen onze ouders waren omgekomen bij een auto-ongeluk, heb ik haar verder opgevoed. In veel opzichten was ik meer haar vader dan haar broer, maar uiteindelijk werd ze volwassen, en ik wilde weer een eigen leven.'

Hij zweeg even. Melanie kon zijn zelfverwijt bijna vóelen. 'Ik heb haar in de steek gelaten. Mijn werk in Quantico eiste me volledig op, en ik was vol van mezelf en van het belángrijke werk dat ik deed. Ze belde me dat ze bang was en dat ze wilde dat ik naar huis kwam.' Zijn stem klonk gesmoord. 'Ik zei dat het tijd werd dat ze volwassen werd. Het volgende wat ik van haar hoorde, was dat ze dood was. Vermoord.'

Na deze woorden haalde hij even diep adem. 'Als ik naar huis was gegaan... Als ik niet zo vervuld was geweest van mezelf... Haar lichaam is nooit gevonden. Dat maakt het allemaal nog erger. Soms denk ik dat ze nog leeft. Dat ze door die slag tegen haar hoofd haar geheugen is kwijtgeraakt...'

Haar hart brak toen ze hem zo hoorde praten. 'O, Connor.'

'Ze had een verhouding met een getrouwde man. Hij was gewelddadig en had haar bedreigd. Ik weet zeker dat hij haar heeft vermoord.'

'Maar je hebt hem nooit gevonden?'

'Nee. De afgelopen vijf jaar heb ik wanhopig geprobeerd een spoor van hem te vinden, maar het spoor loopt altijd dood.'

De schaduwen die ze in zijn ogen had gezien. Zijn melancholieke uitstraling. De memoborden in zijn huis. De onopgeloste misdaad. Natuurlijk!

'Wat verschrikkelijk voor je.'

Hij keek haar aan, en in zijn ogen las Melanie de helse kwellingen waaronder hij leed. 'Een deel van me wil de Zwarte Engel helemaal niet ontmaskeren. Een deel van me haat dit soort mannen, en soms vraag ik me af of zij hem misschien voor me zal vinden. Sterker nog, soms wil ik niets liever. Dus je ziet, ik ben volstrekt hypocriet.'

Hoofdschuddend strekte Melanie haar hand naar hem uit. 'Kom, dan gaan we weer naar bed.'

Na een lichte aarzeling pakte hij haar hand. Voor de tweede keer die nacht nam ze hem mee naar haar slaapkamer, en ze bedreven de liefde, aangevuurd door hun hartstocht en door de geheimen die ze deelden.

Toen ze achteraf in elkaars armen lagen, nam Melanie zich in stilte voor dat zij nu over hem de wacht zou houden.

46

Vierentwintig uur na de moord gaf de lijkschouwer Boyds lichaam vrij voor de begrafenis, en nog eens vierentwintig daarna – op een donderdag – vond de plechtigheid plaats. Het had de hele ochtend met tussenpozen geregend, maar toen de begrafenisgasten zich om het graf begonnen te verzamelen, liet de zon zich even zien.

Tot Melanies verrassing was Stan er ook. Hij voegde zich bij hen en ging links van Casey staan, terwijl zij aan de andere kant van hun zoontje stond. Ze hielden hun kind ieder bij de hand, en voor een nietsvermoedende toeschouwer zagen ze er ongetwijfeld uit als het volmaakte gezin.

Melanie was dankbaar dat hij er was. Casey had hem nodig. De afgelopen paar dagen waren voor hen allemaal moeilijk geweest, ook voor Casey. Het kind was terneergeslagen door de dood van zijn oom en door de flarden van gesprekken die hij had opgevangen, door het gefluister en de speculaties. Bovendien was Melanie gespannen en ongeduldig geweest, en zijn anders altijd zo toegewijde tantes waren zwijgzaam en somber geweest. Casey had daarop gereageerd door lastig te zijn, en wanneer zijn moeder hem dan een standje had geven, was hij in snikken uitgebarsten.

Geen van allen wisten ze goed raad met de situatie, dacht Melanie met een blik op haar zusjes. Ze stonden dicht bij elkaar, en

Mia werd, natuurlijk, vergezeld door Veronica.

Toen ze Ashley op de ochtend na de moord eindelijk te pakken had gekregen, had haar zusje bijna hysterisch geklonken. Ze had haar emoties totaal niet meer in de hand gehad. Het ene moment was ze woedend geweest, het volgende wanhopig of bang.

Mia had zich daarentegen volstrekt ongeëmotioneerd getoond. Als een slaapwandelaar voldeed ze aan haar verplichtingen, zonder in staat te lijken tot hoogte- of dieptepunten. Het enige wat ze liet zien, was een verontrustende, onnatuurlijke gelijkmoedigheid.

Het was maar goed dat Veronica er was, dacht Melanie. Ze zou niet hebben geweten hoe Mia zich er zonder haar doorheen had moeten slaan. Veronica was geen ogenblik van Mia's zijde geweken en zelfs 's nachts bij haar gebleven. Ze had Mia geholpen met de voorbereidingen van de begrafenis, was met haar naar Boyds advocaat geweest voor het openen van het testament en naar Boyds accountant om zich ervan te overtuigen dat hij zijn zaken goed had achtergelaten.

Dat had hij, met als gevolg dat haar zusje nu een erg rijke vrouw was.

Zelf had Melanie niet geweten hoe ze zich staande had moeten houden zonder Connor. Niet dat hij haar leven was binnen gestapt en meteen de leiding had overgenomen, zoals Stan dat zou hebben gedaan. Alleen al uit de wetenschap dat hij er was, had ze kracht geput.

Ze wierp een snelle blik over haar schouder. Connor stond wat achteraf, met een aantal collega's van haar, onder wie Bobby en haar baas. Hun blikken ontmoetten elkaar, en hoewel zijn gezicht ernstig bleef, voelde ze zich diep van binnen warm worden.

Sinds die nacht samen waren ze niet meer samen geweest. Er was geen tijd of gelegenheid voor geweest, maar ze had de herinnering – en haar opbloeiende gevoelens voor hem – gekoesterd.

De plechtigheid was afgelopen, en de gasten begonnen te vertrekken. Sommigen bleven nog even om Mia hun medeleven te betuigen; anderen liepen rechtstreeks en met gebogen hoofd naar hun auto.

'Kan ik je even onder vier ogen spreken?' vroeg Stan.

Ze aarzelde. 'Dit lijkt me niet echt het juiste moment. Mia is –'

'Het duurt maar even. Dat beloof ik.'

Nog even aarzelde ze, toen knikte ze. 'Casey,' zei ze zacht. 'Ga jij maar even naar tante Ashley, goed?'

'Oké, mammie.' Braaf liep hij naar zijn tante en pakte haar bij haar hand.

Voordat Ashley zich naar hem toe boog, gaf ze Melanie een knipoog.

'Dank je wel,' zei Melanie geluidloos, waarop ze haar aandacht op Stan richtte.

Die stond naar Casey te kijken, met een verlangende blik in zijn ogen. Er liep een rilling van angst over haar rug. Een man die zo keek, zou alles doen om te krijgen wat hij wilde.

'Wat een geweldig kind, hè?' zei hij zacht.

Melanie fronste haar wenkbrauwen. 'Kom je daar nu pas achter?'

'Nee. Ik... Nou ja, in zekere zin wel. Ik heb hem nu eenmaal niet zo vaak om me heen als jij.'

Daar gaan we, dacht ze. Ze sloeg haar armen om haar middel. 'Ik heb een afschuwelijke tijd achter de rug, Stan. Dus ik geloof niet –'

'Neem me niet kwalijk,' zei hij haastig. 'Dat bedoelde ik niet zo. Alleen, soms besef ik ineens wat ik heb gemist en dan...' Hij maakte zijn zin niet af, maar schraapte zijn keel. 'De hoorzitting is volgende week.'

'Dat weet ik.'

'Ik heb hem opgegeven voor de school bij mij in de buurt. Voor het geval dat de rechter... in mijn voordeel beslist.'

Strijdlustig stak ze haar kin naar voren. 'Ik ook. Hij maakt al opgewonden plannen met zijn vriendjes.'

Hij verplaatste ongemakkelijk zijn gewicht naar zijn andere voet. 'Volgens mijn advocaat is de jouwe erg goed.'

'Dat klinkt alsof je verrast bent. Wat had je dan gedacht?'

'In elk geval niet dat je met Pamela Barrett zou komen.'

'Een vriendin heeft me bij haar aanbevolen.'

Het leek bijna wel alsof hij onzeker was. Zou hij soms bang zijn dat hij de zaak zou verliezen? Dat Pamela bij haar dreigement zou blijven, dat hij Casey in dat geval nog minder zou zien dan nu? Vergiste ze zich, of bespeurde ze bij hem een zekere tegenzin wat de hoorzitting betrof?

Heel diep van binnen voelde ze een sprankje hoop. Als hij zich zorgen maakte, was de kans reëel dat ze zou winnen. Of dat ze hem tot andere gedachten zou kunnen brengen.

Hij wilde zich al afwenden, maar ze legde haar hand op zijn arm. 'Moet dit echt?' vroeg ze. 'Is het zo belangrijk voor je om me te straffen? Na alle tijd die er inmiddels is verstreken? Ik ben een goede moeder, en dat weet je. Het zal Caseys hartje breken als er verandering in de huidige situatie komt.'

'Hoe weet je dat? Tenslotte komt hij dan bij zijn vader.' Hij keek haar recht aan. 'En hoe weet je zo zeker dat ik dit niet doe omdat ik van mijn zoon hou?'

'Kom nou toch, Stan. Je bent nooit echt geïnteresseerd geweest in het ouderschap.'

Blozend keek hij naar Casey, die kiekeboe speelde met zijn tante. De uitdrukking op zijn gezicht verzachtte. 'Ik ben niet meer dezelfde als toen we trouwden.' Hij keek haar weer aan. 'Dat weet jij niet, want je ziet ons nooit samen. Maar ik ben echt met hem bezig, en we hebben het fijn samen.'

Melanie keek hem aan, en onwillekeurig besefte ze ineens dat Casey niet langer huilde als hij het weekend naar zijn vader moest. Wanneer dat was veranderd, wist ze niet precies, en ze had aangenomen dat Casey eraan gewend begon te raken.

Nu vroeg ze zich echter af, of hij soms niet meer huilde omdat hij het leuk vond om naar zijn vader te gaan.

Toen ze niets zei, vervolgde Stan: 'Ik hou van Casey. En ik mis hem als hij bij jou is.' Er klonk duidelijk ontroering in zijn stem door. 'Ik doe dit niet om je te straffen. Ik doe dit voor mijn zoon, want ik zou hem het liefst altijd bij me hebben.'

Net zoals zij dat wilde. Er kwam een brok in haar keel. Ze had Stan verkeerd beoordeeld. Hij was écht veranderd. Dus het werd tijd dat zij ook veranderde.

Wanneer ze naar de rechter stapten, zou een van hen beiden als verliezer uit de strijd komen – tenzij er iets veranderde.

'We houden allebei van Casey,' mompelde ze. 'We willen alle-

bei het beste voor hem. Kunnen we dan geen compromis bedenken? Of het tenminste proberen?'

Hij keek haar even aan. Het lag niet in de aard van Stan May
om compromissen te sluiten. Daarom was hij ook zo sterk als advocaat. Alleen ging dit niet om een cliënt, dit ging om zijn zoon.
Een zoon van wie hij erg veel hield, zoals ze zojuist had ontdekt.

Van die ontdekking besloot ze gebruik te maken. 'Laten we Casey op de eerste plaats zetten,' drong ze aan. 'In plaats van ruzie
om hem te maken. Ik ben bereid in te schikken, als jij dat ook
bent.'

'Oké,' zei hij ten slotte langzaam. 'Ik wil het graag proberen.
Voor Casey.'

47

Met grote passen liep Connor door de centrale hal van het hoofd-bureau van het CMPD naar de lift.

Zoals hij had voorspeld, hadden de rechercheurs van het CMPD eindelijk moeten erkennen dat de moorden op Boyd Do-naldson en Joli Andersen niets met elkaar te maken hadden. Ze toonden zich echter minder bereid zich achter zijn mening te scharen dat Donaldson een slachtoffer van de Zwarte Engel was, en hij begreep dat ook wel. Zodra ze dat deden, gaven ze de zaak over aan Melanie en hem, en daar waren ze nog niet klaar voor.

Hij had het niet nodig gevonden de zaak te forceren. Tot op dat moment.

Op de terugweg van een reeks vraaggesprekken in de omge-ving van Myrtle Beach had hij Melanie gebeld, maar ze had op het punt gestaan de deur uit te gaan. Pete had haar gebeld, zei ze, en gevraagd of ze naar het hoofdbureau wilde komen. Blijkbaar wilden ze haar ondervragen in verband met de dood van haar zwager. Ze had zich geen zorgen gemaakt. Het was niet meer dan een formaliteit, had ze hem verzekerd.

Daar was Connor echter niet zo zeker van, dus hij had haar ge-vraagd te proberen het gesprek uit te stellen totdat hij er ook bij kon zijn.

Mia's alibi was gecontroleerd, en zonder andere concrete aan-wijzingen zagen de twee rechercheurs zich genoodzaakt zich te concentreren op iedereen die een nauwe relatie met het slachtoffer onderhield – en die een wrok tegen hem zou kunnen koesteren.

Toen Connor uit de lift stapte, botste hij bijna tegen de twee rechercheurs op.

'Parks! Fijn dat je er bent,' zei Pete glimlachend, maar zonder enige warmte. 'Roger en ik staan op het punt een verdachte in de zaak Donaldson te ondervragen. Heb je zin om mee te luisteren?'

Roger schonk hem een zelfgenoegzame grijns. 'Of misschien wist je het al. Tenslotte zijn je vriendinnetje uit Whistlestop en jij een hecht stel geworden.'

Connor bedacht dat hij ervan zou genieten die zelfgenoegzame grijns van Stemmons' gezicht te timmeren, maar hij hield zich voor dat hij kalm moest blijven. Speculaties over hun relatie was wel het laatste waarop Melanie zat te wachten. 'Ja, ik heb het gehoord, en het lijkt me volstrekte onzin, maar jullie moeten het zelf weten als jullie je tijd willen verspillen.'

'We zullen zien. Ik denk dat je wel eens verrast zou kunnen zijn.' Voor een van de ondervragingsruimten bleven ze staan. Pete wees naar de deur ernaast. 'Ik zie je straks weer.'

Connor ging het vertrek binnen en liep rechtstreeks naar de monitor. Melanie zat aan een tafel in de aangrenzende kamer. Hij zag haar gezicht van opzij. Bij een opmerking van Pete dat het hem speet haar te hebben laten wachten, keek ze geërgerd.

Connor grijnsde. Geen wonder dat ze geërgerd reageerde. Tenslotte wist ze net zo goed als hij dat die verontschuldiging volstrekt niet gemeend was. Het hoorde bij de standaardprocedure om een verdachte een tijdje te laten wachten, met de bedoeling zijn of haar gevoel van onbehagen te vergroten.

Melanie keek op haar horloge. 'Ik heb het erg druk vandaag, dus als jullie het goedvinden, wil ik graag beginnen.'

'Natuurlijk.' Pete leunde achterover in zijn stoel en vouwde zijn handen op zijn buik. 'Ik wilde het om te beginnen hebben over je relatie met Boyd Donaldson.'

Melanie knikte instemmend, en de rechercheur begon haar te ondervragen hoe lang ze Boyd al kende, wat ze van zijn karakter vond, enzovoort. Ten slotte kwam hij ter zake. 'Mocht je je zwager graag?'

Over het antwoord aarzelde Melanie geen moment. 'Nee, ik mocht hem absoluut niet.'

'En je hebt hem ook nooit gemogen, hè?'

'Nee, dat klopt.'

'Sterker nog, je hebt er bij je zus op aangedrongen niet met hem te trouwen. Is dat juist?'

'Dat is juist.'

'Waarom deed je dat?'

Ze haalde haar schouders op. 'Ik ken mijn zusje beter dan wie dan ook, en volgens mij was hij niet de juiste man voor haar. Ik vond hem oneerlijk. Op de een of andere manier had ik het gevoel alsof er iets niet klopte. Achteraf besef ik dat mijn gevoelens maar al te juist waren.'

De twee rechercheurs wisselden een veelbetekenende blik uit. Melanie sloeg er geen acht op en vertrok geen spier van haar gezicht.

Trots stak Connor zijn duim naar haar op.

'Zou het kunnen zijn dat je jaloers was?' vroeg Roger. 'Tenslotte had je zusje een knappe, rijke dokter aan de haak geslagen.'

Er verscheen een glimlach op Melanies gezicht. 'Absoluut niet.'

'Je zegt dat je van je zusje houdt. Is het juist om te zeggen dat je alles zou doen om haar te beschermen?'

Melanie knipperde zelfs niet met haar ogen, en opnieuw bewonderde Connor haar onverstoorbaarheid. 'Ja, voorzover dat binnen de wet zou vallen.'

'Binnen de wet,' herhaalde Pete. 'Valt een mes trekken tegen je vader en hem met de dood bedreigen ook binnen de wet, volgens jou?'

Voor het eerst toonde ze zich onzeker, en ze keek rechtstreeks naar de videocamera.

Ze wist dat hij zat te kijken. Dacht hij soms dat hij hun dat had verteld?

'Ik was nog maar een kind, en ik deed het enige wat ik kon bedenken.'

'Om je zusje te beschermen.'

Ongemakkelijk verschoof ze in haar stoel. 'Ja.'

'En dat viel binnen de wet?'

Ze vernauwde haar ogen tot spleetjes. Er verscheen een blos op haar wangen. 'Mijn vader misbruikte mijn zusje seksueel. We waren dertien. Wat had ik dan moeten doen, volgens jou?'

'Dus jij vindt dat je acties te rechtvaardigen waren?'

Uitdagend stak ze haar kin naar voren. 'Ja, gezien de situatie.'

'En wat zou je hebben gedaan, als hij je zusje was blijven misbruiken? Zou je je dreigement hebben uitgevoerd?'

'Ik ben nog altijd dankbaar dat ik die beslissing nooit heb hoeven nemen.'

'Maar als je dat wel had moeten doen, wat zou je dan hebben gedaan?'

'Ik weiger me in dat soort speculaties te begeven.' Ze keek van de een naar de ander.

'En hoe zit het met je zwager?'

'Wat bedoel je?'

Roger ging voor haar staan. 'Hij mishandelde je zusje. Je was woedend op hem. Je maakte je zorgen om haar. Je wilde dat hij ermee ophield.'

'En dus heb je hem met de dood bedreigd,' mengde Pete zich in de discussie. 'Blijkbaar valt het niet mee om oude gewoonten af te leren.'

'Dat is belachelijk.'

'Je hebt hem bedreigd.' Pete klapte de map voor hem open. 'Volgens de beveiligingsbeambte van het ziekenhuis waar Donaldson werkte, heb je gezegd, en ik citeer: "Als je mijn zusje ooit weer pijn doet, sta ik niet in voor mijn daden." Klinkt dat je bekend in de oren?'

'Dat stelde niets voor.'

'O nee?' Ongelovig trok Pete zijn wenkbrauwen op. 'Je zwager was anders genoeg geschrokken om het hier te komen rapporteren. En de beveiligingsbeambte vond het ernstig genoeg om het in zijn rapport te vermelden.'

'Ach, ik was gewoon kwaad.'

'Ben je dat wel vaker?'

'Soms.'

'Zou je jezelf willen omschrijven als licht ontvlambaar?'

Ze leek plotseling op haar hoede. 'Vroeger wel,' zei ze zacht, 'maar tegenwoordig niet meer.'

Hoezeer Connor ook was overtuigd van haar onschuld en hoezeer hij ook een hekel had aan Harrison en Stemmons persoonlijk, hij kon het hun niet kwalijk nemen dat ze hadden besloten Melanie te ondervragen. Ze haatte haar zwager. Ze had hem zelfs bedreigd. Hij had haar zusje mishandeld, en ze had – zowel in het verleden als het heden – gezworen dat ze alles zou doen om haar te beschermen. Hoewel hij Melanies loyaliteit en dapperheid prijzenswaardig vond, begreep hij ook wel dat de rechercheurs daar hun vraagtekens bij zetten. Toch wenste hij dat ze haar met rust zouden laten.

'Waar was je de nacht dat Boyd Donaldson werd vermoord?'

'Thuis.'

'Alleen?'

'Nee. Met mijn zoon van vier.'

'En die sliep tussen elf uur 's avonds en één uur 's nachts?'

'Ja, die sliep. Hij is vier.'

'Dus je had het huis kunnen verlaten zonder dat hij het merkte.'

'Ik zou mijn kind nooit alleen thuis laten!'

Dat laatste zei ze met een ijzige blik op beide rechercheurs. Hoewel ze hun best deden haar te intimideren en te ontmoedigen, waren ze daar – behalve dat ene moment waarop ze over haar vader waren begonnen – niet in geslaagd. Ze leek totaal niet onder de indruk. en had haar antwoorden kort en bondig gehouden.

Als Connor haar niet zo goed kende, zou hij hebben gedacht dat de ondervraging haar totaal niets had gedaan, maar dat was niet zo. Hij was er bijna zeker van dat ze diep geschokt was. Omdat de ondervraging in geen enkel opzicht de formaliteit was geweest die ze had verwacht.

Toen ze op haar horloge keek, zag Connor dat haar hand licht trilde. 'Als jullie verder niets hebben, stel ik voor de zitting op te heffen. Ik weet zeker dat mijn baas me nog wel even wil zien voor het eind van de dag.'

'Natuurlijk. Bedankt voor je komst en voor je medewerking.'

Pete stond glimlachend op, en ze liepen samen naar de deur, op enige afstand gevolgd door Roger.

'Wacht even, dat was ik bijna vergeten. Ik heb nog een vraag over je vader.'

Ze draaide zich naar hem om. 'Zeg het maar.'

'Waar is hij aan gestorven?'

'Aan een hartaanval.'

'Was er iets ongebruikelijks aan die hartaanval?'

Een fractie van een seconde aarzelde ze. 'Ja, hij werd veroorzaakt door een verhoogd digitalisniveau in het bloed.'

48

De rest van de dag deed Melanie alsof de ondervraging door Harrison en Stemmons haar helemaal niets had gedaan. Eenmaal terug op het bureau stortte ze zich op haar werk. Om vijf uur haalde ze Casey van de kleuterschool, en daarna wijdde ze zich aan haar taken als moeder. Inmiddels lag hij een halfuur in bed. Ze had hem welterusten gekust, zoals altijd, alsof ze zich nergens zorgen over maakte.

Niets was echter minder waar. Ze voelde zich diep geschokt door wat er die dag was gebeurd. Geschokt en bezeerd. Niet alleen door de ondervraging, maar ook door Connors reactie. Ze had de hele dag nog niets van hem gehoord.

Al bij het verlaten van het CMPD had ze verwacht dat hij op haar zou wachten, en toen ze aan het eind van de dag nog steeds niets van hem had gehoord, had ze haar trots ingeslikt en hem gebeld. Hij was niet bereikbaar, had ze te horen gekregen, dus ze had een boodschap achtergelaten met de vraag haar te bellen.

Dat had hij niet gedaan.

Dus daar stond ze nu, voor zijn deur. Het was inmiddels half negen, en het hart bonsde haar in de keel. Mrs. Saunders, de weduwe die naast haar woonde, had zich maar al te graag bereid getoond op Casey te passen. Ze verkeerde in de veronderstelling dat Melanie was weggeroepen voor haar werk, en Melanie had haar maar in die waan gelaten.

Na even diep adem te hebben gehaald, drukte ze op de bel. Connor was thuis. Zijn Explorer stond op het tuinpad, en uit alle ramen viel licht naar buiten.

De deur ging open. 'Melanie! Hallo.' Hij leek niet verrast haar te zien.

'Kan ik je even spreken?'

Zwijgend deed hij de deur verder open. Ze volgde hem naar de keuken. Op tafel stonden een glas melk en een bord met een half verorberd broodje tonijn.

'Ik stoor je bij je avondeten.'

'Dat geeft niet. Het stelt toch niet veel voor.' Hij gebaarde haar te gaan zitten. 'Vind je het erg als ik verder ga met eten?'

'Natuurlijk niet.' Ze ging zitten, slecht op haar gemak. 'Ben je erbij geweest, vandaag?'

'Ja.'

'Ik dacht dat je... Waarom heb je me niet gebeld?'

Hij nam een hap van zijn broodje en spoelde deze weg met een slok melk.

Melanie vermoedde dat hij de tijd nam om zijn antwoord zorgvuldig te formuleren, en ze wenste dat ze thuis was gebleven. Dit was een kwelling.

'Ik moest nadenken,' antwoordde hij ten slotte. 'Ik moest alles op me laten inwerken en zien waar ik stond.'

'Alles op je laten inwerken?' Ze voelde dat het bloed uit haar gezicht wegtrok. 'Je denkt toch niet... Je kunt toch onmogelijk denken... dat ik mijn zwager heb vermoord?'

Hij keek haar recht aan. 'Waarom heb je me niet verteld hoe je vader is gestorven?'

Ze huilde niet snel, maar op dat moment zou ze kunnen janken als een baby. 'Je hebt het me nooit gevraagd.'

'Dat is onzin, Melanie.' Met een driftig gebaar duwde hij zijn lege bord weg. 'Gezien de overeenkomsten tussen de dood van McMillian en van je vader, had je het me moeten vertellen. Waarom heb je dat niet gedaan?'

'Ik weet het niet.' Toen hij ongelovig en geërgerd snoof, stak ze smekend haar hand uit. 'Het is echt waar! De overeenkomst tussen die twee sterfgevallen bracht me ertoe de dood van

McMillian te gaan onderzoeken, maar uiteindelijk besefte ik dat het niet de overeenkomst tussen zijn dood en die van mijn vader was die mijn aandacht had getrokken. Waar het om ging, was het feit dat twee mannen van wie bekend was dat ze gewelddadig waren tegenover vrouwen, kort na elkaar waren gestorven als gevolg van een bizar ongeluk. Ik neem aan dat ik niets over mijn vader heb gezegd, omdat hij niets te maken had met de Zwarte Engel. Hij vormde als het ware alleen de achtergrond.'

'De achtergrond?' herhaalde hij met gefronste wenkbrauwen.

'Ja.' Ze stak haar kin naar voren. 'Wat probeer je nou te zeggen? Dat je denkt dat ik schuldig ben?'

'Ben je dat?'

'Nee.' Ze kwam overeind, onuitsprekelijk bezeerd en boos. Ze liep naar het aanrecht. Daar draaide ze zich om en keek hem recht aan, hoewel de tranen in haar ogen brandden. 'Nee,' herhaalde ze.

'Ik moest het vragen,' zei hij zacht. Toen kwam hij naar haar toe. 'Ik geloof je.'

'Nou, daar mag ik zeker wel erg dankbaar voor zijn,' zei ze spottend, waarna ze zich omdraaide en weg wilde gaan, maar hij hield haar tegen en nam haar in zijn armen. Hoewel ze tegen zichzelf zei dat ze zich moest losrukken, vlijde ze zich dicht tegen hem aan.

Hij drukte zijn lippen op haar haren. 'Ik denk niet dat je Boyd Donaldson hebt vermoord. Dat heb ik ook nooit gedacht, maar ik moest het vragen. Want dat is mijn werk. Dat is wie ik ben, en zo zal ik altijd zijn. Kun je daarmee leven?'

Ze hief haar gezicht naar hem op. 'Ik wist dat je meeluisterde. Toen je niet belde... dacht ik...' Ze haalde diep adem. 'Je mag me nooit meer zo in onzekerheid laten. Dáár kan ik niet mee leven.'

'Het spijt me,' zei hij, terwijl hij zijn handen om haar gezicht legde. 'Ik had je moeten bellen.' Vervolgens kuste hij haar. 'Gaat het goed met je?'

'Prima,' antwoordde ze glimlachend. 'Nu ik weet dat jij me gelooft.'

Liefkozend streek hij met zijn duim over haar onderlip. 'Je

hield je fantastisch. Ik was diep onder de indruk.'

'Ik heb niets te verbergen.'

'Ik heb het ze niet verteld. Over je vader en het mes.'

'Dat vroeg ik me al af.'

'Dat zag ik.' Opnieuw kuste hij haar, en ze sloeg haar armen om zijn hals. 'Hoe lang hebben we voordat je thuis moet zijn?' vroeg hij met zijn lippen op de hare.

'Een uur,' antwoordde ze. 'Maximaal.'

Hij liet zijn handen over haar billen glijden, tilde haar op, en zonder haar toestemming te vragen, droeg hij haar naar zijn slaapkamer.

Lachend lieten ze zich vallen en begonnen ze zich uit te kleden. Iets wat aanzienlijk werd bemoeilijkt door hun tegenzin elkaar los te laten.

Toen ze eindelijk naakt was, klom Melanie boven op hem. Ze vond het heerlijk hem in zich te voelen, om hem haar naam te horen zeggen vlak voordat hij klaarkwam. Hij gaf haar het gevoel dat ze mooi was, sexy, bemind.

Toen het voorbij was, lagen ze zwijgend in elkaars armen. Ten slotte zuchtte Melanie, zich bewust van de tijd. 'Ik moet ervandoor.'

Hij verstrakte zijn greep. 'Blijf alsjeblieft.'

'Dat kan niet. Ik heb tegen Mrs. Saunders gezegd dat ik niet langer dan twee uur weg zou blijven.'

Hij liet haar los en sloeg haar gade, terwijl ze uit bed stapte. Daarbij raakte haar voet een boek. Ze bukte zich om het op te rapen. The Pharmacist's Guide To Allergens And Toxins.

Melanie herinnerde zich wat Connor had gezegd over de dood van zijn zus. Hoezeer hij mannen haatte die hun vrouw sloegen en dat hij soms wenste dat de Zwarte Engel niet gepakt zou worden. Ook herinnerde ze zich de stelligheid waarmee hij had geconcludeerd dat de Zwarte Engel een vrouw was. Geen man.

'Wat is er zo interessant daar beneden?'

Ze schrok. Toen hij over haar schouder keek, hield ze het boek omhoog. 'Is dat een hobby van je?'

'Een beetje research.' Hij reikte over haar schouder en pakte het boek uit haar handen. 'Ik wilde wel eens zien hoe toegankelijk de kennis van de Zwarte Engel is. Dit heb ik gekocht in de drogisterij op de hoek. Het beschrijft tot in de details wat er gebeurt bij een hevige allergische reactie, hoe snel de dood kan intreden, en het geeft een opsomming van de meest gebruikte allergenen. Bijengif is er een van.'

Grijnzend gaf hij haar het boek terug. 'Erg onderhoudend. Bovendien bewijst het dat onze Engel niet gestudeerd hoeft te hebben voor de kennis die ze heeft.'

Met gloeiende wangen legde Melanie het boek op het nachtkastje. Hoe had ze – ook al was het maar even – kunnen denken dat Connor een moordenaar zou kunnen zijn? Ze stapte in haar spijkerbroek en viste haar T-shirt van de grond. 'Ik zou het eens moeten lenen. Voor als ik weer eens iemand moet vergiftigen.'

'Na wat er vandaag is gebeurd, zou ik dat soort grapjes maar niet meer maken.'

Hij klonk onverwacht serieus, en ze keek hem aan.

'Ik moet je iets vragen,' zei hij. 'Heb je je gerealiseerd dat je vader een van de slachtoffers van de Zwarte Engel zou kunnen zijn?'

Haar vader? Melanies mond werd droog, en haar oren begonnen te suizen. Langzaam schudde ze haar hoofd.

'En als dat zo is,' mompelde Connor, 'en als dat ook voor Boyd geldt...'

Hoewel hij zijn zin niet afmaakte, begreep ze wat hij bedoelde. Dan waren er twee slachtoffers van de Zwarte Engel in één familie. Grote genade. In háár familie.

49

❦

Hoewel het nog niet zo laat was – even over elven – was het erg rustig op straat. Melanie reed als het ware op de automatische piloot naar huis. De gebeurtenissen van de dag en Connors laatste woorden spookten nog altijd door haar hoofd.

Haar vader, een slachtoffer van de Zwarte Engel? Waarom had ze daar niet eerder bij stilgestaan? Het zou heel goed kunnen. Tenslotte was hij op dezelfde manier gestorven als Jim McMillian. Op dezelfde manier als alle anderen. Hij was het slachtoffer geworden van zijn eigen zwakheid. En net als alle anderen was hij gewelddadig geweest tegenover vrouwen en had hij nooit hoeven boeten voor zijn zonden. Ze had het eerder moeten beseffen, maar ze had het niet gezien. Waarom niet?

Haar vingers kromden zich om het stuur. Hoe moeilijk die erkenning ook was, toch kon ze er niet omheen dat twee doden in haar familie, twee doden die het slachtoffer waren geworden van de Zwarte Engel, geen toeval konden zijn. Als zowel haar vader als Boyd door haar hand waren gestorven, dan kon de Engel haar slachtoffers niet willekeurig hebben gekozen. En zeker niet gezien de jaren die er tussen de beide sterfgevallen lagen.

De Zwarte Engel was iemand die dicht bij haar familie stond. Ze kende hen, en ze kende hun geheimen. Grote genade! Ashley.

Melanie hield haar adem in. Haar zusje paste perfect in Connors profiel – haar leeftijd, het misbruik in haar achtergrond, haar geschiedenis van gebroken relaties met mannen, het feit dat ze geestelijk in de war leek te zijn, dat ze familie bij de politie had. Ashley was heel uitgesproken geweest over haar overtuiging dat de slachtoffers van de Zwarte Engel niet beter verdienden. Terugdenkend besefte ze dat Ashleys gedrag onbeheerst was geworden, sinds zij voor het eerst haar theorie van de Zwarte Engel had gepresenteerd. Vanaf dat moment was Ashley gaan zinspelen op 'wat ze voor haar zussen had gedaan'. En dat haar zussen 'zich daar geen voorstelling van konden maken'.

Had ze daarmee haar en Mia bedoeld, haar biologische zusjes? Of alle vrouwen in het algemeen?

Melanie drukte haar lippen op elkaar. Ze vond het afschuwelijk om zo te denken, maar ze kon er niets aan doen. Als vertegenwoordiger in geneesmiddelen had Ashley kennis van medicijnen, vergiften en allergische reacties. Ze praatte dagelijks met artsen, dus het zou haar geen enkele moeite kosten de informatie die ze nodig had, te bemachtigen door een ogenschijnlijk onschuldige vraag hier en daar. Ze was voor haar werk soms dagenlang onderweg en zou moeiteloos ook slachtoffers in Charleston, Myrtle Beach of Columbia hebben kunnen kiezen.

Dat kon toch niet waar zijn! Het was toch niet mogelijk dat Ashley de Zwarte Engel was?

Nee. Ze omklemde het stuur nog krampachtiger. Nee. Ashley was in de war, maar ze was geen moordenaar. En zij zou het bewijzen. Maar hoe? De enige absoluut zekere manier om Ashleys onschuld te bewijzen, was de echte Zwarte Engel vinden.

Haar pieper ging, en ze schrok. Haar eerste gedachte gold Casey, maar op het schermpje herkende ze het nummer van het hoofdbureau. Ze pakte haar mobiele telefoon. Loretta, de dienstdoende agent die nacht, nam op. 'Met Melanie. Wat is er aan de hand?'

'Melanie! Het spijt me dat ik je stoor, maar het leek me toch beter.'

Vóór haar sprong het verkeerslicht op rood, en Melanie bracht de jeep tot stilstand. 'Het geeft niet.'

'Er is net een telefoontje voor je binnengekomen. Van een vrouw. Ze klonk erg van streek. Doodsbang. En ze wilde alleen met jou praten.'

'Een vrouw?' herhaalde Melanie. 'Wie was het?'

'Ze wilde haar naam niet zeggen. Alleen dat híj contact met haar had gezocht. De man naar wie je had gevraagd. Dan wist jij wel wie ze bedoelde.'

Melanie fronste haar wenkbrauwen. 'Heeft ze een nummer achtergelaten?'

'Nee, toen ik haar om meer informatie vroeg, hing ze op.'

Melanie pijnigde haar hersens. De man naar wie ze had gevraagd, had contact met haar gezocht. Joli Andersens moordenaar! Sugar! Natuurlijk!

Tien minuten later stopte Melanie op de straathoek waar Sugar was opgepikt. Dit deel van Charlotte kon bogen op een onevenredig percentage van de misdaad in de stad. Wie seks of drugs zocht, moest hier zijn. Tevens was hier de kans het grootst om te worden verkracht, overvallen of neergeschoten.

Melanie liet haar blik over het trottoir gaan. Sugar was niet naar huis gegaan. Dat wist ze zeker. Als ze bang was geweest dat er een moordenaar achter haar aan zat, zou ze hem niet naar haar zoontje hebben geleid. Maar ze zou ook niet op straat zijn blijven wachten. Als een gemakkelijk doelwit.

In haar achteruitkijkspiegeltje zag Melanie de witte Explorer van Connor de hoek om komen. Nadat ze Mrs. Saunders had gevraagd nog wat langer te blijven, had ze Connor gebeld. Het protocol schreef voor dat ze contact zocht met Harrison en Stemmons. Tenslotte was de moord op Joli Andersen hún zaak. Sugar was echter háár getuige, dus Melanie had besloten het protocol aan haar laars te lappen.

Connor stopte achter haar, stapte uit en liep naar haar toe. 'Heb je enig idee?' vroeg hij door het open raampje.

'Ja. Volgens mij heeft ze een plek opgezocht waar veel mensen bij elkaar zijn. Waar ze zich veilig voelt.'

'Denk je dat ze problemen met mij zal hebben?'

'Nee. Daar zorgen we gewoon voor.' Melanie deed haar portier open en schoof een plek op. 'Jij rijdt, ik zoek.'

Ze reden rond binnen een straal van tien straten van Sugars hoek en controleerden nachtclubs, restaurants, een kleine supermarkt die de hele nacht open was. Bij elke stop ging Melanie naar binnen, terwijl Connor in de auto wachtte.

Bij de achtste stop was het raak. Sugar zat in een eettent die Mike's heette en die mensen zoals Sugar – mensen van de straat en uit het nachtleven – als klant had. Ze zat helemaal achter in het restaurant, met haar rug naar de muur en haar blik op de deur gericht. Ze keek alsof ze doodsbang was.

Melanie liep naar haar toe. 'Hallo, Sugar.' Bij het tafeltje bleef ze staan. 'Ik hoorde dat je naar me op zoek was?'

Ze knikte.

'Dus hij heeft je gevonden? Die vent waar ik naar vroeg?'

Opnieuw knikte ze. Melanie zag dat ze beefde. 'Hij kwam... op straat naar me toe, maar ik... ik heb hem het nakijken gegeven.'

'Hoe heb je dat gedaan?

'Ik zei dat ik... naar het toilet moest. En toen ben ik door het raampje... geklommen. Ik heb me gesneden.' Ze hield haar hand omhoog. Er liep een kwaadaardige snee dwars over haar handpalm.

'Kom mee,' zei Melanie. 'We moeten hier weg.'

Even later waren ze bij de jeep. Toen Sugar Connor zag, aarzelde ze. 'Wie is dat?'

'Een vriend van me.' Melanie keek hem aan, en toen weer naar Sugar. 'Je hoeft je over hem geen zorgen te maken.'

'Misschien was dit toch niet zo'n goed –'

'Hij is degene die het profiel heeft gemaakt van de vent die we zoeken; de vent die Joli Andersen heeft vermoord. Dus als iemand weet of de man die je vanavond heeft lastiggevallen, de moordenaar is, dan is hij het.'

Aarzelend deed Sugar een stap naar achteren. 'Ik weet het niet. Ik geloof dat het een vergissing was. Ik denk –'

'Je hebt me gebeld omdat je bang bent, Sugar. Omdat je de vent herkende die ik heb beschreven. Omdat hij je weer had gevonden!'

Ze verbleekte, en Melanie vergrootte de druk. 'Deze keer vermoordt hij je. Want hij zal zich niet meer kunnen beheersen. Bovendien ben jij de enige die hem kan identificeren.' Ze deed het achterportier van de jeep open om in te stappen. 'Wat doe je?

Help je ons, of wacht je tot hij je opnieuw weet te vinden?'

Even aarzelde Sugar nog. Toen stapte ze in en ging naast Connor zitten.

Melanie stelde hen aan elkaar voor. Terwijl Connor de auto in beweging zette, keerde ze zich weer naar Sugar. 'Is alles goed met je zoontje? En is er iemand bij hem?'

'Hij is bij een buurvrouw.'

'Mooi. Vertel het maar. Wat is er gebeurd?'

Haperend en met gedempte stem begon ze te vertellen. 'Je had... gelijk. Ik herkende die vent naar wie je me vroeg. Hij is een paar keer bij me geweest. Aanvankelijk viel het wel mee. Hij vond het leuk om de grote verleidingsscène te spelen. Je kent dat wel. Hij bracht zelfs wijn mee, en soms chocolade –'

'Champagne?' vroeg Melanie.

'Ja, dat spul met die belletjes.'

'Ga door.'

'Hij wilde nooit echt seks. Het was eigenlijk wel leuk. Alsof ik een paar uur vrij had.'

'Wat wilde hij dan als hij geen seks wilde?' vroeg Melanie.

'O, hij bond me vast, en dan streelde hij me. Heel zachtjes. En hij praatte tegen me.'

'Praatte jij ook tegen hem?'

'Niet veel. Hij wilde alleen maar... dat ik daar lag.' Ze zweeg even. 'Het leek wel alsof hij met me speelde. Alsof ik een soort pop voor hem was.'

Melanie keek naar Connor. Vluchtig ontmoette hij haar ogen in de achteruitkijkspiegel. 'Maar toen veranderde het spelletje. Waar of niet? En je werd bang.'

Huiverend wreef Sugar over haar armen, alsof ze het koud had. 'Hij begon dingen... in me te stoppen. Je begrijpt wel wat ik bedoel, maar dat deed... pijn. Soms deed het echt erg veel pijn. Toen ik zei dat hij daarmee moest ophouden, begon hij –' Ze zweeg abrupt.

'Wat deed hij toen?' drong Melanie aan.

'Hij... Hij had plakband. Dat deed hij over mijn mond, zodat ik... Nou ja, ik lag al vastgebonden... en dan kon ik ook niet meer schreeuwen.'

Melanie boog zich naar haar toe. 'Wat heb je toen gedaan, Sugar?'

Toen ze Melanie aankeek, las die in haar ogen hoe gruwelijk het moest zijn geweest. 'Ik ben heel stil blijven liggen. Precies zoals hij wilde. Zelfs toen hij me erg veel pijn deed, heb ik geen kik gegeven. Want ik wilde niet dood. Ik wilde mijn zoontje terugzien!'

50

Helaas – maar dat had Melanie ook niet verwacht – wist Sugar niet hoe haar klant heette. Ze kon hem echter wel beschrijven, en Melanie wist haar zo ver te krijgen, dat ze dat deed voor een politietekenaar.

Ze namen haar mee naar het bureau Whistlestop. Nadat Melanie haar baas op de hoogte had gebracht van de gebeurtenissen van die avond, nam ze contact op met Harrison en Stemmons.

De twee rechercheurs waren bepaald niet gelukkig met de situatie. En dat werd er niet beter op toen bij hun komst bleek dat Sugar al een verklaring had afgelegd en dat Connor er ook bij was geweest.

Het leek maar al te duidelijk dat de klant van Sugar en de moordenaar van Joli Andersen een en dezelfde persoon waren. En toen de compositietekening eenmaal klaar was, bleek ook maar al te duidelijk dat Jenkins die man niet was. Desondanks werd er een confrontatie georganiseerd, maar Jenkins slaagde met vlag en wimpel.

Nadat zijn advocaat en hij waren vertrokken, keerden Harrison en Stemmons zich naar Connor. 'Enig idee hoe we hem moeten uitroken?'

Connor knikte. 'Blijkbaar begint hij hongerig te worden, maar hij is ook bang. Daarom is hij teruggegaan naar een plek waar hij zich eerder veilig heeft gevoeld en waar hij aan zijn gerief is gekomen.'

'Maar Sugar wist te ontsnappen,' vulde Melanie aan, 'en omdat hij niet gek is, moet hij inmiddels tot de conclusie zijn gekomen dat ze hem heeft aangegeven.'

'Precies. Volgens mij is hij niet eerder in actie gekomen, omdat hij bang was. De aandacht die de moord op Joli heeft opgeleverd, vond hij opwindend, maar vooral angstaanjagend. Hij durft de bars niet meer af te schuimen, uit angst dat hij wordt herkend. En die angst is alleen nog maar groter geworden.'

Pete vloekte. 'Als we niet oppassen, is die zieke klootzak de stad uit.'

'Dat denk ik niet. Hij heeft een hoge functie, en daar loop je niet zo gemakkelijk van weg. Ik denk dat de tijd rijp is om bij Joli's graf te gaan surveilleren.'

'Dat hebben we gedaan, en het heeft niets opgeleverd.'

'We zijn inmiddels een paar weken verder. Hij heeft honger; hij is wanhopig, en hij is bang. Dus ik weet bijna zeker dat hij Joli een bezoekje gaat brengen.'

Harrison fronste zijn borstelige wenkbrauwen. 'Wat stel je voor?'

'Audio, video, infrarood. Rondom agenten in burger. Drie dagen, dan hebben we hem. Wat hebben jullie te verliezen?'

Harrison dacht even na, toen knikte hij. 'Akkoord.' Hij keek Melanie aan. 'Hebben Taggerty en jij zin om mee te doen? We kunnen wel wat hulp gebruiken.'

Twintig minuten later liep Melanie met Connor naar buiten, naar zijn Explorer – die hij de vorige avond door een agent had laten ophalen.

Melanie keek naar de stralend blauwe hemel. 'Ik zou doodmoe moeten zijn, maar dat ben ik niet. Ik voel me helemaal opgepept.'

Connor glimlachte begrijpend. 'Er gaat niets boven een doorbraak om de adrenaline te laten stromen.'

'Ik heb bijna het gevoel alsof ik hem ken.' Ze keek naar hem. 'Alsof ik al zo dicht bij hem ben, dat ik hem bijna de handboeien kan omdoen. En ik kan me niets voorstellen wat ik liever zou doen.'

'Grappig, maar daar denk ik heel anders over.'

'O?'

Zijn lippen krulden zich in een kwaadaardige glimlach. 'Ik

denk meer aan jou en mij, zonder kleren...'

Ze begon te lachen. 'Je bent onverbeterlijk, agent Parks.'

'Ik doe mijn best, agent May.' Bij de Explorer gekomen, deed hij het portier open. Zijn glimlach verdween. 'Wees voorzichtig vanavond.'

'Dat beloof ik.'

'Denk erom dat je geen moment vergeet dat die vent een moordenaar is. Beloof je me dat?'

'Dat beloof ik,' zei ze opnieuw, denkend aan Sugars beproeving en aan het levenloze gezicht van Joli Andersen.

Even later stapte hij in zijn auto en reed weg.

Peinzend keek Melanie hem na, toen liep ze weer naar binnen. Sugars verhaal had diepe indruk op haar gemaakt. Ook omdat ze zich zo goed in haar had kunnen verplaatsen. In haar angst, haar bereidheid alles te doen om maar in leven te blijven. Waartoe zou ze zelf bereid zijn om Casey weer te zien?

Ashley. De Zwarte Engel.

Sinds Sugars telefoontje de vorige avond had ze niet meer aan haar zusje gedacht, maar ineens staken haar verdenkingen weer de kop op.

Hoe graag ze dat ook wilde, ze kon haar angsten niet met Connor delen. Of met wie dan ook die bij deze zaak betrokken was. Ze kon haar zusje niet verraden, maar ze kon wel met Mia praten. Ze kon haar vragen wat zij van Ashley vond de laatste tijd; wat ze zich herinnerde over Ashleys reactie op de dood van haar vader; wat ze wist van Ashleys doen en laten. En daarna zou ze met Ashley zelf gaan praten.

Toen Bobby naar het toilet was, koos ze Mia's nummer. Ze slaakte een stilzwijgende verwensing toen ze het antwoordapparaat kreeg. 'Mia! Met Melanie. Ik moet met je praten. Het gaat over Ashley. Ik ben bang –'

'Mel?' Haar zusje klonk enigszins buiten adem. 'Sorry, ik was net bezig met mijn *workout*.' Ze haalde diep adem. 'Wat is er aan de hand?'

'Ik moet met je praten... over Ash. Maar niet door de telefoon. Kan ik naar je toe komen?'

'Nu?'

'Ja. Het is dringend.'

Mia zweeg even. 'Het komt me nu niet zo goed uit. Over een... een uurtje. Oké?'

Een uur later zat Melanie tegenover haar zusje aan de keukentafel.

'Wat is er allemaal aan de hand?' Mia schonk zichzelf een glas sinaasappelsap in. 'Wat is er met Ashley?'

'Heb je haar nog gesproken sinds de begrafenis?'

Mia schudde haar hoofd en nam een slok van haar sap. 'Maar dat is pas een paar dagen geleden.'

'En na de dood van Boyd? Heb je haar toen gesproken?'

'Nee, nauwelijks. Hoezo?'

Melanie stond op, te rusteloos om te blijven zitten. 'Volgens mij is er iets met haar. Iets ergs.'

'Kom je daar nu pas achter?'

Melanie keek haar zusje aan, verrast door de harde klank in haar stem.

'Veronica heeft me verteld wat ze in Charleston heeft uitgehaald, op het kantoor van de officier van justitie. Dat is toch gewoon te gek voor woorden! Doen alsof ze jou is om te proberen iets over Veronica te weten te komen? Dan ben je toch niet goed bij je hoofd! Volgens Veronica heeft Ashley professionele hulp nodig, en ik kan niet anders dan het met haar eens zijn.'

'Dit is nog erger, Mia. Ik ben bang... Ik denk dat ze...' Nee, ze kon het niet zeggen. Nog niet, zelfs niet tegen haar zusje. Ze probeerde het via een andere weg. 'Hoe gedroeg Ashley zich bij vaders begrafenis en... daarna. Hoe reageerde ze op zijn dood? Ik kan het me niet meer herinneren.'

Mia dacht even na. 'Ik weet het niet. Net als wij, neem ik aan. Opgelucht. Schuldig.'

'Schuldig? Hoe bedoel je?'

'Omdat ze blij was dat hij dood was,' zei ze vlak. 'Laten we nou maar eerlijk zijn. Dat waren we allemaal.'

Dat was waar. Melanie was ook dankbaar geweest toen ze het nieuws had gehoord, maar dat maakte haar nog geen moordenaar. En het maakte geen van haar zusjes een moordenaar. Ze boog zich naar voren. 'Heb je niet iets vreemds opgemerkt in haar gedrag? Iets wat je als merkwaardig is opgevallen?'

'We hebben het nog steeds over Ashley?' Mia trok een wenkbrauw op. 'Ashley is nooit ánders dan merkwaardig.'

'Ik meen het serieus. Bovendien is het pas sinds kort dat Ashley zo merkwaardig doet.'

Onderzoekend keek Mia haar even aan. 'Volgens mij is er iets wat je niet zegt. Wat is er aan de hand?'

'Ik weet het niet zeker, maar ik heb zo'n vermoeden dat –'

'Hallo, Melanie.'

Geschrokken draaide ze zich om. Veronica stond in de deuropening van de keuken, met haar attachékoffer in haar hand. De glimlach waarmee ze Melanie aankeek, was wat krampachtig. Hoewel ze het goed hadden gemaakt, was het tussen hen nooit meer hetzelfde geworden na hun onenigheid in de *dojang*. Iets waarover Melanie zich nog steeds schuldig voelde.

Veronica keek naar Mia. 'Ik ga weer naar mijn werk. Bel je me straks nog?'

Melanie keek van de een naar de ander, niet goed wetend wat ze ervan moest denken. Wat deed Veronica hier op een gewone werkdag, om twaalf uur 's middags? En waarom had Mia haar niet verteld dat ze er was? Ze had gedacht dat ze alleen waren.

'Bedankt voor alles, Vee.' Mia blies haar een handkus toe. 'Je bent een schat.'

'Dag, Melanie.'

'Dag.' Terwijl Melanie haar nakeek, bekroop haar een merkwaardig gevoel. Even later klonk het geluid van de garagedeur die omhoogging. Ze keerde zich naar haar zus. 'Logeert Veronica nog steeds bij je?'

Mia dronk haar glas leeg en zette het op tafel. 'Ja, maar ze gaat vanavond weer naar haar eigen huis. Ze kwam de rest van haar spullen halen. Ik zal haar missen. Wat een nachtmerrie! Ik weet niet wat ik zonder haar had moeten beginnen.'

Melanie voelde zich zowel schuldig als jaloers. Vroeger zou Mia bij haar om steun en troost zijn gekomen. Vroeger was zij haar beste vriendin en vertrouwelinge geweest. Wat was er toch met hen gebeurd?

Bij het besef dat er iets heel belangrijks in haar leven was veranderd, zonder dat ze het zelfs maar in de gaten had gehad, kreeg ze een brok in haar keel. 'Wat is er met ons gebeurd, Mia?' vroeg ze met een lichte trilling in haar stem. 'Met jou en Ashley en mij? We waren altijd elkaars beste vriendinnen.'

'Ik weet het niet. Ik neem aan dat we uit elkaar zijn gegroeid.'

'Uit elkaar gegroeid?' herhaalde Melanie. 'Hoe kun je dat zo onverschillig zeggen? Ashley en jij zijn bij mij altijd op de eerste plaats gekomen. Ik dacht dat voor jou hetzelfde gold.'

Met gefronste wenkbrauwen keek Mia haar aan. 'Ik? Op de eerste plaats? Volgens mij was ik vooral belangrijk voor je als een soort eenmansfanclub.'

Gekwetst deinsde Melanie achteruit. 'Dat is niet waar. Ik heb je altijd als een vriendin beschouwd.'

'Een mooie vriendschap,' zei Mia sarcastisch. 'Jij was de leider, en ik volgde. Jij was de sterke, ik de zwakke.' Ze boog zich naar Melanie toe, met een verbitterde glimlach om haar mond. 'Je wilde nooit dat ik sterk was, hè? Je vond het fijn om altijd de betere, de zelfverzekerde te zijn. Om altijd degene te zijn naar wie iedereen opkeek. Want als jij de zwakkeling was geweest, zou papa jou als doelwit hebben gekozen.'

Melanies mond viel open bij de kwaadaardige, verbitterde woorden van haar zusje. Ze schudde haar hoofd. 'Als ik dat had gekund, zou ik je plaats hebben ingenomen.'

Mia stond op, en Melanie zag dat ze beefde. 'Misschien geloof je het zelf wel. Want het is zo dapper, zo heldhaftig, zo onzelfzuchtig. Door dat te geloven wordt het verleden ineens een stuk gemakkelijker om mee te leven, wil ik wedden.'

Ook Melanie stond op. Haar hart klopte zo pijnlijk, dat ze nauwelijks kon ademen. 'Waar komt dit ineens vandaan?' vroeg ze. 'Wanneer ben je me gaan haten. Wanneer ben je gaan denken...' Plotseling bracht ze een hand naar haar mond. 'Het is Veronica, hè? Zij zet je tegen Ashley en mij op. Zij is de reden waarom je... bent veranderd. Dat je zo verbitterd bent geworden.'

'Het is altijd iemand anders, hè, Melanie? Jij bent het nooit. Veronica is mijn vriendin. Ze begrijpt me. En ze wil dat ik gelukkig ben.'

Wanhopig probeerde Melanie te begrijpen wat er aan de hand was. Eerst Ashley. Nu Mia. Wat gebeurde er met hen? Met haar? 'Ik heb nooit iets anders gewild dan dat je gelukkig was.'

'Nou, die wens is in vervulling gegaan,' beet Mia haar toe. 'Want ik ben nog nooit zo gelukkig geweest.'

51

~~~

Binnen een uur na de opdracht had het technisch team van het CMPD zijn werk gedaan. Er waren drie camera's met bijbehorende zenders geïnstalleerd in bomen rond het graf van Joli Andersen. Vanuit hun commandopost, gevestigd in een leegstaande winkel een paar kilometer verderop, konden Harrison en Stemmons niet alleen de plek in de gaten houden, maar het gebied bovendien afzoeken met individuele camera's en inzoomen zodra zich iemand binnen het bereik daarvan waagde. Naast de camera's waren infrarode spots aangebracht, die – onzichtbaar voor het menselijk oog – de plek ook 's nachts zouden verlichten. Want het was het waarschijnlijkst dat de onbekende dader zich dan zou laten zien.

Toen de techniek klaar was, begon de bewaking. Agenten in burger, in auto's of te voet waren op verscheidene punten rond de begraafplaats gestationeerd. Onder andere bij de twee ingangen. Iedere agent was uitgerust met een microfoon en een ontvanger, waardoor hij in voortdurend contact stond met de commandopost. Het was een gelukkige bijkomstigheid dat de begraafplaats, een van de oudste van de stad, gelegen in de historische wijk Dilworth, werd omzoomd door redelijk bevolkte straten. Joggers, wandelende stelletjes of een auto hier en daar zouden geen verdenking wekken.

Melanie en Bobby zouden te voet opereren. Bobby als dommelende nachtwaker binnen de muren van de begraafplaats, en Melanie als jogger. Na twee avonden rennen, zonder enig resultaat behalve een beginnende blaar op haar rechterhiel, kwam ze tot de conclusie dat Bobby beter af was dan zij.

Toen de westelijk ingang in zicht kwam, vertraagde ze haar tempo en deed ze alsof ze haar pols controleerde. Ze droeg een korte broek, een mouwloos T-shirt en een heuptasje met daarin haar attributen als undercoveragent: haar dienstwapen, een stel handboeien en haar penning.

Ze liet haar blik over de ingang van de begraafplaats gaan. Op een wandelaarster met twee witte poedels na lag het terrein er verlaten bij. Sinds haar laatste controle, twintig minuten eerder, waren er geen voertuigen gearriveerd of vertrokken.

'Westelijke ingang... alles rustig,' zei ze in haar microfoontje, gefrustreerd en verlangend naar actie. Connor had het vermoeden geuit dat de eerste paar nachten van de surveillance de meest waarschijnlijke waren om resultaat op te leveren. Ze was het met hem eens. De onbekende dader had recent bot gevangen. Hij kreeg honger; hij begon wanhopig te worden, en hij was bang. Als dat hem niet naar het graf van Joli dreef, zou weinig anders dat kunnen doen.

Diep in haar hart was Melanie bang dat het al te lang had geduurd, dat ze hem op de een of andere manier hadden gemist. Of erger nog, dat hij inmiddels een nieuw slachtoffer had gekozen.

Plotseling hoorde ze de stem van Harrison in haar oor. 'Oproep aan alle eenheden! We hebben activiteit. Er nadert een man. Hij is alleen. Blijf op je post.'

Harrison zweeg even. Toen vervolgde hij: 'De verdachte heeft donker haar. Hij draagt een donkere broek met een donker T-shirt en sportschoenen. Hij lijkt te aarzelen, alsof hij ergens van is geschrokken. Bovendien blijft hij voortdurend staan om over zijn schouder te kijken.'

Melanie hoorde de opwinding in zijn stem. De adrenaline begon te stromen. Haar spieren spanden zich. De opwinding steeg.

'Kom maar,' lokte de rechercheur de verdachte. 'Je bent helemaal alleen, en daar ligt ze. Ga maar naar haar toe... Goed zo. Ze is helemaal van jou. Ja! Hij heeft de begraafplaats betreden. Iedereen op afstand! Als hij het is, moeten we zien dat we zoveel mogelijk op band krijgen.'

De seconden tikten weg, en Melanie begon te zweten. Er reed een auto langs. Even viel het licht van zijn koplampen op haar. Toen reed hij verder. Ergens krijste een kat. Er viel een autoportier dicht.

Plotseling vloekte Harrison. Melanie schrok. 'Parks had gelijk. Die zieke klootzak zit op zijn knieën voor haar graf. Hij maakt zijn broek open... Wacht even, inzoomen... Mooi zo.' Harrison juichte bijna. 'Doe je best. Dat zal de jury leuk vinden. Toe maar, zieke ellendeling... Doe je best.'

Melanie zette haar kaken op elkaar en concentreerde zich op haar taak, zonder zichzelf toe te staan na te denken over wat er op slechts enkele meters bij haar vandaan gebeurde. Zodra hij zijn fantasie had herleefd, zou zijn angst weer de overhand krijgen en zou hij zich uit de voeten maken.

Ten slotte kwam het bevrijdende woord van Harrison. 'Oproep aan alle eenheden! Hij is weer in beweging. Richting oostelijke ingang. Ik herhaal, oostelijke ingang.' Daarop begon hij orders uit te vaardigen aan de verschillende eenheden, waarbij hij hen een voor een om hun positie vroeg. Bobby bevond zich als enige op het terrein van de begraafplaats.

'May, waar ben je?'

'Ik sta bij de westelijke ingang.'

'Steek dwars het terrein over om de achterhoede te dekken en Bobby assistentie te verlenen.'

'Komt voor elkaar.' Ze begon losjes te rennen, hoewel haar blaar hevig protesteerde. In plaats van over de paden liep ze diagonaal over de begraafplaats.

'Kan iemand hem al zien?' vroeg Harrison. 'Bobby?'

'Negatief. Ik sta bij de oostelijke ingang. Alles in orde.'

Harrison vloekte. 'Dit bevalt me niet. Waar blijft hij zo lang?'

Vóór zich uit zag Melanie een vluchtige beweging. Het was een gedaante die zich in de richting van de noordkant van de begraafplaats begaf. Ze stelde haar koers bij. Blijkbaar was de verdachte scherp naar rechts afgebogen, en aangezien er aan die kant geen ingang was, veronderstelde ze dat hij van plan was over de muur te klimmen.

'Verdomme,' mompelde ze. 'Ik kan hem zien,' zei ze zacht. 'Hij is niet, ik herhaal níet, op weg naar de oostelijke ingang. Volgens mij is hij van plan over de muur aan de noordkant te klimmen. Hou een eenheid in gereedheid. Ik ga achter hem aan.'

Hoewel ze zacht had gesproken, had de verdachte haar blijkbaar toch gehoord. Hij bleef staan. Zodra hij haar zag, begon hij te rennen.

Melanie deed hetzelfde en trok haar pistool. 'Staan blijven! Politie!'

'Ik kom eraan, Mel!' riep Bobby. 'Geen heldendaden!'

Harrison herhaalde Bobby's waarschuwing. 'Probeer hem tegen te houden zonder je wapen te gebruiken, May. Ik herhaal, niet schieten, tenzij er op je geschoten wordt. We willen hem levend.'

Met Harrisons woorden nog in haar oren begon ze harder te rennen. Ze sprong over grafstenen en struiken. Haar ademhaling ging zwaar en stotend. De verdachte bereikte de muur en nam een sprong. Met een verrassende lenigheid voor zo'n grote vent begon hij zich omhoog te hijsen. Melanie sprong zo hoog mogelijk, kreeg de band van zijn broek te pakken en verloor daarbij haar pistool. Hij was gedwongen de muur los te laten. Ze vielen achterover, en hij landde boven op haar, zodat alle lucht uit haar longen werd geslagen. In een oogwenk stond hij weer overeind en begon hij aan een tweede poging de muur te beklimmen.

Achter zich hoorde Melanie Bobby's dreunende voetstappen en zijn kreet dat hij haar had ontdekt. Ze kon echter niet wachten op assistentie. In plaats daarvan stortte ze zich op de verdachte, zodat ze opnieuw allebei languit tegen de grond sloegen.

Deze keer reageerde hij minder alert, en Melanie sprong overeind en nam automatisch een vechthouding aan. Terwijl hij zich overeind hees, kon ze hem eindelijk goed zien. Hij was zo knap, dat de adem haar in de keel stokte. Heel even aarzelde ze, denkend dat ze een fout had gemaakt. Deze man kon geen moordenaar zijn. Hij kon Joli Andersen niet hebben vastgebonden en gekneveld en definitief het zwijgen hebben opgelegd.

Toch was dat precies wat hij had gedaan. Zodat Joli's adem ook in haar keel was gestokt. Letterlijk.

Met een dubbele trap werkte Melanie hem tegen de grond, de eerste tegen zijn rechterschouder, de tweede tegen de zijkant van zijn hoofd. Hij viel voorover op de grond. In een flits zat ze boven op hem en had ze zijn handen op zijn rug getrokken.

Toen brak de hel los. Bobby arriveerde, met getrokken pistool. Van de andere kant van de muur kwam het gehuil van sirenes, het gekrijs van banden en het geluid van autoportieren die werden dichtgeslagen. De zwaailichten van de politiewagens joegen rode flitsen door de takken boven haar hoofd.

Melanie deed de verdachte de handboeien op, zei wat zijn rechten waren en kwam enigszins wankelend overeind. Haar hoofd deed pijn op de plek waar het tegen de grond was geslagen; haar linkerknie bloedde, en haar hiel stond in brand.

Met gefronste wenkbrauwen keek Bobby haar aan. 'Alles goed, collega?'

'Reken maar!' Ze grijnsde. 'Ik heb me nog nooit zo goed gevoeld.'

52

De zaterdagmorgen daarna maakte Casey Melanie wakker door boven op haar te springen. 'Mammie! We moeten opstaan!'

Kreunend rolde Melanie zich van haar zij op haar rug, zodat hij van haar af tuimelde. 'Ga maar televisie kijken.' Ze trok het kussen over haar hoofd. Hoewel ze uitgeput was geweest van twee nachten surveillance, had ze toch nauwelijks geslapen, gekweld door zorgen over Ashley en over haar relatie met Mia. 'Ik wil nog even slapen.'

In plaats van haar met rust te laten begon hij een soort krijgsdans op haar bed uit te voeren. 'We gaan naar de dierentuin!' joelde hij. 'We gaan naar de dierentuin!'

Ze gooide het kussen van zich af en kwam moeizaam overeind. 'Ik wóón in een dierentuin,' klaagde ze, maar ze moest erom lachen. 'Je bent wel erg opgewonden, geloof ik.'

Nu ze eenmaal wakker was, moest ze toegeven dat ze zelf ook een beetje opgewonden was. Connor zou die dag met hen naar de dierentuin gaan. Hoewel Casey hem al een paar keer had ontmoet, was dit hun eerste, echte gezamenlijke uitstapje. Ze spreidde haar armen. 'Geef me eens een dikke kus om wakker te worden.'

Dat deed hij. Toen liet hij zich van het bed glijden en rende de kamer uit. Maar bijna onmiddellijk was hij weer terug. Zijn ogen schitterden van opwinding. 'Opschieten, mam. Hij komt zó!'

Tweeëneenhalf uur later, toen de picknicklunch gereed stond en Melanie en Casey zich hadden gedoucht en aangekleed, kwam Connor voorrijden.

'Klaar?' vroeg hij.

'Reken maar!' Opgewonden sprong Casey van de ene voet op de andere. 'Kom mee, mam!'

Melanie lachte. 'Nog even de picknickmand pakken.'

'Dat doe ik wel.' Met een vragende blik in zijn ogen keek Connor haar aan. Toen keerde hij zich naar Casey. 'De auto is open. Er ligt een verrassing voor je op de achterbank. Stap maar vast in.'

Met een juichkreet rende Casey ervandoor. Melanie keek hem na. 'Wat voor verrassing?'

'Een FBI-pet.' Hij haalde zijn schouders op. 'Hij was zo geïnteresseerd in alle verhalen over het Bureau.'

'Geïnteresseerd? Idolaat, zul je bedoelen. Geobsedeerd.' Ze keek Connor weer aan. 'Nu we het daar toch over hebben, heb je het laatste nieuws al gehoord over de verdachte in de zaak Andersen?' Hij schudde zijn hoofd, dus ze vertelde het hem. 'Hij past volmaakt in je profiel. Geschorst bij Queen's City Medical Center, waar hij twee jaar had gewerkt. Woonde nog bij zijn moeder, met wie hij blijkbaar een soort haat-liefderelatie heeft. Hij reed in een BMW van drie jaar oud, leefde ver boven zijn stand, en zo gaat de lijst nog even door.'

'Kom jullie nou nog?' klonk Caseys stem uit de auto.

Ze besloten hem uit zijn lijden te verlossen en liepen naar buiten. Connor wierp haar een zijdelingse blik toe. 'Alles goed met je?'

'Natuurlijk. Hoezo?'

'Je ziet eruit alsof je al een paar nachten niet hebt geslapen.'

Melanie deed haar mond open om hem alles te vertellen – Ashley, Mia, haar verdenkingen – maar ze besloot dat dit niet het juiste moment was. 'Ik ben nog niet bijgeslapen na die klus op de begraafplaats,' zei ze in plaats daarvan.

Toen hij bleef staan en haar strak aankeek, verscheen er een blos op haar wangen. Hij keek dwars door haar heen, besefte ze. Hoe dééd hij dat toch? Hoe was het mogelijk dat hij haar nu al zo goed kende, dat hij wist wat ze voelde en wanneer ze iets voor hem verzweeg?

'Je kunt er altijd over praten als je dat wilt.'

'Bedankt.'

Bij de auto gekomen, stopte Connor de mand achterin. Toen stapten ze in. Melanie zag dat Casey zijn Panthers-pet had verruild voor de pet die hij van Connor had gekregen.

Connor maakte zijn veiligheidsriem vast, startte de motor en keek achterom naar Casey. 'Oké, knul. Ben je er klaar voor? We gaan er een geweldige dag van maken.'

De dag was meer dan geweldig. Hij was volmaakt. Casey was helemaal weg van Connor, en dat gevoel was duidelijk wederzijds. Ze konden het geweldig samen vinden.

De tijd ging veel te snel, hoewel ze de dag nog langer maakten door hotdogs, patat en een milkshake te gaan eten.

Toen ze thuiskwamen, trok Casey Connor aan zijn hand mee naar de voordeur. Hij smeekte Melanie of hij Connor zijn kamer mocht laten zien en zijn speelgoed.

Melanie zwichtte geamuseerd, terwijl ze de voordeur opendeed. 'Maar denk erom, jongeman. Daarna is het bedtijd.'

Terwijl Casey Connor zijn schatten liet zien, controleerde Melanie de post en het antwoordapparaat. Het lichtje knipperde, dus ze drukte op Play, ondertussen wat folders doorbladerend. Plotseling klonk Ashleys stem door de kamer. Ze huilde. Melanie kreeg kippenvel van de verloren klank van haar stem.

'Mel... Mellie, met mij. Je moet... Je moet... Het spijt me zo. Het spijt me zo.' Haar zusje slaakte bevend een diepe zucht. 'Je kunt je niet voorstellen wat ik heb gedaan voor... Je hebt het nooit begrepen. Je bent er nooit voor me geweest... En toch heb ik altijd van je gehouden, Mel. Ik heb altijd –'

Het antwoordapparaat kapte haar af.

Met ingehouden adem en bonzend hart keek Melanie naar het apparaat. Volgens de tijdschakelaar had Ashley de boodschap de vorige avond al ingesproken. Casey was bij Stan geweest, en Melanie was naar taekwondo gegaan. Bij thuiskomst had ze vergeten haar apparaat te controleren.

Nadat ze de boodschap nog eens had afgeluisterd, probeerde ze te begrijpen wat Ashley kon bedoelen. Haar bezorgdheid sloeg om in een dodelijke angst. Huiverend wreef ze over haar armen. Waarom zei Ashley dat het haar speet? Wat had ze gedaan?

Melanie pakte de telefoon en koos Ashleys huisnummer. Ze kreeg het antwoordapparaat en liet een boodschap achter, waarin ze Ashley smeekte haar te bellen. Toen belde ze het mobiele nummer van haar zusje, waar ze dezelfde boodschap achterliet, en ten slotte haar pieper.

'Wat is er aan de hand?'

Met een ruk draaide Melanie zich om.

'Connor! Ik had je niet gehoord.'

Hij gebaarde naar de telefoon, die ze nog altijd in haar hand hield. 'Is er iets mis?'

'Nee.' Langzaam legde ze de hoorn op de haak. Ooit zou ze het hem moeten vertellen, maar niet nu. 'Ashley heeft gebeld. Ze heeft wat... persoonlijke problemen,' zei ze zo nonchalant mogelijk. 'Waar is Casey?'

'Bezig een soort supercommando op te zetten. Ik moest je gaan halen.'

Ze lachte, maar ze hoorde zelf hoe geforceerd het klonk. 'Nou, dat spektakel willen we natuurlijk niet missen.'

'Natuurlijk niet,' zei hij luchtig, maar ondertussen stonden zijn ogen vol vragen.

Er volgde een gruwelijke strijd, compleet met dood, vernietiging en geluidseffecten – Caseys specialiteit. Na twee wereldoorlogen kondigde Melanie een staakt-het-vuren af, zodat de generaal kon genieten van een welverdiende rust. Hoewel hij gapend protesteerde, zwichtte hij, op voorwaarde dat Connor hem een verhaaltje zou voorlezen.

Dat ene verhaaltje werden er drie. Terwijl Melanie zat te luisteren, bekroop haar een vreemd, verwarrend gevoel. Het was duidelijk dat Connor genoot. Net zoals duidelijk was dat Casey een nieuwe vriend had gevonden.

Het was haar echter ook pijnlijk duidelijk dat het allemaal te veel was, dat het te snel ging. Ze was bezig verliefd te worden op Connor. Hij was bezig verliefd te worden op haar zoon.

Verstikt door emoties, wendde ze haar blik af. Ze herinnerde zich wat Connor haar had verteld over zijn huwelijk – waarom het was stukgelopen, hoeveel hij van zijn stiefzoon had gehouden, hoezeer hij hem miste.

Vervolgens zag ze Connor weer voor zich in de dierentuin, dollend met Casey. Hoe de schaduwen van hem af waren gevallen en hij ineens jaren jonger en zorgelozer had geleken. Ze had het gevoel alsof haar hart brak.

'Nog één verhaaltje!'

'Geen sprake van.' Resoluut stond ze op en liep naar het bed.

Uiteindelijk liet Casey zich instoppen. Daarna liepen Melanie en Connor op hun tenen de kamer uit, hoewel Melanie wist dat hij sliep, zodra hij zijn ogen dichtdeed.

'Kan ik je nog iets te drinken inschenken?' vroeg ze in de woonkamer. 'Een glas wijn of een biertje?'

'Nee, dank je. Ik drink helemaal niet meer.' Hij nam haar in zijn armen. 'Ik heb echt een geweldige dag gehad.'

Glimlachend sloeg ze haar armen om zijn hals. 'Ik ook.'

'En die zoon van je is ook geweldig.'

'Dank je. Dat vind ik ook.'

'En slim.' Connor schudde zijn hoofd. 'Hij zou het me niet gemakkelijk maken.'

Haar glimlach verdween, en ze maakte zich los uit zijn armen. 'Wil je dan misschien koffie?'

'Ja, lekker. Kan ik je helpen?'

'Nee, ga maar zitten.'

Hij volgde haar naar de keuken, leunde tegen de bar en keek toe terwijl ze bezig was.

'Dat vergeet je gewoon,' zei hij ten slotte peinzend. 'Wanneer je geen kinderen meer om je heen hebt, vergeet je hoe ze de zon kunnen laten schijnen. Hoe ze de nacht in dag kunnen veranderen.'

Ze mompelde iets vrijblijvends. Haar hoofd begon te bonzen. Praat over ons, bad ze vurig. Praat over de zaak, het Bureau, het weer, het doet er niet toe. Maar praat over iets anders dan hoeveel je hebt genoten van mijn zoon.

'Jamey was net zo,' vervolgde Connor. 'Soms kwam ik thuis met de last van de hele wereld op mijn schouders, maar een kwartier later waren alle zorgen van me afgevallen. Dat heb ik gemist. Meer dan ik ooit heb beseft. Tot ik –'

'Hou op!' Ze draaide zich om en keek hem in zijn ogen.

Verbaasd fronste Connor zijn wenkbrauwen. 'Heb ik iets verkeerds gedaan?'

Ze wilde het wel uitschreeuwen. Ja! Je bent verliefd geworden op mijn zoon, in plaats van op mij. In plaats daarvan zei ze heel kalm: 'We moeten... Ik denk dat we heel duidelijk moeten zijn over wat er gaande is. Over wat er met ons gebeurt.'

Hij zweeg, en ze haalde diep adem, in de hoop daar moed uit te putten. Want ze moest dit doen. Ze had geen keus. Hoewel ze diep van binnen bereid was met alles genoegen te nemen wat Connor haar wilde geven. Desnoods met genegenheid die hij aanzag voor iets anders.

'Casey is niet de stiefzoon die je hebt verloren,' zei ze ten slotte. 'Ik ben niet je ex-vrouw, en wíj zijn geen middel om je je leven terug te geven.' Ze zweeg even, in de hoop dat hij het hartstochtelijk zou ontkennen. In plaats daarvan keek hij haar alleen maar aan, met een ondoorgrondelijke uitdrukking op zijn gezicht.

Ze slikte haar teleurstelling weg, hoe bitter die ook in haar keel brandde. 'Ik kan niet toelaten dat je ons op die manier gebruikt. Dat je Casey gebruikt om je beter te voelen. Dat werkt niet. Jij weet het, en ik weet het. Net zoals we weten dat het Casey uiteindelijk verschrikkelijk veel pijn zal doen.'

'Ik begrijp het.' Langzaam richtte hij zich op. 'Je wilt dat ik ga.'

'Nee, dat wil ik niet, Connor. Ik wil dat je blijft. Ik wil met je naar bed, maar wat ík wil, is niet belangrijk. Casey is de enige die telt.'

'Verwacht je een soort toezegging van me?'

'Daar gaat het niet om.' Ze wendde haar blik af. Toen keek ze hem weer aan. 'Ik wil dat je me aankijkt en dat je zegt dat het met ons niet zo zal gaan als met je ex-vrouw. Ik wil dat je zegt dat je in míj geïnteresseerd bent, en niet alleen in ons samen. Dat is wat ik wil.'

Na even te hebben gezwegen, schudde hij zijn hoofd. 'Dat kan ik niet zeggen. Het spijt me.'

Een zacht gekreun kwam over haar lippen. Ze liep naar de achterdeur, deed hem open en draaide zich naar hem om. 'Dan denk ik dat je beter kunt gaan.'

Hij liep naar de deur, maar bleef nog even staan. Terwijl hij zijn hand tegen haar wang legde, besefte ze vol afschuw dat er tranen in haar ogen stonden en dat er een traan over haar wang rolde.

'Dat kan ik niet zeggen, omdat ik het gewoon nog niet weet,' zei hij. 'Ik heb een heerlijke dag gehad vandaag. Echt een heerlijke dag. Dat haalt zoveel mooie herinneringen naar boven... En er zijn de laatste paar jaar maar zo weinig van dit soort dagen geweest. Laat staan herinneringen om op te halen.'

Hij streek met zijn duimen over haar jukbeenderen. 'Ik kan het niet zeggen, Melanie, omdat ik het niet weer verkeerd wil doen. Omdat ik jullie geen pijn wil doen. Jullie geen van beiden.'

De telefoon ging. Hij liet zijn hand vallen en liep naar buiten. Ze wilde hem tegenhouden, hem terugroepen, maar de woorden stierven op haar lippen. Het volgende moment was hij verdwenen.

De telefoon rinkelde opnieuw. Melanie griste de hoorn van de haak, ervan overtuigd dat het haar zusje was. 'Ashley?'

'Nee, je spreekt met mij.'

'Stan?' Ze keek op de klok, plotseling gedesoriënteerd. 'Ik dacht dat je de stad uit was –'

Hij viel haar in de rede. 'Luister eens, ik heb genoeg van je geterroriseer. En ik wil dat je ermee ophoudt.'

Verward knipperde ze met haar ogen. 'Waar moet ik mee ophouden. Wat –'

'Schei uit met die onzin! Ik heb je heus wel door, maar dat zal je niet lukken. Dacht je nou echt dat je me zo bang kon maken, dat ik me zou terugtrekken uit dat proces? Of dat je Shelley zo bang kon maken, dat zij me zou overhalen?'

'Shelley bang maken?' Een gevoel van paniek maakte zich van haar meester. 'Ik heb geen idee waarover je het hebt. Dat zweer ik. Ik heb geen –'

'Als ik je hier ooit weer zie rondsluipen, bel ik de politie. Begrepen?'

'Stan, alsjeblieft. We hadden een afspraak. Waarom zou ik die in gevaar brengen –'

'We hádden een afspraak, maar dat is voorbij. Dat heb je zelf verknald.'

53

De volgende morgen werd Melanie gewekt door de voordeurbel. Ze klom uit bed, voorzichtig om Casey niet wakker te maken, die op enig moment gedurende de nacht bij haar was gekropen.

De bel schalde opnieuw door het huis, en met een boos gezicht schoot Melanie in haar badjas en haastte ze zich naar de deur om open te doen.

Tot haar verrassing stond ze oog in oog met Harrison en Roger Stemmons. Met hun donkere zonnebrillen en bijpassende pakken leken ze regelrecht weggelopen uit een goedkope B-film. Ze staarde hen aan en knipperde verward met haar ogen. 'Pete? Roger? Wat doen jullie hier?'

'We komen je halen. Je moet voor ondervraging mee naar het hoofdbureau.'

Verbijsterd schudde ze haar hoofd. 'Hoe laat is het?'

Roger keek op zijn horloge. 'Tien over acht.'

Tien over acht? Op zondagochtend? Haar blik ging van de een naar de ander. 'Moet dat nu meteen?'

'Ik ben bang van wel,' zei Pete. 'Iemand heeft geprobeerd je ex-man te vermoorden.'

Op slag was ze klaarwakker. 'Stan?'

'Ja, er is geprobeerd hem te vergiftigen.'

'Gelukkig is het mislukt.'

'Mammie?'

Met een ruk draaide ze zich om. Daar stond Casey, met grote, angstige ogen, zijn konijn tegen zich aan geklemd. Ze liep naar hem toe en tilde hem op. 'Het is in orde, lieverdje. Mammie moet aan het werk.' Ze keek over haar schouder naar de rechercheurs. 'Kom binnen. Jullie moeten me even een paar minuten de tijd geven. Ik moet me aankleden en de oppas bellen.'

Pas toen ze twintig minuten later op de achterbank van de surveillancewagen zat, achter een zwijgzame Harrison en Stemmons, besefte ze wat er aan de hand was. Ze wilden háár ondervragen in verband met de poging Stan te vermoorden. Het kon niet waar zijn. Dit moest een grap zijn, bedacht door iemand met een ziek gevoel voor humor.

Dat zei ze zodra ze op het bureau naar haar wilden luisteren. 'Jullie hebben echt de verkeerde voor je, als jullie denken dat ik hier iets mee te maken heb.'

'Je ex-man was bezig met een proces om de voogdij over je zoon,' zei Pete. 'Dat lijkt me een motief.'

Ze zaten in dezelfde ondervragingsruimte waar ze nog maar een paar dagen daarvoor was geweest. Opnieuw was de videorecorder op haar gezicht gericht. Wie zou haar gadeslaan? Wie zou elk woord, elke beweging van haar nauwlettend registreren, vroeg ze zich af. Connor? Haar baas? Een vertegenwoordiger van de officier van justitie? Hoe ernstig was het?

'Nee.' Ze boog zich naar voren, wanhopig om hen te overtuigen. 'We hadden een afspraak. We zouden proberen tot een compromis te komen. In het belang van Casey.'

'Je ex denkt daar anders over,' zei Pete.

'Hij beweert dat je hem hebt lastiggevallen,' mengde Roger zich in de discussie. 'Hij heeft je op kantoor bij het gebouw en in de parkeergarage zien rondhangen. Volgens een buurman heb je op een avond om zijn huis geslopen, en de beveiligingsbeambte bij het hek van zijn buurt heeft je in zijn logboek vermeld.'

'Dat is klinkklare onzin!'

'Wat eet je ex elke ochtend als ontbijt?' vroeg Pete.

Even uit haar evenwicht gebracht door de verandering van onderwerp, keek ze hem aan. 'Volkoren vlokken. Die maakt hij zelf.'

'Hoe noemde jij dat toen jullie nog getrouwd waren?'

'"Takken en blaadjes" zei ik altijd.' Ze zuchtte gefrustreerd en keek op haar horloge, denkend aan Casey. 'Stan is een gezond-heidsfanaat. Hij loopt elke ochtend tien kilometer en houdt zich aan een vetarm, vezelrijk dieet. Dat doet hij al jaren.'

'Is er nog iemand die dat ontbijt gebruikt?'

'Er is geen mens die het zou kunnen verdragen. Neem dat maar van me aan. Ik heb het geprobeerd.'

De rechercheurs keken elkaar aan. Pete schraapte zijn keel. 'Hoe laat staat je ex 's ochtends op?'

'Om vier uur. Om te gaan lopen. Tenzij dat sinds onze schei-ding is veranderd.'

'Zou je willen zeggen dat hij een man van gewoontes is?'

'Zeker.'

'Als een man op wie je de klok gelijk kunt zetten?'

'Absoluut.'

Pete stond op en liep om Melanie heen, haar dwingend zich om te draaien. 'Hij is vanochtend ook om vier uur opgestaan, heeft zich aangekleed en een kom volkoren vlokken voor zichzelf klaargemaakt. Hij vond dat ze er een beetje anders uitzagen – de kleur en de samenstelling weken iets af – maar heeft daar verder geen aandacht aan besteed. Tot hij zich tijdens het lopen beroerd begon te voelen.'

Melanie sloeg haar hand voor haar mond, wetend wat er ging komen.

'Hij is meteen teruggegaan. Onderweg heeft hij drie keer over-gegeven. Hij begon hevig te zweten en hoe langer hoe meer ge-desoriënteerd te raken. Hij dacht dat hij griep had, maar toen moest hij ineens aan de ontbijtvlokken denken. Dus hij liep naar de kast, en inderdaad, er zaten ingrediënten in die hij niet her-kende. Fijngehakte takjes en blaadjes.'

'O, mijn god.' Ze voelde dat het klamme zweet haar uitbrak. 'Wat –'

'Oleander. Uiterst giftig. Een geliefd moordwapen in boeken en films.' Hij reikte naar zijn koffie.

'Hoe is het met hem?' vroeg ze.

'Hij heeft geluk gehad. Zijn vrouw heeft hem meteen naar het ziekenhuis gebracht, en daar hebben ze zijn maag leeggepompt.

Als hij was blijven denken dat hij griep had –'

'Was hij nu dood geweest,' vulde Roger aan. 'Morsdood.'

Pete vouwde zijn handen op de tafel. 'Volgens mij heb je verscheidene oleanderstruiken in je tuin.'

Ze deed haar uiterste best haar angst onder controle te houden. 'Dat geldt voor ongeveer vijftig procent van alle inwoners van Charlotte.'

'Maar vijftig procent van alle inwoners van Charlotte heeft geen dwingende reden om Stan May dood te willen. Jij wel.'

Geschokt hield ze haar adem in. 'Dit is krankzinnig!' Ze keek van de een naar de ander. 'Jullie denken toch niet serieus dat ik heb geprobeerd Stan te vermoorden?'

'Waarom niet? Je kent de cijfers. In vijfenzeventig procent van alle moordzaken was de moordenaar een bekende van het slachtoffer. In zeventien procent daarvan gaat het om familie. Dat is een groot percentage voor een kleine groep verdachten.'

Een misselijkmakend gevoel bekroop haar, zoals ze dat vroeger als kind op de kermis had gehad. 'Ik zit bij de politie! Dat betekent dat ik een eed heb afgelegd om de wet te handhaven, in plaats van te overtreden. Bovendien hebben we het hier over de vader van mijn zoon. Waarom zou ik hem van een van de twee belangrijkste mensen in zijn leven beroven?'

'Tja, vertel het maar.'

'Heb ik een advocaat nodig?'

'Daar heb je recht op.'

Ze keek hem aan, dacht na over haar opties, toen schudde ze haar hoofd. 'Ga nog maar even door.'

'Om nog wat feiten te noemen,' zei Pete. 'Dit zul je ongetwijfeld interessant vinden. Wist je dat de lichamelijke reactie op een oleandervergiftiging sterk overeenkomt met een vergiftiging door digitalis?'

Ze fronste haar wenkbrauwen. 'Wat wil je daarmee zeggen?'

'Vind je het ook niet erg toevallig? Je vader is aan een digitalisvergiftiging gestorven. Dat gold ook voor het eerste slachtoffer van de Zwarte Engel dat je onder onze aandacht hebt gebracht.'

De betekenis van zijn woorden, de implicatie daarvan, raakte haar als een mokerslag. Het duizelde haar, maar ze kon de waarheid niet langer ontkennen. Haar vader. De Zwarte Engel. Boyd. En nu Stan. Ashley!

'Melanie?' drong hij aan. 'Vind je dat ook niet erg toevallig?'

Ze keek hem aan en vond het verschrikkelijk wat ze moest doen. Het voelde als het ultieme verraad van iemand van wie ze hield en die ze altijd had geprobeerd te beschermen, maar ze had geen keus. Ashley had hulp nodig. Ze moest worden tegengehouden.

'Ja, daar heb je gelijk in.'

Roger slaakte een diepe zuchtte, en Pete schonk hem een waarschuwende blik. 'Ga door, Melanie. Ik wil dat je ons alles vertelt.'

Ze haalde diep adem en begon. 'Ik besef dit zelf allemaal nog maar net, en nog tegen niemand iets gezegd. Zelfs niet tegen Connor Parks, hoewel we samenwerken in de zaak van de Zwarte Engel. Ik kón niets zeggen, tot ik het zeker wist.'

Even keek ze naar haar handen, die krampachtig gevouwen in haar schoot lagen. Toen sloeg ze haar ogen weer op. 'Mijn zusje Ashley gedraagt zich al enige tijd erg merkwaardig. Het spreekt vanzelf dat ik me zorgen maakte, maar ik ben pas sinds heel kort echt ongerust over haar.'

Met bevende stem vertelde ze over de gesprekken die ze hadden gevoerd, over de uitspraak van haar zusje over gerechtigheid en de Zwarte Engel. Ze vertelde hoe Ashley erop had gezinspeeld dat ze haar zussen had geholpen. Over de boodschap die ze twee dagen daarvoor op haar antwoordapparaat had ingesproken, en ten slotte vertelde ze tot welke conclusie ze had moeten komen op basis van al het voorgaande.

Toen ze was uitgesproken, leunde Pete achterover in zijn stoel, met een ongelovige uitdrukking op zijn gezicht. 'Je beschuldigt je zus ervan dat zij de Zwarte Engel is?'

Er kwam een brok in haar keel. 'Ik vind het afschuwelijk, want ik hou van mijn zusje, maar als ze dat allemaal heeft gedaan, moet ze worden tegengehouden.'

Roger snoof vol afschuw. 'Dus je probeert jezelf vrij te pleiten en de schuld op je eigen zus te schuiven? Dat is het meest verwerpelijke wat ik ooit heb gehoord.'

Pete viel hem bij. 'Vertel ons nou maar gewoon de waarheid.'

'Dat doe ik! Het ís de waarheid.' Ze keek even naar het plafond om haar gedachten te ordenen. 'Ze past perfect in het profiel. Haar achtergrond, haar leeftijd, haar opleidingsniveau. Het feit dat ze in snel tempo het vermogen verliest om haar leven in het gareel te houden. Bovendien heeft ze als vertegenwoordigster van een medicijnenfirma toegang tot informatie over de wisselwerking tussen medicijnen, over giftige stoffen en de behandeling daarvan. Ze werkt zowel in North als in South Carolina, dus dat geeft haar alle gelegenheid om de vrouwen te ontmoeten die ze denkt te moeten helpen. Het klopt allemaal.'

Pete vertrok geen spier van zijn gezicht. 'Dat geldt ook voor jou, Melanie. Jij past ook in het profiel – je leeftijd, je werk, je opleiding, het misbruik in je verleden. Je geschiedenis met mannen. En bovendien had je een motief en de gelegenheid.'

Ze paste in het profiel. Waarom had ze dat niet eerder beseft?

'Je ex-man heeft je gezien, Melanie. Hij heeft je herkend! Hoe denk je dat te verklaren?'

'Ashley en ik lijken erg veel op elkaar. Zelfs zo sterk, dat we regelmatig voor elkaar worden aangezien. Onder de omstandigheden die je hebt genoemd, kan Stan ons gemakkelijk hebben verwisseld.'

'Ze had jouw uniform aan.'

Verbijsterd deinsde ze terug. 'Mijn uniform?'

'Het uniform van de politie in Whistlestop. Vandaar dat je de bewaker hebt weten te overtuigen je in de wijk van je ex toe te laten, neem ik aan. Wat is je reactie daarop?'

Ten prooi aan de meest verwarrende gedachten, schudde ze haar hoofd. Waarom had Ashley de schuld bij haar willen leggen?

'Wil je je verklaring nog herroepen?' vroeg Roger. 'Er is geen uitweg meer. Je hebt het gedaan, en we weten het allemaal.'

Melanie keek rechtstreeks naar de videocamera. Connor zat achter de monitor, wist ze nu. Elk woord, elk gebaar van haar te beoordelen. Maar hij kende haar zo goed! Hoe kon hij zelfs maar dénken dat ze dit had kunnen doen? Dat ze de Zwarte Engel was? De pijn was bijna ondraaglijk.

Vervolgens keek ze de rechercheur recht aan, vast van plan niet te laten merken hoe geschokt – hoe doodsbang – ze was.

'Ben je al zo ver, dat je me officieel in staat van beschuldiging gaat stellen?'

'Nog niet,' moest Pete toegeven.

'Dan ga ik naar huis.' Ze stond op. 'Als je verder nog vragen hebt, zul je contact moeten opnemen met mijn advocaat.'

54

Connor stond voor de monitor en keek naar het inmiddels lege vertrek. Achter hem overlegden Harrison en Stemmons met de overige aanwezigen – een vertegenwoordiger van de officier van justitie, Melanies baas en het hoofd Moordzaken van het CMPD.

'Ik werkt nu drie jaar met Melanie,' zei haar baas. 'Ze is een goede agent en een geweldige vrouw. Er is toch echt meer voor nodig om mij te laten geloven dat ze een moord heeft gepleegd.'

De vertegenwoordiger van de officier van justitie was het met hem eens. 'Jullie zullen met meer moeten komen dan speculaties en indirecte bewijzen voordat ik bereid ben hier een zaak van te maken.'

'Daar zorgen we voor,' beloofde Pete. 'Binnen een uur hebben we een huiszoekingsbevel.'

'Ze hield zich goed tijdens de ondervraging,' zei het hoofd Moordzaken van het CMPD. 'Sterker nog, ik sluit niet uit dat jullie te ver zijn gegaan en dat ze de stad uit gaat.'

'Dat doet ze niet.' Roger keek Pete aan. 'Ze heeft hier haar zoontje en haar zussen. Bovendien is ze arrogant. Ze denkt dat ze hiermee wegkomt.'

Connor draaide zich om. 'Ja, over haar zus gesproken. Ik vond dat haar verhaal geloofwaardig klonk.'

'Ze hebben allebei geen alibi voor de nacht waarin Donaldson werd vermoord,' zei Pete. 'En dan hebben we nog die kwestie van het uniform.'

Spottend trok Connor zijn wenkbrauwen op. 'Ja, laten we het daar eens over hebben. Waarom zou ze zich zo gemakkelijk herkenbaar kleden in een situatie waarin ze niet herkend wilde worden? Ze is toch niet gek.'

'Daar zit wat in,' zei de vertegenwoordiger van de officier van justitie.

'Omdat ze denkt dat ze toch niet wordt gepakt. En omdat haar uniform haar toegang geeft tot plaatsen waar ze in burger niet zou kunnen komen.'

'Zoals de omheinde wijk van haar ex,' zei het hoofd Moordzaken.

'Precies.' Roger knikte. 'Bovendien, niemand zoekt er iets achter als ze ergens een agent zien rondhangen. Sterker nog, burgers vinden het prettig om de politie te zien. Dat geeft ze een gevoel van bescherming.'

Connor fronste zijn wenkbrauwen. Ze hadden gelijk, moest hij toegeven. 'Ik zou jullie de namen kunnen geven van minstens vijf verkleedwinkels die politie-uniformen verhuren.'

'Dat kan best waar zijn,' zei Harrison geërgerd, 'maar we hebben een nog levende getuige die beweert dat Melanie hem heeft lastiggevallen. Bovendien heeft ze Boyd Donaldson openlijk bedreigd. Daar komt bij dat ze voor beide nachten geen alibi heeft.'

'Dat is nog niet genoeg om haar in staat van beschuldiging te stellen,' zei de vertegenwoordiger van de officier van justitie.

Connor schudde zijn hoofd. 'Ik geloof er niets van. Melanie is geen moordenaar.'

'Helemaal mee eens,' viel haar baas hem bij.

'Kijk nou eens naar het profiel, Parks. Dat is werkelijk op maat gesneden voor haar, tot en met een vader die haar heeft misbruikt en een relatie met de politie.'

'Zeg, wacht eens even!' zei Connor. 'Wilde je daarmee zeggen dat Melanie de Zwarte Engel is? Ze heeft ons nota bene zelf op het spoor van de Engel gebracht. Dat klopt toch niet?'

'Het klopt volmaakt.' Met een triomfantelijk gezicht boog Roger zich naar hem toe. 'Er is geen Zwarte Engel. Melanie heeft haar gecreëerd als een ingewikkeld rookgordijn: een "bekende" moordenaar op wie ze de dood van haar ex en haar zwager kon schuiven. Denk nou eens na. Ze wil van haar ex af, want die zit haar in de weg. Ze wil haar zusje helpen, want die wordt door haar man geslagen. En dan krijgt ze een idee. Ze doet wat research, graaft nog wat meer "slachtoffers" op. Thomas Weiss komt te overlijden. Op de een of andere manier komt ze te weten dat hij allergisch was voor bijengif. Jim McMillian heeft een hartprobleem, net als haar vader had. Wat maakt het uit, denkt ze. Een stelletje gewelddadige klootzakken, dat zijn ze. Net als haar vader. En wanneer ze de hele zaak rond heeft, gaat ze op zoek naar iemand die haar gelooft.' Na deze woorden zweeg hij even.

'Daar verschijn jij op het toneel, Connor,' vervolgde hij. 'Ze leert je kennen bij de zaak Andersen. Je hebt in Quantico gewerkt, op Gedragsstudies. Dat is jouw vakgebied. Dus als ze jou kan overtuigen, heeft ze het voor elkaar.'

Het was doodstil in het vertrek. Connor wilde de theorie van de rechercheur ontkrachten, maar kon het niet. Het was niet alleen mogelijk. Het was geniaal!

'Ze heeft maar één fout gemaakt,' vervolgde Pete. 'Ze heeft de hele zaak zodanig in scène gezet, dat alles naar haar zou wijzen. Jij raakte van haar onder de indruk, Parks. En het profiel dat je creëerde, was het hare.'

Melanies baas mompelde zacht een verwensing. De vertegenwoordiger van de officier van justitie klapte haar attachékoffer dicht en stond op. 'Zorg dat jullie dat huiszoekingsbevel krijgen.'

'Daar wordt al aan gewerkt.' Pete keek Connor aan. 'Het spijt me. Ik weet dat jullie erg op elkaar gesteld zijn geraakt.'

'Ik ben nog steeds niet overtuigd.'

'We zullen het spoedig genoeg weten. Als de huiszoeking iets oplevert, gaan we verder. Zo niet, dan zoeken we elders.'

55

Naderhand wist Melanie niet meer hoe ze thuis was gekomen. Ze beefde zo verschrikkelijk, dat ze amper op haar benen kon blijven staan. De politie zou snel in actie komen, wist ze. Binnen een uur zouden ze een huiszoekingsbevel hebben en voor haar deur staan.

Ze stapte uit haar jeep en gooide het portier achter haar dicht. Hoe had dit in 's hemelsnaam kunnen gebeuren? Hoe kon Ashley...

In de hoop dat ze Casey niet onder ogen hoefde te komen, voordat ze zichzelf weer een beetje in de hand had, liep ze door de garagedeur naar binnen.

Mrs. Saunders was in de woonkamer. Ze stond hardop te tellen. Casey en zij speelden verstoppertje.

Melanie deed haar uiterste best gewoon te kijken. 'Daar ben ik weer.'

'Wat is er gebeurd?' vroeg haar buurvrouw geschokt, na één blik op haar gezicht.

'Is het zo duidelijk?' Op slag liet Melanie haar schouders hangen. 'Er is iets... verschrikkelijks gebeurd. Zou u nog even kunnen blijven? Ik ga mijn zusje bellen om te vragen of zij Casey kan komen halen.'

Meteen ging Mrs. Saunders akkoord, waarna Melanie naar haar slaapkamer liep om haar zusje te bellen.

'Mia, met mij.'

'Melanie! Ik ben zo blij dat je belt. Ik voel me afschuwelijk over laatst. Wat ik allemaal heb gezegd... Het spijt me zo. Ik weet niet wat me beziel-de –'

Melanie viel haar in de rede, omdat ze niet veel tijd had. 'Er is iets verschrikkelijks gebeurd,' zei ze. 'Ik... Ik heb je nodig. Om Casey...' Ze zweeg, want ze kon haar tranen nauwelijks bedwingen. 'Ik zit in de problemen, Mia. Kun je hierheen komen?'

'Ik kom er meteen aan!'

Binnen enkele minuten stond ze voor de deur.

Opgelucht viel Melanie haar om de hals. 'Dank je wel! Als jij er niet was geweest... Ik weet me geen raad, Mia. Iemand heeft geprobeerd Stan te vermoorden, en nou denken ze... dat ik het heb gedaan.'

'O, mijn god! Wat is er gebeurd?'

Haperend en met onvaste stem vertelde Melanie het hele verhaal. 'En nu denken ze dat ik Boyd heb vermoord en dat ik heb gepróbéérd Stan te vermoorden,' besloot ze haar verhaal. 'Ze denken dat ik de Zwarte Engel ben.'

'Dat is belachelijk!'

'Dat moet je tegen hen zeggen.' Ze slaakte een beverige zucht. 'Ik verwacht ze binnen een uur met een huiszoekingsbevel. Dat zou me anders niet kunnen schelen, maar als iemand probeert mij de schuld in de schoenen te schuiven... dan heeft die misschien...' Haar stem brak. 'Ik wil niet dat Casey hier is als het... als ze komen. Wil jij hem mee naar huis nemen?'

'Natuurlijk! Je kunt op me rekenen.'

'Er is nog iets wat je moet doen, Mia.' Ze nam de handen van haar zusje in de hare. 'Je moet me helpen Ashley te vinden. Zij is hierbij betrokken.'

Er kwam een verwarde uitdrukking op Mia's gezicht. 'Dat begrijp ik niet. Wat heeft Ashley –'

Zo snel als ze kon, vertelde Melanie haar het hele verhaal. Ook vertelde ze over Connors profiel en hoe hun zusje daar perfect in paste. 'Tenslotte heeft ze in Charleston ook al gedaan alsof ze mij was.'

'Ja, maar Mel... Ik heb ook zo vaak gedaan alsof ik jou was. Dat betekent toch nog niet –'

'Dat was kinderspel. Charleston niet. Ze had een uniform, ze had valse identiteitspapieren, maar dat is nog niet alles. Als vertegenwoordigster van een medicijnenfirma heeft ze toegang tot het soort informatie dat de Zwarte Engel nodig gehad moet hebben. Bovendien was ze door haar reizen in staat om naar slachtoffers te zoeken. Door mij en die politieman met wie ze een tijdje is uitgegaan, heeft ze een dubbele relatie met de politie. En de afgelopen weken wekte ze de indruk alsof ze geestelijk het spoor bijster begon te raken. Allemaal dingen die in het profiel stonden. Ze heeft me eergisteravond gebeld, de avond waarop Stans ontbijtvlokken moeten zijn vergiftigd. Ze was helemaal in de war. Zei dat het haar speet, smeekte om vergiffenis. Voor iets wat ze had gedaan of wat ze ging doen. Dat was niet duidelijk.'

Mia sloeg een hand voor haar mond. 'Mijn god, Ashley? De Zwarte Engel? Ik kan het gewoon niet geloven.'

'Ik wíl het niet geloven, maar ik weet niet wat ik anders moet denken.'

'Ik ga haar zoeken,' zei Mia zacht. 'En ik zal haar vinden. Veronica helpt me wel.'

'Nee! Dat kan ze niet doen, Mia. Ze werkt voor de officier van justitie. Daar ligt haar loyaliteit.'

Mia schudde haar hoofd. 'Ik ken Veronica. Ik weet zeker dat ze ons helpt. Dat ze míj helpt. We zijn –'

'Tante Mia!'

Melanie liet de handen van haar zusje los, en Mia draaide zich om naar Casey. 'Hallo, tijger!' Ze opende haar armen. 'Geef je tante Mia eens een dikke kus.'

Met een stralende glimlach rende hij de kamer door en stortte zich in haar armen. 'Kom je spelen?'

'Nee, het is nog veel fijner! We gaan samen naar mijn huis, jij en ik.'

Zijn gezicht betrok. 'Mammie niet?'

Melanie slaagde er maar nauwelijks in niet in huilen uit te barsten. 'Mammie moet werken, lieverd.'

Zijn kin begon te trillen, maar voordat hij kon gaan huilen, zei Mia: 'Het is erg warm vandaag, dus ik dacht eigenlijk... Zou je het heel erg vinden als we gingen zwemmen?'

De dreigende tranen waren als bij toverslag verdwenen, en Casey slaakte een juichkreet. Maar ineens keek hij naar Melanie. Toen hij zag dat ze glimlachte, maakte hij zich uit Mia's omhelzing los en rende hij weg om zijn duikbril en zijn zwemvliezen te gaan halen.

Melanie keek hem na, toen keerde ze zich naar Mrs. Saunders, die wat onzeker bij de deur stond. Ze bedankte haar en liet haar uit. 'Ik zal even een tas voor Casey pakken,' zei ze toen ze weer binnenkwam.

'Zorg dat hij eventueel kan blijven slapen. Je weet maar nooit.' Ze gebaarde naar de keuken. 'Mag ik een blikje cola light uit de koelkast pakken voor onderweg?'

'Natuurlijk.' Hierna draaide Melanie zich om en liep naar Caseys kamer. Samen pakten ze zijn tas, met zijn favoriete speelgoed. Toen ze klaar waren, liepen ze naar de voordeur, waar Mia al stond te wachten.

Melanie bukte zich en knuffelde hem hartstochtelijk. 'Ik hou van je,' fluisterde ze gesmoord. 'Veel plezier, en denk erom dat je zoet bent.'

'Natuurlijk.' Hij omhelsde haar. 'Ik hou ook van jou.' Toen deed hij een stap naar achteren en spreidde zijn mollige armpjes. 'Zooooveel.'

Omdat Mia zag dat Melanie op het punt stond in huilen uit te barsten, gaf ze Casey zijn kleine sporttas. 'Zet die maar vast in de auto, tijger. Stel je voor dat we je zwemspullen zouden vergeten?'

Hij rende naar de auto.

Even keek Melanie hem na, toen keerde ze zich naar Mia. Eindelijk liet ze haar tranen de vrije loop. Ze snikte zoals ze dat niet meer had gedaan sinds de begrafenis van hun moeder. 'Dit kan toch niet waar zijn!'

Mia omhelsde haar en trok haar beschermend tegen zich aan. 'Hier komen we uit, zus. Ik zal doen wat ik kan. Dat beloof ik je.'

'Pas op dat Casey niets hoort –'

'Maak je geen zorgen.'

'Het zou op de televisie kunnen –'

'Dat weet ik. Dus we laten de televisie gewoon uit.'

Melanie legde haar voorhoofd tegen dat van haar zusje, onuitsprekelijk getroost alleen al door haar aanwezigheid. 'We moeten Ashley zien te vinden. Ik weet zeker dat zij hierbij betrokken is, Mia.'

'Ik doe wat ik kan, Mel. Je kunt op me rekenen.'

Melanie keek naar Mia's auto. Inmiddels was Casey op de achterbank geklommen en bezig zijn veiligheidsriem vast te doen. Plotseling begon ze over haar hele lichaam te trillen. 'Ik kan het nog steeds niet geloven, Mia. Hoe kon Ashley... me dit aandoen?' Haar stem brak. 'Waarom zou ze dat doen?'

'Daar zijn ze,' fluisterde Mia. 'De politie.'

Melanie richtte zich op en veegde haastig over haar ogen. Voor het huis stopten twee surveillancewagens en een onopvallende Ford, waar Harrison en Stemmons uit stapten. 'Ga maar gauw,' zei ze tegen Mia.

Haar zusje keek haar even onderzoekend aan, toen knikte ze. 'Ik geloof in je onschuld, Melanie. Het komt allemaal goed.' Vervolgens liep ze naar de auto. In het voorbijgaan knikte ze de rechercheurs toe.

Melanie wuifde Casey na tot de auto uit het gezicht was verdwenen. Toen pas keerde ze zich naar Pete en Roger.

'Je wist dat we zouden komen.' Pete gaf haar het huiszoekingsbevel.

'Ja.' Nog eenmaal keek ze in de richting waarin Mia was verdwenen. Toen richtte ze haar blik op de zes mannen die voor haar deur stonden. 'Ik wilde niet dat mijn zoon hierbij zou zijn.'

'Dat is begrijpelijk.'

Melanie deed de deur verder open. 'Jullie vinden toch niets,' zei ze met gespeelde bravoure, die haar zelf nogal lachwekkend voorkwam gezien haar rode neus en betraande wangen. 'Dus laten we zorgen dat we dit zo snel mogelijk achter de rug hebben. Dan kunnen we allemaal weer verder met ons leven.'

56

Zoals Melanie had gevreesd, vond de politie een overvloed aan bewijsmateriaal; allemaal dingen die ze nog nooit had gezien. Onder de bestuurdersstoel van haar jeep werd een rol afplakband gevonden, van hetzelfde type als waarmee Boyd was gekneveld. In haar boekenkast stonden boeken over allergieën, vergiften en autopsietechnieken. Onder de paperassen in een la van haar bureau was zelfs een stel chirurgische handschoenen gepropt.

Terwijl de rechercheurs en twee leden van de technische recherche haar huis doorzochten, inspecteerden de andere twee mannen haar auto. Volgens haar advocaat – een van de beste in zijn vak, aanbevolen door haar baas – was er op dezelfde plek als het plakband een haar gevonden. Waarschijnlijk een schaamhaar. Deze was naar het lab van het CMPD gestuurd om te worden geanalyseerd.

Alle bewijzen waren tot dusverre indirect, hield de advocaat haar voor, en dus niet voldoende om haar in staat van beschuldiging te stellen. Ze moest zich echter op het ergste voorbereiden, als uit de analyse van de haar bleek dat het DNA klopte met dat van Boyd.

Melanie was verbijsterd. In paniek. Bijna hysterisch. Dit kon nietwaar zijn! Overal waar ze zich de daaropvolgende twee dagen liet zien, werd ze wantrouwend en beschuldigend aangekeken. Mensen ontweken haar en weigerden haar te woord te staan.

Haar baas stuurde haar met onmiddellijke ingang met verlof, en voor ze wist wat haar overkwam, had Stan een tijdelijke voogdijregeling weten te treffen, waardoor het haar onmogelijk was Casey te zien of te spreken. Ze mocht niet eens afscheid van hem nemen!

Dat was het ergste. Haar hart brak, en ze werd bijna gek van bezorgdheid. Wat zou hij denken? Was hij bang? Het werd haar bijna te veel. En het zou haar ook te veel zijn geworden als ze Mia niet had gehad. Mia stond naast haar en steunde haar door dik en dun. Ze betaalde het exorbitant hoge voorschot van de advocaat en probeerde Ashley op te sporen. Zonder resultaat.

Ashley was spoorloos. Mia was tot de ontdekking gekomen dat hun jongste zusje al enige tijd niet thuis was geweest. Haar brievenbus zat propvol, en voor haar deur lagen een stuk of vijf, zes kranten. Binnen had Mia een overvol antwoordapparaat aangetroffen en een bijna lege koelkast. Het huis rook zurig, alsof er al een tijdje niemand was geweest. Verontrust had Mia Ashleys werkgever gebeld, die haar had weten te vertellen dat Ashley een week voor de moord op Boyd was ontslagen.

Toen Melanie dat hoorde, raakte ze er nog meer van overtuigd dat Ashley degene moest zijn die haar de schuld in de schoenen probeerde te schuiven voor iets wat ze niet had gedaan. Ze moesten haar vinden. Anders zou ze in staat van beschuldiging worden gesteld voor de moord op haar zwager. Bij de huiszoeking had ze haar lesje geleerd, dus ze twijfelde er niet aan of de analyse van het lab zou haar als de schuldige aanwijzen.

De klok tikte verder. Connor!

Behalve Mia was hij misschien de enige die voldoende om haar gaf om te proberen haar te helpen. Connor had de kennis en de middelen. Als iemand Ashley kon vinden, was hij het.

Zonder zich iets van het late uur aan te trekken, haalde ze het bandje met Ashleys krankzinnige boodschap uit de la van haar bureau. Ze greep haar tas en haar sleutels en sprong in haar jeep. Connor móest haar geloven! Ze verlangde naar zijn armen om haar heen, naar zijn gerustellende woorden dat alles goed zou komen.

Toen hij opendeed, stond zijn gezicht echter afstandelijk. Hij zag er moe uit, zag ze. Zorgelijk. Het leek wel alsof de lijnen om zijn ogen en zijn mond nog dieper waren geworden.

'Je kunt hier beter niet komen,' zei hij. 'Niet zonder je advocaat...'

Hij wilde de deur alweer dichtdoen, maar ze stak haar hand uit. 'Connor! Alsjeblieft! Ik heb het niet gedaan. Je moet me geloven.'

'Het doet er niet toe wat ik geloof. In deze zaak staan we lijnrecht tegenover elkaar.'

'Het doet er niet toe!' riep ze uit. 'Voor mij doet het er alles toe!' Ze deed een stap in zijn richting. 'Je moet me helpen, Connor. Ik heb niemand anders die het kan doen!'

Hij keek naar haar uitgestoken hand, met een gekwelde uitdrukking op zijn gezicht. 'Het spijt me, Melanie. Probeer het alsjeblieft te begrijpen. Maar ik kan je niet helpen. De politie is bezig een zaak voor te bereiden tegen je, en ik kan niets –'

'Ik heb een bandje bij me van mijn antwoordapparaat... Het bandje met Ashleys boodschap erop. Ik wil alleen maar dat je ernaar luistert. Alsjeblieft!'

'Melanie –'

De tranen sprongen haar in de ogen. Ze begon te beven. 'Mia en ik kunnen haar niet vinden... Jij zou ons kunnen helpen.'

Zwijgend keek hij haar aan. Ze wist dat hij nadacht; dat hij alles wat ze had gezegd zorgvuldig afwoog. De seconden verstreken. Haar hart bonsde zo heftig, dat ze nauwelijks adem kon halen.

Ten slotte schudde hij zijn hoofd. 'Het spijt me. Ik kan het niet doen.'

Ze slaakte een hartverscheurende kreet van wanhoop en strekte haar hand naar hem uit. 'Ze hebben me Casey afgenomen! Waarom zou ik dit doen, met het risico dat ik Casey zou verliezen? Ik ken het klappen van de zweep. Na die ondervraging wist ik dat Pete en Roger een huiszoekingsbevel zouden krijgen. Waarom zou ik dan al die bewijzen hebben laten rondslingeren? Luister alsjeblieft naar die boodschap. Meer vraag ik niet van je. Alsjeblieft, Connor... Je kent me. Je weet dat ik geen moordenaar ben.'

Haar woorden bleven pijnlijk tussen hen in hangen. Hij aarzelde nog even, toen slaakte hij een diepe zucht en deed een stap naar achteren om haar binnen te laten. Ze gaf hem het bandje en volgde hem naar de keuken. Daar haalde hij het bandje uit zijn eigen antwoordapparaat en stopte het hare erin. Hij drukte op Play.

Niets. Stilte. Geruis. Het bandje was gewist...

57

Tegen de tijd dat Melanie het licht zag worden, was ze doodop van vermoeidheid en wanhoop. Op de een of andere manier kon ze het vreemde gevoel dat Stan ten slotte toch had gewonnen, maar niet van zich af zetten. Evenals het gevoel dat haar vader haar – eindelijk, vanuit zijn graf – had verslagen. Ze werd gestraft voor een misdrijf waar ze part noch deel aan had.

Connor had haar niet geloofd. Ze had gevoeld dat hij haar dolgraag wilde geloven, dat hij innerlijk verscheurd werd, maar het lege bandje had voor hem de doorslag gegeven. Wat had ze daarna nog kunnen zeggen? Hoe had ze het kunnen verklaren? Naar wie had ze met de beschuldigende vinger kunnen wijzen? Naar de politie?

In plaats daarvan had ze zich omgedraaid, en ze was weggegaan. Vernederd. Wanhopig.

Verward fronste ze haar wenkbrauwen. Ze had het bandje na de huiszoeking uit het antwoordapparaat gehaald. Misschien had Mrs. Saunders de boodschap ongewild gewist. Of misschien had ze het zelf gedaan en kon ze het zich eenvoudig niet meer herinneren. Per slot van rekening was ze die middag erg van streek geweest.

Met een zucht drukte ze haar handen tegen haar ogen. Als ze van meet af aan eerlijk was geweest tegen Connor, als ze hem haar vermoedens over Ashley had verteld, als ze hem diezelfde avond die boodschap had laten horen, zou ze nu niet in deze wanhopige situatie zitten. Het bandje was zo overtuigend geweest. Nu had ze niets.

Ze liet haar hoofd in haar handen vallen. Ze was verslagen. Hoeveel pijn het ook deed, ze kon niet anders dan het toegeven.

De telefoon ging. Hopend, biddend dat het Connor was, griste ze de hoorn van de haak. 'Hallo?'

'Spreek ik met het huis van Melanie May?'

Melanie verstijfde. Het nieuws dat ze was ondervraagd in verband met de moorden van de Zwarte Engel was inmiddels uitgelekt, en ze had dan ook al heel wat verslaggevers aan de telefoon gehad, die zich niet met een kluitje in het riet lieten sturen. Daar was ze al snel achter gekomen. 'Ja, dat klopt.'

'U spreekt met Vickie Hansen. Ik ben verbonden aan Rosemont, een psychiatrische kliniek in Columbia.'

Verward fronste Melanie haar wenkbrauwen. 'Wat kan ik voor u doen?'

'Hebt u een zusje dat Ashley Lane heet?'

Melanie verstrakte haar greep op de hoorn. 'Ja, dat klopt.'

'De hemel zij dank!' Aan de andere kant van de lijn klonk een zucht van verlichting. 'Ik ben haar therapeute. Misschien moet ik het even uitleggen. Uw zusje heeft vrijdagavond geprobeerd zelfmoord te plegen. Gelukkig is een passerende automobilist gestopt en achter haar aan gedoken, en vervolgens heeft de politie haar hier gebracht.'

'O, mijn god.' Melanie liet zich in een stoel vallen. Ashley? Zelfmoord? 'Is alles goed met haar?'

'Fysiek wel, maar emotioneel... heeft ze het erg moeilijk.'

'Waarom belt u nu pas?'

'Omdat ze aanvankelijk beweerde dat ze geen naaste familie had.' Het bleef even stil.

Melanie meende het geluid van een aansteker te horen, gevolgd door het gesis van tabak die vlam vatte.

'Maar gisteravond begon ze naar u te vragen. Ze móest u zien, zei ze. U liep op de een of andere manier gevaar. Ze raakte zo van streek, dat we haar een sterk kalmerend middel hebben moeten toedienen.'

Er klopte iets niet. Koortsachtig probeerde Melanie alles tot zich te laten doordringen. 'Wanneer zei u dat Ashley bij u is opgenomen?'

'Vier dagen geleden. Midden in de nacht.'

'En ze heeft de inrichting sindsdien niet verlaten?'

'Absoluut niet.'

Melanie verwerkte deze nieuwe informatie, verbijsterd door de implicaties. Stan at elke ochtend zijn ontbijtvlokken. Hij nam ze zelfs mee op reis! Dat betekende dat ze ergens tussen zaterdagochtend en zondagmorgen heel vroeg vergiftigd moesten zijn. En op dat moment had Ashley veilig opgeborgen gezeten in een psychiatrische kliniek.

Dus was het onmogelijk dat Ashley had geprobeerd Stan te vermoorden. En dus was Ashley ook niet degene die de schuld op haar had willen schuiven. Wie dan wel?

'Mrs. May? Bent u daar nog?'

'Ja, ik ben er nog. Wat kan ik voor u doen?'

'Zoals ik al zei, uw zusje wil u dringend zien. Ze is helemaal ten einde raad.'

'Ik kom meteen naar u toe.'

58

Nog lang nadat Melanie was vertrokken, had Connor bij de voordeur gestaan. Met zijn hand op de knop, haar naam op zijn lippen. Hij had haar terug willen roepen. Het verlangen was zo groot geweest, dat hij het inmiddels, uren later, nog steeds aan zich voelde trekken.

Toch had hij haar laten gaan, geleid door de toenemende bewijslast tegen haar. In plaats van zich te laten leiden door zijn gevoel, dat hem zei dat ze het niet kon hebben gedaan. Dat Harrison en Stemmons het bij het verkeerde eind hadden met hun beschuldiging.

Alles wat ze tegen hem had gezegd, had oprecht geklonken. Geen van de 'bewijzen' was overtuigend. Althans, niet in zijn ogen. Ze was een intelligente vrouw. Als ze dit inderdaad had gedaan, zou ze zichzelf nooit in gevaar hebben gebracht door zulk belastend materiaal te laten rondslingeren.

Alle moordenaars maakten fouten. Ze werden arrogant, namen risico's. Ze begroeven hun slachtoffers in hun eigen achtertuin. Ze bewaarden aandenkens aan hun misdrijven. Ze schepten op tegen vrienden. Dat gold echter niet voor Melanie. Slimme, dappere Melanie met haar sterk ontwikkelde gevoel voor goed en kwaad.

Hij drukte zijn handen tegen zijn ogen, verteerd door vermoeidheid, twijfel en wanhoop, en dacht aan de gekwelde klank in haar stem toen ze hem had verteld dat Stan Casey van haar had afgenomen. Opnieuw hoorde hij haar kreet van ongeloof en wanhoop toen het bandje uit het antwoordapparaat leeg bleek te zijn.

De laatste keer dat een vrouw hem had gesmeekt haar te helpen, had hij haar smeekbede genegeerd. Hij had zich laten leiden door zijn verstand in plaats van zijn gevoel, en nu was ze dood. Hij had het zichzelf nooit vergeven.

Langzaam liet hij zijn handen zakken. Moordenaars gebruikten alles en iedereen om hun onschuld te bewijzen. Psychopaten konden soms buitengewoon overtuigend zijn. Beide wist hij uit ervaring. Te veel ervaring. Maar ondanks al zijn ervaring, ondanks de enorme bewijslast tegen Melanie, bleef hij geloven dat ze onschuldig was.

Hij was verliefd op haar geworden!

Dat plotselinge besef overrompelde hem. Ze had zijn hart veroverd met haar integriteit, haar oprechtheid, haar passie. Met de doelgerichte vastberadenheid waarmee ze haar werk deed, met haar vurige liefde voor haar zoon, met het gevoel dat ze in hem wekte. Het gevoel van geluk dat hij leefde. Van dankbaarheid voor elk moment.

Hij moest het haar vertellen. Hij moest haar vertellen hoe hij zich voelde en dat hij in haar geloofde. Dus liep hij naar de telefoon. Nadat deze vier keer was overgegaan, kreeg hij haar antwoordapparaat.

'Melanie, met mij. Neem op als je thuis bent.' Hij wachtte even, toen slaakte hij zacht een verwensing. 'Bel me terug! Het is belangrijk.'

Hij had nog maar nauwelijks opgehangen, of zijn telefoon ging. Haastig nam hij op. 'Melanie?'

'Spreek ik met Connor Parks?'

Op slag verstijfde hij. De toon waarop de vraag werd gesteld, verried dat het om een officieel telefoontje ging. 'Daar spreekt u mee.'

'U spreekt met Addison, politie Charleston. We hebben het stoffelijk overschot van uw zus gevonden.'

59

Veronica schoot met een ruk overeind in bed, een geluidloze kreet op haar lippen. Verwilderd keek ze om zich heen, doodsbang voor de geesten die haar omringden, voor hun handen als klauwen, die ze naar haar uitstrekten. In plaats daarvan zag ze Mia's vertrouwde slaapkamer, badend in het vroege ochtendlicht.

Trillend legde ze haar handen tegen haar gezicht. Zweet parelde op haar voorhoofd. Ze veegde het weg en legde haar handen op haar borst, waar haar hart wild tekeerging. Het bonsde zo heftig, dat ze dacht dat het uit haar borstholte zou springen en wegvliegen, zoals ze dat wel eens in een tekenfilm had gezien. Dat gebeurde niet, en ze haalde diep en langzaam adem door haar neus, in een poging kalm te worden.

Deze droom had ze al vaker gehad, en de laatste tijd werd ze er voortdurend door gekweld. Een nachtmerrie bevolkt door on-doden, wier rottende vlees maden en ziekten herbergde. De stank was misselijkmakend. In de droom werd ze geroepen door haar vader en haar man – en door de vrouw. Zodra Veronica het op een lopen zette, barstten ze in lachen uit.

Er was geen ontsnapping meer mogelijk.

Naast haar bewoog Mia, en ze mompelde zacht Veronica's naam.

Veronica verstijfde, maar haar hart zwol van liefde. 'Alles is in orde,' fluisterde ze, terwijl ze zich over Mia heen boog en met haar lippen over haar slaap streek. 'Het komt allemaal goed.'

Geruisloos glipte ze uit bed, en op onvaste benen liep ze naar de badkamer. Daar pakte ze het potje Prozac uit haar toilettasje. De dokter had haar de pillen voorgeschreven om haar te helpen ontspannen. Om de nervositeit die haar in zijn wurgende greep hield, terug te dringen, maar ze was steeds afhankelijker van de pillen geworden. De laatste tijd kon ze zich niet meer voorstellen hoe ze ooit zonder had gefunctioneerd. Toch kon ze ondanks de pillen 's nachts niet slapen, ze had geen eetlust, haar werk interesseerde haar niet meer. Haar laatste twee zaken had ze verloren, en ze wist dat er over haar werd gepraat.

Ze schudde een van de tabletjes op haar hand en deed het deksel weer op het potje. Toen ze de pil met water had weggespoeld, liep ze terug naar de slaapkamer. In de deuropening bleef ze staan. Mia had de dekens van zich af geduwd. Haar blonde haar lag als een waaier op het kussen, en ze had een blos op haar wangen. In de halsopening van haar roze satijnen nachthemd zag Veronica de aanzet van een roomblanke borst.

Ze werd overspoeld door zulke intense gevoelens, dat de adem haar in de keel stokte. Het was niet moeilijk geweest om verliefd op Mia te worden. Wel om haar te vertrouwen. Daar was een enorme zelfoverwinning voor nodig geweest. Toch had ze Mia geleidelijk aan in haar hoofd en haar hart toegelaten. Inmiddels kende Mia al haar geheimen. Net zoals zij die van Mia kende.

Veronica slaakte een diepe zucht, liep naar het bed en keek neer op haar minnares. Ze zou Mia alles geven wat ze had. Ze zou alles doen wat ze vroeg. Om haar gelukkig te maken en om te zorgen dat ze bij haar bleef. Alles!

60

Een kleine twee uur later reed Melanie het parkeerterrein van de psychiatrische kliniek op. Ze zette haar motor uit, pakte haar mobiele telefoon en controleerde of die aanstond, voordat ze hem in haar tas stopte. Eenmaal op weg had ze Mia gebeld en een boodschap ingesproken, met de details van haar gesprek met Vickie Hanson.

De kliniek bood een nogal grimmige aanblik. Melanie liep de hal door naar de informatiebalie, stelde zich voor en vroeg naar Vickie Hanson.

Lang hoefde ze niet te wachten. Even later kwam er een knappe brunette naar haar toe, die haar glimlachend de hand schudde. 'De gelijkenis met uw zus is opmerkelijk.'

Melanie begroette haar hartelijk. 'Ik ben u erg dankbaar dat u me hebt gebeld.'

Vickies glimlach verdween. 'Uw zus is erg in de war. Ik hoop dat u me kunt helpen.'

'Ik hoop het ook. Is ze wakker?'

'Ja.' De therapeute gebaarde naar de liften. 'Ik heb gezegd dat u kwam. Ze zei dat ze nog even een moment nodig had.'

Met een brok in haar keel zei Melanie dat ze het begreep, maar in werkelijkheid begreep ze er niets van. Ze werd gekweld door gevoelens van spijt en schuld. Spijt dat het zover met haar zusje was gekomen, en schuld dat ze haar aan haar lot had overgelaten.

Dat ze haar van moord had beschuldigd, terwijl ze zo wanhopig was geweest, dat ze geen uitweg meer had gezien.

'Hebt u enig idee waar de oorzaak van haar problemen ligt?' vroeg de therapeute, terwijl ze in de lift stapten.

'Ik heb wel een idee, ja. Wat heeft ze u verteld?'

'Niet veel. Ze is erg depressief, en ik voel een enorme vijandigheid tegenover mannen. Kunt u me misschien iets vertellen over de Ashley die u kent?'

Melanie dacht even na, toen verscheen er een glimlach om haar mond. 'Ashley is erg intelligent. Met een scherpe kijk op mensen. Ze heeft een nogal bijtend gevoel voor humor en kan dingen zeggen die anderen liever voor zich houden, maar ze is nooit gemeen. Nooit wreed. Alleen... grappig op een sarcastische manier.'

Op de derde verdieping stopte de lift, en de deuren gingen open. Ze stapten uit en liepen de gang in. 'Ashley is de extreemste van ons drieën, als je het zo zou willen noemen. De humeurigste. De grilligste. Ze kan van het ene moment op het andere ontploffen, maar dan is het ook weer over. Daarom heeft het ook zo lang geduurd voordat ik besefte –'

'Dat ze problemen had?'

'Ja.' Melanie bleef staan en keek de therapeute aan. 'Ik voel me afschuwelijk dat dit is gebeurd. Dat ik haar niet heb geholpen. Dat ik niets heb gedaan toen ik zag dat ze het spoor bijster begon te raken.'

'U moet uzelf niet te hard vallen. Dit soort dingen gaat heel geleidelijk. Plotseling zit je tot over je oren in een situatie die je helemaal niet hebt zien aankomen.' Ze wees op een deur aan haar linkerhand. 'Hier is het. Ik laat u beiden even alleen.'

'Kan ik u straks nog even spreken?'

'Natuurlijk.'

Peinzend keek Melanie haar na. Toen haalde ze diep adem en duwde Ashleys deur open. 'Ashley,' zei ze zacht. 'Ik ben het.'

Haar zusje stond voor het raam, met haar rug naar de deur. Haar armen had ze krampachtig om haar middel geslagen, alsof ze zich moest beschermen. Tegen wie? Tegen haar eigen zusje?

'Ash,' zei ze nogmaals, terwijl ze de kamer binnen ging. 'Ik ben het, Mel.'

Toen draaide Ashley zich om, en Melanie moest zich beheersen om het niet uit te schreeuwen. Haar zusje zag heel bleek en was erg mager; haar wangen waren ingevallen, en haar ogen lagen diep in hun kassen.

'O, Ash,' fluisterde ze.

De ogen van haar zus stonden plotseling vol tranen. 'Het spijt me... Het spijt me zo.'

Melanie liep naar haar toe en nam haar in haar armen. 'Nee, het spijt mij! Ik wist niet hoe hard je me nodig had.'

Toen begon Ashley te huilen. Haar schouders schokten, en haar snikken klonken alsof ze uit het diepst van haar ziel opwelden.

Intens bezorgd hield Melanie haar tegen zich aan. Ze voelde zo breekbaar, zo klein en kwetsbaar, helemaal niet de stoere, onafhankelijke, cynische zus die ze kende en van wie ze zoveel hield. Hoe was het mogelijk dat ze dit niet had gezien? Dat ze niets had gedaan om het tegen te gaan?

Toen Ashleys tranen eindelijk minder werden, leidde Melanie haar naar het bed. Daar gingen ze samen zitten, zoals ze dat vroeger als kinderen hadden gedaan – met gekruiste benen, hun hoofd gebogen, hun voorhoofd tegen elkaar.

Melanie nam Ashleys handen in de hare. Ze waren ijskoud. Zonder iets te vragen, zonder aan te dringen, begon ze Ashleys handen warm te wrijven. Als ze iets wilde zeggen, zou ze dat uit zichzelf wel doen.

Uiteindelijk deed ze dat ook. Na minutenlang te hebben gezwegen, begon ze te praten. 'Weet je nog toen pap begon... Mia lastig te vallen?'

Melanies vingers sloten zich nog strakker om die van haar zusje. Na al die jaren deed het nog altijd pijn. 'Ja, dat weet ik nog.'

'Jij was zo moedig. Zoals je dat mes trok! Ik vond je toch al geweldig, maar toen helemaal.' Na deze woorden zweeg ze even. 'Daarna kwam hij bij mij,' vervolgde ze. Haar stem was nauwelijks meer dan een fluistering. 'Hij zei dat je... dat je de wet had overtreden. Dat de politie zou komen. Vanwege dat mes. Dat ze je misschien... zouden weghalen.'

Alles wat ze had gedaan voor haar zussen...

Krampachtig sloot Melanie haar ogen, want ineens besefte ze wat Ashley had bedoeld. Nee, dat niet! Alsjeblieft! Dat niet!

'Hij zei dat als ik... als ik jou of iemand anders vertelde wat hij... Dat hij dan de politie zou bellen... om je te laten weghalen.' Ze omklemde Melanies vingers met de hare. Ze waren vochtig, klam. 'Ik hoopte steeds dat je me zou redden, Mel. Net zoals je Mia had gered.' Haar stem brak. 'Maar dat deed je niet.'

Daar lag de kern. De diepste waarheid. Ze had Ashley in de steek gelaten, zonder dat ze dat ooit had geweten. 'Ik wist het niet,' fluisterde ze. De tranen stroomden over haar gezicht. 'Als ik het had geweten... zou ik hem hebben vermoord, Ash. Echt waar.'

Ze omhelsden elkaar, klampten zich aan elkaar vast, zoals zusjes dat doen, zoals familie dat doet – liefhebbend, beschermend, koesterend.

'Waarom heb je het me nooit verteld?' vroeg Melanie ten slotte.

'Aanvankelijk durfde ik niet. Ik geloofde hem. En daarna, toen ik besefte... Ik schaamde me zo. Omdat ik niet zo sterk was als jij. Omdat ik geen nee had gezegd.'

Op dat moment haatte Melanie haar vader zoals ze nog nooit iemand had gehaat. Met een hartstocht en een heftigheid die haar bang maakten. Als hij nog had geleefd, zou ze hem alsnog hebben vermoord. Ze zou haar dienstwapen hebben gepakt en hem een kogel door zijn kop hebben gejaagd.

En op dat moment juichte ze de daden van de Zwarte Engel van harte toe. Ze wist dat het gevoel niet zou blijven. Dat de rede het zou winnen van haar primitieve emoties, maar op dat moment was ze blij dat die mannen dood waren. Dat ze hun verdiende loon hadden gekregen.

Plotseling begon Ashley te giechelen. Het klonk kinderlijk, onbekommerd, vrolijk zelfs.

Melanie leunde naar achteren en keek haar zusje bezorgd aan.

Ashley gebaarde haar dichterbij te komen. 'Ik heb met hem afgerekend,' fluisterde Ashley in haar oor. 'Voor ons allemaal.'

Verschrikt deinsde Melanie achteruit.

'Ik heb hem vermoord, Mel. Voor ons. Voor jou, voor mij en voor Mia.'

Het was alsof alle lucht uit Melanies longen werd geperst, en daarmee haar vermogen tot praten, tot logisch denken.

'Het ging zo gemakkelijk,' vervolgde Ashley. 'Ik wist wat er zou gebeuren als hij te veel nam van zijn medicijn. Bovendien wist ik hoeveel verdacht zou lijken... en hoeveel niet. Dus ik ben bij hem op bezoek gegaan en heb wat van zijn medicijn in zijn eten gedaan.' Ze glimlachte bijna kinderlijk. 'Het ging zo gemakkelijk, Melanie.'

Gemakkelijk. Pijnloos. En de wereld was bevrijd van weer een ellendeling die niet van zijn eigen kinderen af kon blijven.

Melanie haalde diep adem. Ze moest het vragen. Ze moest het van Ashley zelf horen. Hoewel het een van de moeilijkste dingen was die ze ooit had gedaan, keek ze haar zusje recht aan. 'Ik moet het je vragen, Ash. Ben je... Ben je de Zwarte Engel?'

Aanvankelijk leek Ashley verrast door haar vraag, toen boos. 'Nee, ik ben het niet, maar ik weet wel wie het is.'

61

Connor staarde naar de overblijfselen van wat eens zijn zusje was geweest. Een groep duikers had haar ontdekt. Had hen ontdekt, verbeterde hij zichzelf. Want degene die haar had vermoord, had ook een man vermoord en hen samen in een plastic zeil gebonden en met gewichten verzwaard in Lake Alexander laten zakken. In het gruwelijke pakket zat ook de pook die in Suzi's huis had ontbroken.

'Zonder die pook hadden we haar niet zo snel kunnen identificeren,' zei de jonge agent die naast Connor stond. 'Ben Miller herinnerde zich het geval en telde één en één bij elkaar op.'

Connor kon geen woord uitbrengen. Na al die jaren van zoeken, van twijfelen, was het voorbij. Eindelijk had hij zekerheid.

'Ze heeft waarschijnlijk nooit geweten wat er gebeurde,' zei de agent.

Dat had de patholoog ook al gezegd. Te oordelen naar de beschadiging van de schedel, moest Suzi met een enkele slag op haar achterhoofd om het leven zijn gebracht.

De hemel zij dank. Connor verplaatste zijn blik naar de overblijfselen van de man die samen met haar was gevonden. Hij had altijd geweten dat hij iets belangrijks over het hoofd zag. Iets voor de hand liggends. Nu besefte hij dat hij zich had laten leiden door emoties. Door zijn vooroordeel jegens haar minnaar.

Daardoor had hij een scenario genegeerd dat van alle tijden

was. De versmade echtgenote vermoordt haar ontrouwe man – en diens minnares. Ineens pasten alle stukjes in elkaar. Ineens klopte het allemaal. De lingerielade, de verstandige kleding die de onbekende dader had ingepakt, de manier waarop de plek van het misdrijf was schoongemaakt.

Een golf van verdriet, en spijt, spoelde over hem heen. Verdriet en spijt dat hij Suzi niet meer kon helpen. Dat hij het verleden niet ongedaan kon maken. Dat de stralende zon die zijn zusje altijd was geweest, voorgoed was gedoofd.

'De dader wist wat hij deed.' De agent wees op de gewichten. 'We schatten dat ze samen zo'n driehonderd pond wogen. De moordenaar heeft ze verzwaard met driehonderd dertig pond. En het feit dat meneer hier in de borst is geschoten, hielp ook mee.'

Connor knikte. Om een lichaam langdurig onder water te houden, moest het verzwaard zijn met ten minste tien procent meer dan het oorspronkelijke gewicht. Tijdens de ontbinding kwamen er gassen vrij, die het lichaam naar de oppervlakte deden stijgen. Een doorboring van de borstholte hielp mee het lichaam onder water te houden, omdat deze een uitlaat verschafte voor een deel van de gassen. Het was een techniek die door de maffia tot het uiterste was verfijnd.

Hij keerde zich naar de agent. 'Weten we al wie het is?'

'Ja, dat is net binnen. Dankzij de gegevens van zijn gebit. Daniel Ford. Een vooraanstaand advocaat. Het merkwaardige is dat men ervan uitging dat hij was omgekomen met dat toestel van Jet-Air dat destijds op weg naar Chicago in de lucht is ontploft.'

'Dat herinner ik me nog.' Connor kneep zijn ogen tot spleetjes. Hij voelde dat de adrenaline begon te stromen. Eindelijk, na al die jaren zou hij de dood van zijn zusje kunnen wreken. 'Heeft de verzekering uitbetaald?'

'Ja. Aan zijn echtgenote. Een zekere Veronica Ford.'

De haren in zijn nek gingen recht overeind staan. 'Veronica Ford,' herhaalde hij. Melanies vriendin. De hulpofficier van justitie.

'Over haar weten we nog niet zoveel. Ze is van zichzelf een Markham. Haar vader was een belangrijke figuur in Charleston, een grote, plaatselijke filantroop.'

'Was?' herhaalde Connor. Hij wist het antwoord al voordat hij de vraag stelde. 'Is hij dood?'

'Ja, een paar jaar geleden. Het heeft in alle kranten gestaan. Om het leven gekomen bij een bizar –'

'Ongeluk,' vulde Connor aan. 'De klootzak.' Hij pakte zijn mobiele telefoon en drukte het nummer van het bureau in Charlotte. Ondertussen commandeerde hij de jonge agent: 'Ik moet het rapport hebben van de lijkschouwer in de zaak Markham, en ik heb een helikopter nodig. Zo snel mogelijk.' Hij kreeg verbinding. 'Steve, met Connor. Ik ben in Charleston. Ik heb een arrestatiebevel nodig voor Veronica Ford, hulpofficier van justitie. Voor de moord op Daniel Ford, Suzi Parks en een nog onbekend aantal slachtoffers. Zij is onze Zwarte Engel, Steve. We hebben haar.'

62

Melanie drukte op Mia's bel en bonsde uit alle macht op de deur.

Veronica was de Zwarte Engel. Veronica was degene die haar voor de moorden had willen laten opdraaien.

Ashley had het gevoeld. Ze was geobsedeerd geraakt door Veronica, een obsessie die was voortgekomen uit jaloezie vanwege Veronica's relatie met haar zusjes. Ze was ervan overtuigd geraakt dat er iets niet klopte. Dat Veronica niet was wat ze leek.

Door listigheden zoals haar bezoek aan de officier van justitie in Charleston, was Ashley erachter gekomen dat Veronica bevriend was geweest met een reeks vrouwen wier mannen plotseling en onder bizarre omstandigheden waren gestorven. Een feit dat haar was opgevallen als merkwaardig, maar waar ze verder niets achter had gezocht.

Door Veronica te volgen had ze echter nog een merkwaardige ontdekking gedaan. Veronica hield er ongebruikelijke uren op na en bezocht onwaarschijnlijke gelegenheden – vrachtwagenrestaurants langs de snelweg, kroegen die vierentwintig uur open waren en clubs voor seksuele randfiguren. Hoewel Ashley regelmatig uren buiten had gewacht, had ze Veronica diverse keren niet meer naar buiten zien komen.

Wel anderen, onder wie iemand die Ashley herhaalde malen had gezien: een volkomen in leer gehulde blondine. Pas toen Ashley op het nieuws had gezien dat Melanie werd ondervraagd in verband met de moord op Boyd en de moorden van de Zwarte Engel, was alles haar ineens duidelijk geworden.

De stukjes pasten keurig in elkaar, moest Melanie toegeven. Veronica en zij hadden dezelfde maat, dezelfde bouw, dezelfde haarkleur. Sinds de dood van Boyd had Veronica bij Mia gelogeerd en dankzij Mia de beschikking gehad over de sleutels van haar huis, haar auto. Misschien had ze door Mia zelfs gehoord over Stans zelfgemaakte ontbijtvlokken. Bovendien haalde Mia regelmatig spullen voor haar zusje van de stomerij, waaronder haar politie-uniformen.

En op wie kon ze beter de schuld schuiven voor de moord op Boyd dan op Melanie? Omdat het in alle andere sterfgevallen ging om speculatie, had Veronica – terecht – verwacht dat de politie tot de conclusie zou kunnen komen dat de Zwarte Engel door Melanie was verzonnen om de moord op haar ex en haar zwager te dekken. Melanie had een motief, was in de gelegenheid om het te doen en paste in Connors profiel.

Dat gold echter ook voor Veronica – haar leeftijd, haar opleiding, haar kennis van de wet, het misbruik in haar verleden. De zelfmoord van haar moeder, de manier waarop ze de laatste maanden leek te veranderen, haar vriendschap met Mia en de daaropvolgende dood van Boyd. Het klopte allemaal...

Opnieuw bonsde Melanie op Mia's deur. Ze had vanuit de auto diverse boodschappen ingesproken op haar antwoordapparaat, en ze had er vast op gerekend dat Mia inmiddels thuis zou zijn.

Plotseling bewoog het gordijntje voor het zijraam en keek Mia naar buiten. Toen deed ze de deur open.

'Mia, goddank! Waar heb je gezeten?'

'Ik was aan het joggen. Ik heb je boodschappen afgeluisterd. Wat is er in 's hemelsnaam –'

'Je moet naar me luisteren... Ik weet wie heeft geprobeerd mij de schuld van die moorden in de schoenen te schuiven. Het is niet Ashley... Ik heb met Ash gesproken. Zij heeft me de ogen geopend... Mia, ik weet wie de Zwarte Engel is!'

Haar zusje nam haar handen in de hare. 'Rustig, Mellie. Je slaat wartaal uit.'

'Nee, het is geen wartaal. Je moet me helpen. We moeten de koppen bij elkaar steken en –'

'Eerst gaan we zitten.' Mia deed de deur dicht en op slot en ging Melanie voor naar de woonkamer. Daar ging ze op de bank zitten.

Melanie bleef staan, want ze was te opgewonden om te gaan zitten.

'Oké.' Mia vouwde haar handen in haar schoot. 'Vertel. Vanaf het allereerste begin.'

'Ja, Melanie,' klonk de stem van Veronica achter haar. 'Vertel ons het hele verhaal.'

Langzaam draaide Melanie zich om.

In de deuropening tussen de keuken en de woonkamer stond Veronica. Ze was hetzelfde gekleed als Mia – in een korte broek, sportschoenen en een T-shirt.

'En begin alsjeblieft bij het begin.' Ze kwam de kamer in lopen. 'Het moment waarop je besloot je ex te vermoorden.'

Melanie dacht aan Casey, aan Connor, aan alles wat ze de afgelopen dagen had doorgemaakt, en begon te beven van woede. 'Dat is wat je de wereld had willen doen geloven, is het niet, Veronica? Maar het is voorbij. Ik weet alles. Nog even, en iedereen weet het.'

'Je had schrijfster moeten worden,' zei Veronica met een kille glimlach. Ze liep naar de koffietafel en opende de doos die daar stond. Toen ze zich omdraaide, zag Melanie dat ze een revolver in haar hand hield. 'Je bent een moordenaar, Melanie May. Je hebt de man van je zus vermoord, en je hebt geprobeerd je ex te vermoorden. De politie heeft bewijzen.'

'Bewijzen die jij hebt neergelegd!'

'Hoeveel mannenlevens heb je genomen? Hoeveel klootzakken die het verdienden te sterven, heb je vermoord?'

'Heb je het daarom gedaan?' Melanie wilde achterom kijken naar Mia, maar ze durfde Veronica niet uit het oog te verliezen. Vurig hoopte ze dat haar zusje zou weten wat haar te doen stond, als het moment daar was. 'Omdat ze verdienden te sterven? Omdat je ooit een hulpeloos slachtoffer was? Is dat de reden waarom je de Zwarte Engel bent geworden?'

'De Zwarte Engel,' herhaalde ze honend. 'Zo noem jij haar, maar daar is ze het niet mee eens. Ze is een engel van genade. Van gerechtigheid.'

371

'O ja? Hoeveel mannen hebben door haar genade de dood ge-vonden? Zes? Tien? Twintig?'

'En daar zou ze zich schuldig over moeten voelen? Kom nou toch, Melanie. De wereld is een stuk beter af zonder die twaalf el-lendelingen. Je weet het, maar je durft het niet toe te geven.'

Twaalf. Dus ze had tot dusverre twaalf slachtoffers gemaakt. 'Misschien heb je gelijk. Misschien durf ik inderdaad de stap niet te zetten om te helpen. Want dat doet ze toch? Vrouwen helpen die in de problemen zitten?'

Er verscheen een zelfgenoegzame glimlach om Veronica's mond. 'Zulke mannen veranderen nooit. Hoeveel je ook van ze houdt, hoe je ook je best doet om het ze naar de zin te maken. Je blijft maar geven, tot je niets meer over hebt, maar ze blijven je pijn doen. Ze verraden je. Wreedheid, dat is het enige wat ze ken-nen.'

'De Engel begrijpt dat,' zei Melanie, 'maar die vrouwen niet. Ze hadden leiding nodig.'

'Precies. Als ze hen hielp, zouden ze het beseffen. Als ze hen hielp, kregen ze een tweede kans.'

Connor en zij hadden het bij het rechte eind gehad. De vrou-wen waren de schakel, niet de mannen. 'En dus sloot ze vriend-schap met de vrouwen.' Ongemerkt kwam Melanie iets dichter-bij. 'Om via de vrouwen de man te leren kennen. Zijn sterke punten, zijn zwakke plekken.'

'Iedereen heeft een zwakke plek,' zei Veronica instemmend. 'Het gaat erom die te vinden.' Ze lachte. 'Zoals bij Thomas Weiss. De Zwarte Engel kwam erachter dat hij allergisch was voor bijen-gif zonder dat ze ooit één woord met hem had gewisseld. Ze kwam achter alles wat ze weten moest door met een glas wijn in de bar van de Blue Bayou te gaan zitten en te luisteren.'

Melanies maag draaide om bij het horen van de trotse klank in Veronica's stem. 'En de eerste vrouw die ze hielp, was ze natuur-lijk zelf.'

'Ongelukken bestaan niet, Melanie. Alleen verrassingsbezoe-ken van de engelen der genade...' Ze ging door met de twee zus-jes te vertellen hoe de jeugd van de Engel eruit had gezien. Hoe koud en kritisch haar vader was geweest en hoe ze altijd had proberen te voldoen aan zijn verwachtingen. Vervolgens vertelde ze hun over haar moeder. Hoe die, wanhopig door een man die geen aandacht aan haar besteedde, een pistool in haar mond had gestoken en de trekker had overgehaald.

'Maar de Engel verlangde nog steeds naar liefde,' zei Veronica zacht. 'Naar een man die haar aanbad. Ten slotte dacht ze hem te hebben gevonden. Hij heette Daniel. Hij was alles waarvan ze had gedroomd: knap, charmant, succesvol. Ze aanbad hem. Maar hij was net als de anderen, wreed en bekrompen. Ze was bang om zelfs maar de eenvoudigste beslissing te nemen, want als ze het verkeerd deed, volgde een snelle vergelding. Ze wist nooit wanneer het geweld zou losbarsten...'

Melanie slikte krampachtig, vertrouwd met het scenario. Voorzichtig waagde ze een blik over haar schouder. Mia zat als bevroren op de bank. Ook in haar ogen las ze een blik van herkenning.

De uitdrukking op Veronica's gezicht verzachtte. 'Ze koos jou, Melanie, omdat ze zich kon identificeren met je situatie. Net als jouw ex-man had ook de hare haar gedomineerd, haar klein gehouden. Hij kocht een wapen voor haar, zogenaamd zodat ze zichzelf kon beschermen wanneer hij de stad uit was. Maar in plaats daarvan hoonde hij haar ermee. Met de zelfmoord van haar moeder. Wanneer ging ze het doen, vroeg hij. Wanneer zou ze zichzelf een kogel door haar kop jagen?' Ze zweeg even. 'Ze begon te vermoeden dat hij een verhouding had en confronteerde hem daarmee.'

'Maar hij ontkende het.'

'Natuurlijk. Dus ze volgde hem. Ze kwam erachter wie zijn minnares was en waar ze woonde. Bij de volgende confrontatie was ze voorbereid. Ze dreigde naar haar vader te gaan. Hoe lang zou die Daniel nog op de loonlijst houden, als hij dit hoorde?

Hij smeekte haar om een tweede kans, bezwoer haar dat de verhouding voorbij was, en ze geloofde hem. Ze geloofde dat hij van haar hield. Dat hij was veranderd.'

'Maar hij was niet veranderd,' mompelde Melanie.

Er verscheen een grimmige trek om Veronica's mond. 'Hij had een rijke vrouw – daar ging het hem om. Een vrouw met een vader die hem van de ene op de andere dag miljonair had gemaakt. Enkele dagen later bracht ze hem naar het vliegveld. Hij had een bespreking in Chicago en zou die avond laat terugkomen. Zoals gebruikelijk bracht ze hem naar de gate. Ze gaf hem een kus, zag hem aan boord gaan samen met de andere eersteklaspassagiers en vertrok. Het vliegtuig explodeerde in de lucht. Er waren geen overlevenden.'

'Maar haar man zat niet in dat vliegtuig, hè?' vroeg Melanie zacht.

'Dat wist ze niet. Daar kwam ze pas uren later achter, toen hij de deur binnen kwam stappen. Springlevend. Zonder een kreukel in zijn Italiaanse pak. Eerst was ze dolblij, toen verward. Hoe kon het dat hij nog leefde? Hij wist niets van de vliegramp. En ineens besefte ze waarom. Hij was helemaal niet naar Chicago gevlogen. Hij was bij zijn minnares geweest. Hij had haar bedrogen en zich naar het vliegveld laten brengen, zodat ze geen argwaan zou koesteren. Ze werd woedend en confronteerde hem met haar verdenkingen.'

Veronica schudde haar hoofd en vervolgde: 'Hij lachte om haar woede. Hij hoonde haar. En als het nou eens waar was, wat zou ze dan doen? Zou ze zichzelf van kant maken, net zoals haar moeder dat had gedaan? Dat moest ze vooral doen, zei hij, terwijl hij naar haar nachtkastje liep en het pistool tevoorschijn haalde. "Doe het dan", drong hij aan.' Opnieuw zweeg ze even.

'Ik hoorde de douche lopen,' zei Veronica na een tijdje, ineens in de eerste persoon, maar dat scheen ze niet te merken. 'Ik keek naar het pistool. Een deel van me wilde het pakken, het in mijn mond steken en de trekker overhalen. Het zou zo gemakkelijk zijn. Dan was alles voorbij. Ik pakte het, maar op dat moment gebeurde er iets met me. Ik voelde me ineens sterk, bevrijd, machtig. Ik had ineens een doel. Ik pakte het pistool, maar in plaats van het op mezelf te richten, liep ik naar de badkamer, trok het douchegordijn opzij en schoot hem in zijn borst.'

'O, mijn god,' zei Melanie.

'Hij was naakt,' vervolgde Veronica onverstoorbaar. 'De straal van de douche spoelde het bloed weg. Ik liep naar de garage en haalde een stuk zeil te voorschijn. Daar rolde ik hem in. Ik haalde wat gewichten van zijn hometrainer om hem mee te verzwaren als ik hem in het meer liet zakken.'

'Het meer?' herhaalde Melanie.

'We hadden een weekendhuisje aan Lake Alexander, ongeveer twee en een half uur naar het noorden. Op dat moment waren alle huisjes gesloten voor de winter. Dus niemand zou me zien als ik erheen ging.' Veronica lachte. 'Ik voelde me geweldig. Onoverwinnelijk. Eindelijk vrij. En niemand zou weten wat ik had gedaan.'

'Omdat hij toch al dood was,' vulde Mia aan. Haar stem klonk merkwaardig hoog. 'De volmaakte misdaad.'

'Behalve de minnares,' verbeterde Melanie haar. 'Maar je wist wie ze was en waar ze woonde.'

'Ik heb haar uiteindelijk samen met Daniel in het zeil gerold. Voor altijd samen.' Ze glimlachte. 'Vanaf dat moment veranderde mijn leven. Het was goed. Ik was goed. Ik maakte mijn rechtenstudie af en beloofde mezelf dat ik nooit meer slachtoffer zou zijn. Ik heb nooit meer achterom gekeken. Dat heb ik ook nooit hoeven doen.' Haar glimlach verdween. 'Totdat jij kwam, Melanie. Jij moest zo nodig alles kapotmaken. Waarom moest je je neus in mijn zaken steken?'

'Het is je eigen schuld. Je werd nonchalant. Ik heb je attent gemaakt op Thomas Weiss. Dacht je nu werkelijk dat ik het niet vreemd zou vinden dat hij plotseling op zo'n bizarre manier om het leven kwam? Dacht je dat ik niet zou lezen hoe Jim McMillian was gestorven en daaruit mijn conclusies zou trekken?'

'Er was niemand anders die dat deed.' Er verscheen een blos van woede op haar wangen. 'Jíj bent de fout die ik heb gemaakt. Ik had je nooit moeten kiezen. Ik hoorde jullie met elkaar praten bij Starbucks. Jij en je zussen. Over je problemen met Stan. Over Mia's problemen met Boyd. Ik vond jullie meteen aardig. Ik voelde met jullie mee, dus ik wilde jullie helpen.'

Bij het zien van de ongelovige uitdrukking op Melanies gezicht, rolde ze met haar ogen. 'Denk je nu echt dat het toeval was dat we in dezelfde *dojang* terechtkwamen? Dat we al snel zulke dikke vriendinnen waren? Natuurlijk niet. Ik heb jou gekózen. En Mia. Om jullie leven beter te maken. En kijk nu eens wat je hebt gedaan.'

Melanie voelde zich ziek bij het besef hoe gemakkelijk ze het Veronica had gemaakt om haar leven – en dat van haar zusjes – binnen te dringen en het kapot te maken. Ze verdrong haar gevoelens echter en concentreerde zich op Veronica. 'Doe je dat nu ook?' Hoewel ze zich scherp bewust was van het wapen, keek ze er met opzet niet naar. 'Me helpen? Door mijn leven kapot te maken? Door iedereen te laten denken dat ik een moordenaar ben?'

'Dat is je eigen schuld!' Veronica's stem werd luider. 'Niet de mijne. Alles wat je is overkomen –'

'Je bent een moordenaar. Een doodgewone misdadiger. Het soort uitschot dat je achter de tralies zou stoppen. Daar had je je leven aan gewijd, heb je ooit eens gezegd.'

'Dat is niet waar.' Veronica schudde haar hoofd. 'De vrouwen die ik heb geholpen, hadden recht op een gelukkig leven. Op een leven zonder angst. Dat heb ik ze gegeven.'

'Wel erg gemakkelijk om jezelf op die manier te rechtvaardigen, vind je niet?' Melanie kwam nog iets verder naar voren. Als ze dicht genoeg bij kon komen voor een verrassingsaanval, zou ze Veronica het pistool misschien kunnen ontworstelen. 'Maar zijn we niet allemaal zelf verantwoordelijk voor ons leven?'

'Zo werkt het niet. Dat geldt niet voor vrouwen die gevangen zitten in een cyclus van misbruik.'

'Het is niet aan ons om te beslissen over leven en dood.' Ze kwam nog een stap dichterbij.

'Dat is onzin!' Veronica gebaarde met het pistool, duidelijk van streek.

Op dat moment kwam Melanie in actie. Met een wijde uithaal sloeg ze het wapen uit Veronica's hand. Het schoot de kamer door. Ze schreeuwde naar Mia dat ze het moest pakken, terwijl ze haar eerste uithaal liet volgen door een combinatie van twee perfect geplaatste stoten.

Veronica deinsde achteruit.

Vanuit haar ooghoeken zag Melanie dat Mia achter het pistool aan rende. Dat vluchtige verslappen van haar aandacht kwam haar duur te staan. Met een woeste kreet, die de rillingen over haar rug deed lopen, viel Veronica aan. Ze trapte Melanie rechtstreeks tegen haar borstbeen. Pijn verblindde haar. Sterretjes dansten achter haar dichte oogleden.

Met een triomfantelijke kreet stortte Veronica zich naar voren. Met inspanning van al haar krachten kwam Melanie overeind en wist ze Veronica's volgende slagen te blokkeren. Haar borst stond in brand, en haar spieren protesteerden heftig.

Veronica deelde nog een trap uit, waardoor Melanie haar evenwicht verloor en daarmee het vermogen om Veronica's verdere aanvallen te blokkeren.

'Je kunt me niet verslaan, Melanie. Dat heb je nooit gekund. Ik ben gewoon beter dan jij.'

Veronica maakte zich gereed om het karwei af te maken, maar Melanie rolde razendsnel opzij, kwam overeind en koos positie. De beweging verraste Veronica. Ze verloor haar evenwicht. Zonder haar de kans te geven zich te herstellen, viel Melanie aan.

Ze richtte haar trap op de zijkant van Veronica's hoofd. Deze sloeg tegen de grond, en in een oogwenk zat Melanie boven op haar. Haar vuist geheven voor de laatste slag om haar definitief uit te schakelen. 'Zo, dus ik kan je niet verslaan?' vroeg ze hijgend.

Veronica glimlachte. 'Ik zou maar niet al te zeker zijn van mezelf.'

'Laat haar los, Mellie.' Achter zich hoorde Melanie het geluid van een pistool, dat werd gespannen. 'Nu.'

63

De helikopter steeg op richting Charlotte, geschatte tijd van aankomst twaalf en een halve minuut later. Wat Connor betrof, niet snel genoeg. Dat zei hij dan ook tegen de piloot. Toen zond hij een radioboodschap naar het hoofdbureau van het CMPD. Rice had gedaan wat hij vroeg en contact opgenomen met commissaris Lyons. Er was een arrestatiebevel uitgevaardigd voor Veronica Ford, en er was een team naar haar huis gestuurd en naar het kantoor van de officier van justitie om haar in hechtenis te nemen.

'Waar is May?' vroeg Connor. 'Ik probeer al uren haar te bereiken.'

'Ze heeft het erg druk gehad vanmorgen. We laten haar volgen. Onze man rapporteerde dat ze naar de een of andere psychiatrische kliniek aan deze kant van Columbia is geweest.'

Verbaasd fronste Connor zijn wenkbrauwen. 'Weet je man ook wat ze daar deed?'

'Negatief. Hij wilde zijn dekking niet verspelen.'

'Waar is ze nu?'

'In het huis van haar zus Mia. Ze is er inmiddels ongeveer een halfuur. Onze jongens staan voor het huis geparkeerd.'

Connor slaakte zacht een verwensing. Hij zou opgelucht moeten zijn, maar dat was hij niet. Zijn gevoel zei hem dat er iets niet in orde was met deze situatie. Waar het op neerkwam, was dat hij pas opgelucht zou zijn, als hij Melanie veilig en wel in zijn armen had.

'Ik moet dat adres hebben!' bulderde Connor. 'En de coördinaten van de dichtstbijzijnde heliport. Zorg dat daar een auto op me wacht. Kun je dat regelen?'

'Wacht even.'

Even later klonk er gekraak vanuit de radio. 'Parks! Roger Stemmons hier. Je auto staat klaar. Agent White wacht op je met de sleutels.'

'Bedankt, Stemmons.'

'Nog meer goed nieuws in de zaak Andersen. We hebben de analyse van de vingerafdrukken en het bloed. Klopt allemaal met onze verdachte. Het DNA en het sporenresultaat zullen nog wel even op zich laten wachten, maar dit is al genoeg voor een veroordeling. Ik dacht dat je dat wel wilde weten.'

Connor glimlachte. Eén nul voor ons.

'We hebben allemaal grote waardering voor de manier waarop je ons in die zaak hebt geholpen, Parks,' zei de rechercheur, 'maar je blijft een nagel aan mijn doodskist.'

'Graag gedaan. Allebei.' Connor keek op zijn horloge. 'Doe me een lol, Stemmons. Hou die man in Melanies buurt tot ik er ben. Ik heb hier helemaal geen goed gevoel over.'

'Komt voor elkaar. Hoewel ik aanneem dat Ford elk moment kan worden opgebracht. Melanie kan gerust zijn. Voor haar is het voorbij.'

64

〜

Melanie keek over haar schouder. Haar zus hield het pistool met beide handen vast. Op haar gezicht lag een vastberaden uitdrukking. Het probleem was alleen dat ze het pistool op háár had gericht, in plaats van op Veronica.

'Mia, wat ben je –'

'Laat haar los, zei ik.' Ze gebaarde met het pistool. 'Nu!'

Melanie deed wat ze zei, en Veronica kwam haastig overeind.

'Is alles goed met je?' vroeg Mia, zonder haar ogen van haar zus af te wenden.

'Prima.' Met de rug van haar hand veegde Veronica over over haar mond. 'Goed werk, Mia. Ik had niet gedacht dat je het in je had.'

'Ik begrijp het niet.' Melanie keek van de een naar de ander. 'Mia... heb je niet gehoord wat ze zei? Ze heeft Boyd vermoord. Ze is een seriemoordenaar. Ze –'

'Ik denk dat jij het niet begrijpt, lieve zus.' Ze keek naar Veronica. 'Kom maar hier, liefste. Mia zal je troosten.'

Veronica liep zijwaarts naar Mia toe en sloeg een arm om haar heen.

Onwillekeurig deinsde Melanie achteruit.

Lachend keek Veronica haar aan. 'Je ziet het goed, agent May. Mia en ik zijn verliefd.' Ze begroef haar gezicht in Mia's hals. 'Ik zou alles voor haar doen, en zij voor mij.'

Volkomen verbijsterd schudde Melanie haar hoofd. Dit kon niet waar zijn. Ze keek smekend naar haar zusje. 'Besef toch wat je doet, Mia. Veronica is een moordenares! Als je haar kant kiest, word je alsnog als medeplichtige beschouwd. Het is niet alleen verkeerd, het is –'

'Wat?' viel Mia haar in de rede. 'Stom? Is dat wat je wilde zeggen? Dat die arme, zielige Mia op het punt staat weer iets stoms te doen?'

'Nee!' Ze strekte een hand uit naar haar zusje. 'Denk nou toch alsjeblieft goed na. Als je haar kant kiest, ben je niet beter dan zij.'

'Denk goed na?' herhaalde Mia bevend van woede. 'Je praat tegen me alsof ik een kind ben. Of niet goed wijs.'

'Dat bedoelde ik niet, maar ik weet –'

'Hou op! Ik ben doodziek van je gepreek en je wijze raad. Melanie weet het beter,' zei ze honend. 'Melanie weet wat goed is. Melanie verdient het dat er van haar wordt gehouden. Mia niet.'

'Dat is niet waar!' riep Melanie uit. 'Dat heb ik nooit gedacht! Nooit!' Ze legde een hand op haar maag. De aanval van haar zusje deed meer pijn dan Veronica's trappen en stoten. 'Ik begrijp niet waarom je zo... zo boos bent,' zei ze met trillende stem. 'Ik heb altijd geprobeerd je te beschermen. Ik wilde alleen maar dat je veilig was... en gelukkig.'

'Schei toch uit!' Mia kneep haar ogen tot spleetjes. 'We weten allebei hoe heerlijk je het vond om de sterke zus te zijn, de grote heldin.'

'Dat is niet waar.' Melanie schudde haar hoofd.

'Als jij er niet was geweest, had ik geen bescherming nodig gehad. Jíj bent de reden waarom papa altijd mij moest hebben. Twee is te veel, Melanie. Zo is het altijd al geweest.'

'Maar we zijn niet met ons tweeën! We zijn met ons drieën. Ashley is er ook nog.'

Mia snoof medelijdend, verachtelijk. 'Ashley hoort niet bij ons. Die kwam pas later. Als een soort vergissing.'

Ashley, een vergissing? Melanie kon niet geloven dat de lieve, zachte Mia al deze afschuwelijke dingen zei. Ze dacht aan het gesprek dat ze eerder die dag had gehad met Ashley. Aan het geheim dat Ashley had onthuld. Zou het iets hebben uitgemaakt als Mia wist hoe hun zusje voor hen had geleden? Niet echt, besefte ze. De zus die ze had gedacht te kennen, van wie ze had gehouden en die ze had vertrouwd, bestond niet.

'Heb je altijd een hekel aan me gehad?' vroeg ze met trillende stem. 'Elke keer wanneer ik je verdedigde, elke keer wanneer ik tussen papa en jou in sprong?'

'Ach, we krijgen ineens medelijden met onszelf.' Mia hield haar hoofd schuin. Om haar mond speelde een kille glimlach. 'Zo zie ik je graag, Mellie. Zielig en verslagen. Misschien hadden we deze tête-à-tête al jaren eerder moeten hebben. Ook al ben ik nu pas in staat alle stukjes in elkaar te passen.'

Jaren eerder. Alle stukjes in elkaar passen. Melanie begon het te begrijpen. Het besef van Mia's verraad was zo gruwelijk, dat het haar dreigde te overweldigen. 'Je wist het,' zei ze met gebroken stem. 'Je wist dat Veronica... Boyd heeft vermoord. En de anderen?' Melanie sloeg een hand voor haar mond. 'O, mijn god... Stan! Je wist ook van Stan. Je wist dat Veronica... dat ze de schuld van de moord op Boyd op mij probeerde te schuiven.'

Even zweeg Mia. Toen lachte ze, en het klonk zo kil, dat Melanie huiverde. 'Wat ben je toch blind, Mellie! En stom! Dat heeft Veronica niet gedaan. Dat was ik. Ik heb Stans ontbijtvlokken vergiftigd. Ik heb het bewijs in je huis en je auto gelegd. Dat was ik, Mellie. De zielige, hulpeloze Mia.'

Melanie probeerde wanhopig tot zich te laten doordringen wat haar zusje had gedaan. 'Dus jij hebt het bandje gewist. Het bandje met Ashleys boodschap erop. Toen je Casey kwam halen, voor de huiszoeking.'

'Bingo.' Mia grijnsde. 'Wil er iemand een cola light?'

'En mijn uniform! Dat heb jij bij de stomerij gehaald.'

'Het zat me als gegoten.' Ze deed in stap in Melanies richting, die onwillekeurig achteruitdeinsde. 'Het was zo gemakkelijk om te doen alsof ik jou was. Net als toen we kinderen waren. Ik zal je echt missen, Mellie.'

'Doe dit niet, Mia,' zei Melanie smekend. 'Casey heeft me nodig. Ik ben zijn moeder.'

'Straks heeft hij een lieve tante om hem te helpen zijn verdriet te verwerken.'

Bij de gedachte dat Casey zou worden grootgebracht door deze zieke vrouw met haar verwrongen geest, slaakte Melanie een wanhopige kreet van protest.

Mia keek Veronica aan. 'Wie zou hebben gedacht dat Melanie zou proberen haar eigen zus te vermoorden?'

'Tja.' Veronica klakte met haar tong. 'Wie zou dat hebben gedacht? Het is maar goed dat je een wapen had om jezelf te beschermen.'

Het volgende moment richtte Mia het pistool op Melanies borst.

'Wacht! Dit klopt niet! Ik ben ongewapend. Dus hoe had ik kunnen proberen je te vermoorden?'

De vrouwen keken elkaar aan. 'Je wist dat je zusje een wapen had,' zei Veronica.

'Precies. Ik had het gekocht om mezelf te beschermen tegen Boyd.'

'En dat heb je Melanie verteld. Je hebt haar laten zien waar je het bewaarde.'

'Maar waarom zou ik proberen je te vermoorden?' vroeg Melanie haastig en met bonzend hart. 'Denk je niet dat de politie dat vreemd zal vinden? En als ze iets vreemd vinden, gaan ze zoeken en vragen stellen.'

Mia keek Veronica aan en toonde voor het eerst iets van onzekerheid.

'Dat zullen ze deze keer niet doen,' zei Veronica. 'Tenslotte ben je de hoofdverdachte bij een moord en een poging tot moord.'

'Je kwam bij mij om te vragen of ik je kon helpen het land uit te komen,' zei Mia, 'maar Veronica was hier ook. Ze heeft geprobeerd je zo ver te krijgen, dat je je overgaf.'

'Toen raakte je buiten zinnen,' vulde Veronica aan. 'Je viel mij aan... Ik heb de blauwe plekken die het bewijzen. Het klopt allemaal. Ik weet hoe het systeem werkt. Ze zullen maar al te blij zijn als ze weer een zaak kunnen afsluiten.'

Uit alle macht probeerde Melanie niet in paniek te raken. Hun verhaal was niet slecht, gezien het bewijsmateriaal dat de politie tegen haar had verzameld. En Veronica had gelijk. De politie zou het maar al te graag slikken. Om ervan af te zijn.

'Ashley weet hoe het zit,' zei Melanie. 'Ze zal dit niet laten gebeuren, maar –'

'Ach, Ashley! Die zit in een gekkenhuis. Dus wie denk je dat de politie gelooft? Haar of mij en een hulpofficier van justitie?' Afkeurend schudde Mia haar hoofd. 'Bovendien ben ik bang dat onze, lieve zus wel eens een tragisch ongeluk zou kunnen krijgen.'

'Nee! Mia! Dat mag je niet doen! Laat Ashley met rust.'

'Dus we spelen nog altijd de heldin?' Er verscheen een grimmige trek om haar mond. 'Hou er toch mee op, Melanie. Het begint te vervelen.'

Een gevoel van hopeloosheid maakte zich van Melanie meester. Ze mocht niet sterven. Niet terwijl iedereen dacht dat ze een moordenaar was. Vooral Casey mocht dat niet denken! O, nee! Niet Casey. Er kwamen tranen in haar ogen. Ze wilde hem in haar armen houden, ze wilde hem zien opgroeien. En ze wilde tegen Connor zeggen dat ze van hem hield. Ze wilde een kans op liefde! Op een gezin!

Langzaam richtte Mia haar pistool. Met een kille glimlach om haar lippen. 'Vaarwel, Melanie.'

65

⟨⟩

Toen er niet op zijn bellen werd gereageerd, begon Connor op de voordeur van het huis van Melanies zusje te bonzen. 'Mia Donaldson! Connor Parks, FBI! Ik moet u spreken over uw zus Melanie. Het is dringend.'

Net toen hij op het punt stond opnieuw op de deur te bonzen, ging deze op een kiertje open. Hij hield zijn penning omhoog. 'Mia Donaldson?' vroeg hij.

'Ja? Kan ik u helpen?'

Ze deed nog iets verder open, en net als bij zijn eerste ontmoeting met Melanies tweelingzusje, voelde Connor zich even gedesoriënteerd. De vrouw die om de hoek van de deur keek, was Melanies spiegelbeeld. Hoewel, toch niet helemaal. Er waren subtiele verschillen, al zou hij ze niet kunnen aanwijzen.

'We hebben elkaar al eerder ontmoet. Ik ben een collega van uw zus. Ik moet haar spreken. Het is dringend.' Toen ze aarzelde, voegde hij eraan toe: 'Ik weet dat ze hier is. Haar auto staat op het tuinpad.' Hij legde zijn hand op de deur, bereid om zich zo nodig met geweld toegang tot het huis te verschaffen.

Vluchtig wierp ze een blik over haar schouder. Toen keek ze hem weer aan. 'Natuurlijk, komt u binnen.' Ze wenkte hem mee te komen naar de woonkamer. 'Gaat u zitten. Dan zal ik haar even halen.' Na deze woorden liep ze de kamer uit.

In plaats van te gaan zitten, liet Connor zijn blik over het vertrek gaan. Over de meubels, de kunst aan de muur, de dure snuisterijen. Wat hem echter het meest interesseerde, waren de foto's, voornamelijk van drie meisjes op verschillende leeftijden, die een verbijsterende gelijkenis vertoonden. Toch kon hij op elke foto Melanie er zo uitpikken. Haar vrijmoedige, wilskrachtige glimlach was – zelfs op jonge leeftijd al – onmiskenbaar.

Ineens besefte hij hoe onnatuurlijk stil het om hem heen was en hoe lang hij al wachtte. Al minstens vijf minuten, vertelde een blik op zijn horloge hem.

Hier klopte iets niet...

Hij bracht zijn hand naar zijn schouderholster met zijn Beretta en haalde het wapen te voorschijn.

'Welkom, agent Parks. Mia zal dat van u overnemen.'

Langzaam draaide Connor zich om. In de deuropening naar de keuken stond Melanie, met Veronica Ford achter zich. Laatstgenoemde had een arm om Melanies middel geslagen en hield de loop van een kleine revolver tegen haar slaap gedrukt.

Mia liep om hen heen en kwam naar hem toe, met haar hand uitgestrekt. 'Uw pistool.'

Zonder ook maar een seconde te aarzelen, gaf hij haar zijn wapen.

Toen gebaarde ze naar de keuken. 'Na u.'

Even keek hij Melanie aan. Zijn hart brak toen hij de spijt in haar ogen zag. Vervolgens richtte hij zich tot Veronica. 'Je denkt toch niet dat je hiermee wegkomt?'

'Sterker nog, we weten zéker dat we hiermee wegkomen.'

'Dat is dan wel erg arrogant, zeker gezien het feit dat de politie weet –'

Mia duwde de Beretta tegen zijn rug. 'Mond dicht!'

Veronica trok Melanie achterwaarts de keuken in, zodat hij erlangs kon. De moed zonk hem in de schoenen toen hij zag wat hun daar wachtte: in het midden van het vertrek waren twee stoelen met hoge rugleuningen rug aan rug tegen elkaar gezet. Ze waren met afplakband aan elkaar bevestigd.

'Zitten!' beval Mia.

Nogmaals keek hij naar Melanie. Hoewel haar gezicht verried dat ze doodsbang was, stond het ook uiterst geconcentreerd. Net als hij probeerde ze wanhopig een manier te bedenken om aan deze hachelijke situatie te ontsnappen.

Hij ging zitten. 'Of jullie zijn van plan om ons vast te binden en daarmee tijd te kopen,' zei hij toen Mia zijn armen en benen met het band aan de stoel begon vast te maken. 'Of jullie schieten ons gewoon regelrecht dood zodra we zitten. Het lijkt me wel zo eerlijk als jullie ons vertellen wat de plannen zijn.'

Helaas kreeg hij geen antwoord.

Mia was met hem klaar en gebaarde Veronica Melanie te brengen.

Zonder zich te laten ontmoedigen, probeerde hij het op een andere manier. 'Ik moet bekennen dat ik nogal verrast ben. Ik had geen idee dat je bij de vijand hoorde. Wist jij dat, Mellie?' Met opzet gebruikte hij haar zus' koosnaampje.

Langzaam schudde Melanie haar hoofd. 'Nee,' fluisterde ze. 'Nee, dat wist ik niet.'

'Wat ik ook nogal verwarrend vind, is de hiërarchie.' Hij probeerde zijn armen en zijn benen te bewegen, om te zien hoe strak hij was vastgebonden. 'Zo te zien, is Mia de grote leider. Is dat een juiste taxatie van de situatie, Veronica?' Hij draaide zich naar haar om. 'Ben je gedegradeerd?'

Ze keek naar Mia, als om haar goedkeuring. Deze schudde licht haar hoofd, en hij grinnikte.

'Zie je wel! Dus ik had gelijk. Hoe zit het precies? Gaan jullie met elkaar naar bed of zo? En is het een strijd wie boven mag liggen?'

Dreigend boog Mia zich naar hem toe. 'Mond dicht, of ik sla hem dicht. Begrepen?'

Zonder een spier van zijn gezicht te vertrekken, keek hij haar aan. 'Begrepen.'

De twee vrouwen verlieten het vertrek, ongetwijfeld om hun tactiek te bespreken en te zorgen dat hun verhalen met elkaar klopten. Hij vermoedde dat zijn komst de boel danig in de war had gegooid.

'Waarom ben je gekomen?' vroeg Melanie met onvaste stem.

Omdat ik van je hou, dacht hij. In plaats daarvan zei hij: 'De politie weet het van Veronica. Er is een arrestatiebevel uitgevaardigd, en er zijn agenten naar haar huis en naar het kantoor van de officier van justitie gestuurd. Ik kwam je vertellen dat het allemaal voorbij was.'

'De hemel zij dank.' Ze slaakte een diepe zucht. 'Nu groeit Casey tenminste niet op... in de veronderstelling dat zijn moeder een moordenaar was.'

'Ze komen hier niet mee weg, Melanie. Wat er ook met ons gebeurt.'

Melanie knikte en haalde beverig adem. 'Ze heeft geprobeerd de schuld op mij te schuiven, Connor. Mijn eigen zus. Al die jaren... heeft ze me gehaat. Alles wat ik voor haar heb gedaan, heeft die gevoelens alleen maar versterkt. Terwijl ik... Terwijl ik altijd zoveel van haar heb gehouden.'

Haar stem brak, en Connor vervloekte zijn onvermogen haar in zijn armen te nemen en haar te troosten. Als hij die kans ooit nog zou krijgen, zou hij haar nooit meer loslaten!

'Ik vind het zo verdrietig voor je,' zei hij zacht, 'en ik vind het ook zo afschuwelijk wat er gisteravond is gebeurd. Ik wilde je geloven. Zodra je weg was, heb ik je gebeld om dat tegen je te zeggen.'

'Ach, het is niet belangrijk meer. Het lijkt inmiddels al in een ander leven.'

'Voor mij is het wel belangrijk. Misschien overleven we dit niet, maar ik wil dat je weet dat ik geloofde in je onschuld. Dat ik je heb gebeld om te zeggen dat we er samen uit zouden komen. Dat we er samen achter zouden komen wie de schuld op jou wilde schuiven. Je nam niet op, dus ik heb een boodschap ingesproken. Sterker nog, ik heb sindsdien een stuk of vijf, zes boodschappen ingesproken.'

Ze zou die boodschappen nooit meer horen. Tenzij hij hen hieruit wist te krijgen.

Een geluid ontsnapte aan haar keel, een lach en een snik tegelijk. 'Dank je wel. Dat betekent heel veel voor me.'

'Luister. We hebben niet veel tijd, en er is nog iets wat ik je moet vertellen. Voor het te laat is. Ik hou van je. Ik ben verliefd op je. En voordat je het vraagt, ik hou ook van Casey. Hij is een geweldig kind, maar het gaat me niet om hem. Het gaat me om jou en mij. Om de manier waarop ik me voel als ik bij jou ben. Je maakt me... Je maakt me gelukkig, Melanie.'

Opnieuw slaakte ze een gesmoorde kreet, half blij, half wanhopig. 'Ik hou ook van jou, Connor.'

Hij boog zijn hoofd naar achteren zodat het tegen het hare rustte, de enige liefkozing waartoe hij in staat was. Nee, hij zou het niet op deze manier laten eindigen. Dat zou hij niet laten gebeuren. 'Laten we een manier bedenken om hieruit te komen, zodat we nog lang en gelukkig kunnen leven. Wat vind je?'

Ze lachte krampachtig. 'Als je erop staat.'

Het geluid van voetstappen verried dat de twee vrouwen er weer aan kwamen. 'Dit is het plan,' zei hij haastig, op gedempte toon. 'Uiteindelijk herinnert iemand zich dat Veronica en Mia dikke vriendinnen zijn en dat er al een tijd niets van ons is vernomen. Dan sturen ze iemand hierheen. Hoe meer tijd we weten te kopen, des te beter is het. Laten we proberen ze tegen elkaar op te zetten. Ik begin. Akkoord?'

Voordat Melanie kon reageren, kwamen de twee vrouwen de keuken weer binnen.

Connor liet geen moment verloren gaan. 'Ik vertelde Melanie net over de laatste ontwikkelingen in het onderzoek naar de Zwarte Engel. Willen jullie het horen?'

Ongeïnteresseerd keek Mia hem aan. 'Dat lijkt me er nauwelijks meer toe doen.'

'O nee?' Hij verplaatste zijn blik naar Veronica. Zij was absoluut de minst kalme van de twee. Er zou niet veel voor nodig zijn om haar uit haar evenwicht te brengen. 'Er is een arrestatiebevel tegen je uitgevaardigd, Veronica. Plus een opsporingsbericht voor de hele staat.'

'Dat zal wel.'

'Het is echt waar. Dat krijg je als je je man en zijn vriendin vermoordt. Je dacht toch niet dat je daar voorgoed mee weg zou komen?'

Veronica verbleekte.

Met gefronste wenkbrauwen keek Mia haar aan.

'Dat heeft Melanie je net verteld.'

'Helaas. Ik wist het al. Je hebt je man van vlakbij in de borst geschoten, en zijn vriendin heb je met een pook de hersens in geslagen. Je had ze in een zeil gewikkeld en verzwaard met gewichten in Lake Alexander laten zakken.' Hij glimlachte. 'Klinkt het je bekend in de oren?'

Veronica zag eruit alsof ze elk moment kon gaan overgeven. Haar greep op het wapen leek te verslappen.

Connor zette door, vervuld van haat om wat ze zijn zusje had aangedaan. 'Inmiddels weten we allemaal dat het daar niet mee ophield. Het was zo'n bevrijdend gevoel om je man kwijt te zijn, dat je vervolgens je vader hebt vermoord.'

Achter zich hoorde hij dat Melanie haar adem inhield. Blijkbaar was dit nieuw voor haar. 'Daarbij moest je het echter wat subtieler aanpakken. Het is één ding om alle mannen in je leven te willen straffen, maar het is een heel ander verhaal om daarbij te worden betrapt. Dus je besloot een zeilongeluk te ensceneren.' Hij schudde zijn hoofd. 'Je gebruikte je vaders passie voor het water tegen hem. Net zoals je dat bij andere slachtoffers deed. Passies zoals jagen en motorrijden.'

Hij keek Veronica strak aan. 'Ik wed dat je geen idee hebt wie ik ben. Of wie mijn zusje was. Suzi Parks. Gaat er al een belletje rinkelen?'

Veronica's bleke gezicht werd asgrauw. Ze sloeg haar hand voor haar mond.

Een overweldigende woede, gecombineerd met verdriet, nam bezit van Connor. Ze had zijn zusje vermoord! In koelen bloede. Zonder enige spijt. 'Je hoort het goed,' zei hij zacht, terwijl hij uit alle macht probeerde zijn emoties onder controle te houden. 'De vriendin van je man was mijn zus, en je hebt haar vermoord.'

'Ze ging met haar man naar bed!' beet Mia hem toe. 'Dus het was haar verdiende loon.'

Woedend balde Connor zijn vuisten, maar hij bleef Veronica onafgebroken aankijken. 'Ze wist niet dat hij getrouwd was, en toen ze erachter kwam, heeft ze geprobeerd een eind aan de relatie te maken. Hij bedreigde haar. Zei dat hij haar zou vermoorden als ze dat deed.' Hij liet zijn woorden even doordringen. 'Ze was net als jij, Veronica. Zijn slachtoffer.'

Nog steeds zei Veronica niets. Haar lippen bewogen, maar er kwam geen geluid uit haar mond.

Connor zette door. 'Ik dacht dat de Zwarte Engel misstanden wilde rechtzetten. Dat ze ervoor wilde zorgen dat mensen uiteindelijk hun verdiende straf kregen. Is de moord op een onschuldig meisje soms wat jij verstaat onder –'

'Hou je mond!'

Dat was Mia, maar Connor negeerde haar. Veronica trilde zo, dat ze bijna het wapen liet vallen.

'Gerechtigheid?' maakte hij zijn zin af. 'En nu ga je ons vermoorden? Waarom? Omdat je vriendin dat wil. Omdat ze zo jaloers is op haar zus, dat ze –'

'Ik zei toch dat je je mond moest houden!' Mia griste het wapen uit Veronica's hand en keerde zich naar hem toe.

In het besef dat hij te ver was gegaan, zei hij nog haastig een stilzwijgend gebed voor Melanie.

Het volgende moment was het alsof zijn hoofd uit elkaar spatte.

66

Melanie verbeet een wanhopige kreet toen Mia Connor met de loop van het pistool tegen de zijkant van zijn hoofd sloeg. Bij het zien van de wrede uitdrukking op het gezicht van haar zusje, besefte ze eindelijk ten volle dat de Mia die zij had gekend, niet bestond. Dat ze een illusie was geweest. Iemand die met verbijsterende authenticiteit de rol van haar zachtmoedige zusje had gespeeld. De echte Mia Donaldson was koud, wraakzuchtig en wreed. Ze was geestelijk ziek.

Uit alle macht vocht Melanie tegen haar tranen. Haar zus verdiende haar verdriet niet. Misschien later, maar niet nu. Op dit moment had Connor haar nodig. Zij moest zien dat ze hen hieruit kreeg.

Wees niet dood, Connor. O god, alsjeblieft, bad ze, maak dat hij nog leeft.

Alles wat ze ooit over Mia had gedacht, moest ze vergeten. Ze moest opnieuw beginnen. In haar gedachten ging ze terug naar de gebeurtenissen van de afgelopen maanden. Naar inconsistenties in Mia's verhalen. Naar dingen die haar destijds al aan het twijfelen hadden moeten brengen... als ze niet onvoorwaardelijk in haar zusje had geloofd.

Boyd! Natuurlijk!

Haar zwager kreeg er een kick van te worden gedomineerd en gestraft door vrouwen, en niet andersom. Die dag in het ziekenhuis had hij ontkend dat hij Mia had geslagen. Hij had de waarheid gesproken!

Melanie keek naar de vrouw die ze ooit als haar zusje had beschouwd. 'Boyd heeft je nooit geslagen, hè?' vroeg ze met iets van bewondering in haar stem. 'Dat hele verhaal heb je verzonnen!'

'Goed geraden, zus. De zielige, geperverteerde stumper had niet het lef om zoiets te doen.' Mia lachte bijna uitgelaten. 'Boyd was een slappeling, een stakker, maar hij verdiende een hoop geld. Daardoor kon hij me het leven bieden dat ik wilde. Ik was niet van plan dat op te geven, en zeker niet omdat ik zo stom was geweest met die huwelijkse voorwaarden akkoord te gaan.'

Connor kreunde, en Melanie zei een stilzwijgend dankgebed. Toen concentreerde ze zich weer op Mia. De tijd begon te dringen.

'Ik geloof dat ik het begrijp,' zei ze met een steelse blik op Veronica. Te oordelen naar de geschokte uitdrukking op haar gezicht, was ook zij niet op de hoogte geweest van de werkelijke relatie tussen Mia en haar man. 'Dus je bedacht een plan. Je kwam met het verhaal dat hij je sloeg. Je produceerde een paar tranen en bezorgde jezelf een paar blauwe plekken omwille van de authenticiteit. Maar wat had je daarmee willen bereiken, behalve een scheiding?'

Mia snoof van afschuw over Melanies gebrek aan visie. 'Bij een scheiding zat ik aan die huwelijkse voorwaarden vast. Als hij doodging, kreeg ik alles.' Toen Melanie haar niet-begrijpend aankeek, schudde ze haar hoofd. 'Denk nou eens na! Iedereen wist hoe driftig mijn grote zus kon zijn. Hoe ze me altijd probeerde te beschermen. Dat ze alles voor me zou doen, desnoods haar eigen vader met een mes bedreigen. Ik besloot al die práchtige eigenschappen van je te gebruiken om van mijn steeds lastiger echtgenoot af te komen.'

Melanie drukte haar lippen op elkaar om het niet uit te schreeuwen. De manier waarop haar zusje spotte met haar liefde, haar vertrouwen, deed bijna ondraaglijke pijn.

'Het zou zo gemakkelijk zijn,' vervolgde Mia. 'Ik zou een van je uniformen aantrekken en hem met je dienstpistool neerschieten, als ik dat te pakken kon krijgen. Zo niet, dan met mijn eigen wapen.' Ze gebaarde naar de revolver met de parelmoeren handgreep die op de bar achter Veronica lag. 'Daarna zou ik zorgen dat je werd gezien wanneer je het huis verliet. Op die manier was ik in één klap van jullie allebei af.'

Trots op haar eigen slimheid keek ze Melanie aan. 'Ik zou het doen als ik wist dat je alleen thuis was met Casey. Dan zou je geen alibi hebben. Niemand zou eraan twijfelen of je had het gedaan.'

'Toen leerde je Veronica kennen,' zei Melanie. 'En daarmee werd het allemaal nog gemakkelijker.'

'Precies. Wie kon ik nu beter aan mijn kant hebben dan een hulpofficier van justitie? Toen ik Boyd had gevolgd en achter zijn smerige geheimpje was gekomen, wist ik dat ik het voor elkaar had. Uiteindelijk heeft zij het niet alleen voor me gedaan, maar ze heeft ook mijn alibi voor die avond nog wat extra gewicht gegeven.' Mia lachte, duidelijk tevreden over zichzelf. 'Niet dat ik echt hulp nódig had. Je speelde me volledig in de kaart door Boyd zelfs in het openbaar te bedreigen. Wat een rechercheur! Je hebt nooit iets in twijfel getrokken van wat ik tegen je zei.'

'Ik geloofde je ook,' fluisterde Veronica. 'Je hebt tegen me gelogen, Mia. Over Boyd... over alles. Hoe... Hoe kon je dat doen?'

Mia schonk haar een verachtelijke blik. 'Kom nou toch, Veronica! Doe niet zo dramatisch! Zulke dingen gebeuren.'

Met een gekwelde kreet keerde Veronica zich naar Mia. 'Ik was bereid alles voor je te doen... Alles! Ik hield van je.. en al die tijd...' Haar stem brak. 'Al die tijd heb je tegen me gelogen? Heb je me gebruikt?'

'Je wilde alles voor me doen. Dat maakte je al heel snel volkomen duidelijk. En dat waardeer ik. Je maakte het me een stuk gemakkelijker. En troost je, ik had je heus nog wel een tijdje om me heen willen houden. Helaas zal dat nu niet meer gaan. We hebben een leuke tijd gehad. Waar of niet. Maar dat is nu, helaas, voorbij.'

'Voorbij.' Veronica deed een stap naar achteren. De tranen stroomden over haar gezicht. 'Maar we, ik... ik begrijp het niet.'

'Dat lijkt me nogal duidelijk. De politie en de FBI weten wat je hebt gedaan, maar van mij weten ze niets, en dat zullen ze ook nooit weten.' Ze zuchtte. 'Het is afschuwelijk zoals je Melanie en Connor hebt vermoord. Ik heb nog geprobeerd je tegen te houden... ze te redden...' Haar stem beefde, alsof ze haar rol vast oefende. 'Maar ik kon het niet. Sterker nog, ik mag van geluk spreken dat ik nog leef.'

Ze hief haar wapen op en richtte het op de verbijsterde Veronica. 'Vaarwel, liefste.'

Veronica slaakte een bloedstollende kreet van woede en verraad. Toen stortte ze zich op Mia met een perfect uitgevoerde hoge trap. Op hetzelfde moment vuurde Mia Connors pistool af. Veronica reageerde geschokt, maar liet zich niet tegenhouden. Opnieuw vuurde Mia.

Veronica was geraakt en wankelde naar achteren, met haar hand tegen haar maag gedrukt. Op haar witte T-shirt tekende zich een vuurrode vlek af, die steeds groter werd. Zonder aarzelen, keerde Mia haar de rug toe en richtte het wapen op Melanie. Ze glimlachte.

Er klonk een schot. Een explosie van geluid weerkaatste door de keuken en vermengde zich met Melanies kreet en met Connors commando om zich naar rechts te laten vallen.

Terwijl ze viel, zag ze haar hele leven aan zich voorbijtrekken. De mooie momenten, de momenten die het waard waren herinnerd te worden: Caseys geboorte, zijn eerste glimlach, een wandeling op het strand met haar moeder, plezier met Ashley, vrijen met Connor.

De stoel raakte de grond, een hevige scheut van pijn trok door haar schouder, en haar hoofd smakte op de tegels.

Het duurde even voordat haar hoofd weer helder werd en ze besefte dat Connor noch zij geraakt was. Voorzichtig hief ze haar hoofd op.

Haar zusje lag in een steeds groter wordende plas bloed, met haar gezicht naar Melanie gekeerd. Haar starende ogen keken haar nietsziend aan.

Melanie liet haar blik door de keuken gaan. Veronica had zich aan de bar omhoog gehesen en Mia's revolver gepakt.

Roerloos, met het wapen nog in haar hand, keek ze Melanie

aan. In haar ogen stond oprechte spijt te lezen. Spijt en berusting. En een bede om vergiffenis.

Terwijl er een vluchtige glimlach om haar lippen verscheen, bracht ze het pistool naar haar mond – en haalde ze de trekker over.

67

Toen Melanie het hoofdbureau van het CMPD verliet, werd ze overstroomd door zonlicht. Genietend kneep ze haar ogen dicht. Nog maar een paar uur eerder had ze gedacht dat ze de zon nooit meer zou zien. Dat ze zich nooit meer zou kunnen koesteren in zijn stralen. Connor en zij hadden het gered. Ze leefden nog.

Zoals Connor had voorspeld, was een van de rechercheurs van het CMPD door Bobby getipt dat Mia en Veronica vriendinnen waren en dat er van zowel Melanie als Connor niets meer was vernomen sinds ze bij Mia naar binnen waren gegaan.

De uitgerukte reddingstroepen hadden het tweetal vastgebonden aan twee stoelen aangetroffen, liggend op de grond, in een plas bloed. Erg ongemakkelijk, maar ook erg levend.

Na een bezoek aan de dokter en nadat ze zich hadden verschoond, hadden ze een verklaring afgelegd. Melanies baas was er ook bij geweest. En daarnaast commissaris Lyons, Harrison en Stemmons, en Steve Rice. Commissaris Lyons had haar gecomplimenteerd met haar werk, zowel in de zaak van de Zwarte Engel als in de zaak Andersen. Steve Rice had voorgesteld dat er eventueel plaats voor haar was bij het Bureau, waarop de baas van het CMPD haar een soortgelijk aanbod had gedaan.

Grappig. Op een dergelijk aanbod had ze zo lang gewacht, maar nu het kwam, voelde ze zich alleen maar als verdoofd.

Na het afleggen van hun verklaringen waren Connor en zij

naar huis gestuurd, om de rest van de dag – en de dagen daarna – onder ogen te zien.

Mia!

Kreunend bleef Melanie staan, plotseling overweldigd door de gruwelen van de afgelopen uren. Ze probeerde wanhopig haar ademhaling weer onder controle te krijgen en met de doorgestane emoties in het reine te komen.

Connor nam haar in zijn armen en trok haar tegen zich aan. 'Ik weet hoeveel pijn het doet, liefste.'

'Hoe zal ik dit ooit kunnen accepteren?' Haar stem brak. 'Hoe moet ik het ooit... vergeten?'

'Je zult het nooit vergeten, maar er komt een dag waarop het niet meer zoveel pijn doet.' Hij legde zijn handen tegen haar gezicht. 'Die dag zal ik er zijn, Melanie, en alle andere dagen.'

'Ik hou van je, Connor.'

'En ik hou van jou.'

'Mam!'

Met een ruk draaide Melanie zich om.

Daar stond Casey, met zijn vader naast zich.

'Casey!' Ze ging op haar knieën zitten en spreidde haar armen. Zijn stralende gezichtje was het mooiste wat ze ooit had gezien. In een oogwenk lag hij in haar armen. 'Ik heb je zo gemist, lieverd,' fluisterde ze. 'Ik heb je zo verschrikkelijk gemist.'

Terwijl hij zijn armpjes stijf om haar heen sloeg, keek Melanie naar haar ex-man. Hij bracht haar een stilzwijgend saluut, draaide zich om en liep naar zijn auto.

Glimlachend keek ze hem na, terwijl ze de gedachte aan Mia, aan de pijn van het verraad, aan het ongeloof en de desillusie verdrong. Ze zou nog tijd genoeg krijgen om te treuren om het zusje van wie ze met haar hele hart had gehouden. Dit moment was voor Casey. Voor Connor. Voor het leven.

Met Casey in haar armen keerde ze zich naar Connor. 'Wat zou je ervan zeggen als we eens naar huis gingen, Parks?'

'Een uitstekend idee, May. Werkelijk een uitstekend idee.'

Ook verschenen bij MIRA BOOKS:

Erica Spindler – De indringster

Met de adoptie van een baby denkt een kinderloos echtpaar de kroon op een gelukkig huwelijk te hebben gezet. Maar de biologische moeder dringt hun leven binnen en verandert hun droom in een nachtmerrie.

'Superspannend. Ik kreeg er af en toe gewoon hartkloppingen van!'
ISBN 90 8550 031 1 – 400 pagina's – € 9,95   Amazon.com

Taylor Smith – Sporen

Wanneer binnen korte tijd drie kleine kinderen verdwijnen, denkt de politie aan een kidnapper. Dat het ook een moordenaar kan zijn, blijkt pas door een gruwelijke vondst in een plastic vuilniszak.

'Prima verhaal, sterke, goed ontwikkelde personages. Een aanrader.'
ISBN 90 8550 043 5 – 300 pagina's – € 9,95   Barnes & Noble.com

Alex Kava – Verloren zielen

Vijf jongens plegen zelfmoord. De dochter van een senator wordt gewurgd. Voor FBI-agent Maggie O'Dell zijn het afzonderlijke zaken. Tot één naam in beide opduikt: die van de Eerwaarde Joseph Everett.

'Een superspannend boek. Je zit "er" gelijk helemaal in.'
ISBN 90 8550 045 1 – 400 pagina's – € 9,95   Crimezone.nl

Carla Neggers – Het koetshuis

Wanneer Tess Haviland in een oud koetshuis een skelet vindt, probeert ze uit te vinden wat er is gebeurd. Iemand blijkt echter tot alles bereid om dat te voorkomen. Ook tot moord.

'Carla Neggers is geweldig, en dat heeft ze met dit boek wéér laten zien!'
ISBN 90 8550 046 x – 280 pagina's – € 9,95   Janet Evanovich

Jasmine Cresswell – Gebroken glas

Bij een brand verdwijnt miljoenenerfgename Claire Campbell. Als jaren later Dianna Mason opduikt, de zoveelste die claimt de verdwenen Claire te zijn, breekt er weer brand uit.

'Spannende roman met briljant uitgewerkte plot.'   Affaire de Coeur
ISBN 90 8550 042 7 – 320 pagina's – € 9,95